MACHADO

SILVIANO SANTIAGO

Machado
Romance

4ª *reimpressão*

COMPANHIA DAS LETRAS

Copyright © 2016 by Silviano Santiago

Grafia atualizada segundo o Acordo Ortográfico da Língua Portuguesa de 1990, que entrou em vigor no Brasil em 2009.

Capa
Marcelo Girard

Ilustração da capa
Karakotsya/ Shutterstock

Preparação
Márcia Copola

Revisão
Nana Rodrigues
Clara Diament

Embora se inspire em fatos e pessoas reais, esta é uma obra de ficção.

Dados Internacionais de Catalogação na Publicação (CIP)
(Câmara Brasileira do Livro, SP, Brasil)

Santiago, Silviano
  Machado : romance / Silviano Santiago. — 1ª ed. —
São Paulo : Companhia das Letras, 2016.

ISBN 978-85-359-2836-5

1. Romance brasileiro I. Título.

16-08058   CDD-869.3

Índice para catálogo sistemático:
1. Romance : Literatura brasileira 869.3

Todos os direitos desta edição reservados à
EDITORA SCHWARCZ S.A.
Rua Bandeira Paulista, 702, cj. 32
04532-002 — São Paulo — SP
Telefone: (11) 3707-3500
www.companhiadasletras.com.br
www.blogdacompanhia.com.br
facebook.com/companhiadasletras
instagram.com/companhiadasletras
twitter.com/cialetras

Transfiguração, *Rafael*.

Para André Botelho

O que é o cérebro humano senão um palimpsesto natural e poderoso?

Thomas De Quincey

Escritor é sempre um homem que escolheu mais ou menos o imaginário: precisa de certa dose de ficção. No que se refere a mim, encontro-a no meu trabalho sobre Flaubert que, aliás, pode ser considerado um romance. Meu desejo é que as pessoas digam que se trata dum verdadeiro romance. Naquele livro, tento atingir certo nível de compreensão de Flaubert por meio de hipóteses.

Jean-Paul Sartre, Situations, IX

Índice

I. Carlos de Laet, Machado de Assis e Gustave Flaubert, 13
II. 29 de setembro, 48
III. Os vitoriosos, 83
IV. 23 de fevereiro de 1906, dez horas da manhã, 115
V. A Roda da Fortuna, a Roda dos Enjeitados, 156
VI. A escada e o lustre: a solidariedade humana, 201
VII. A ressurreição dos mortos, 245
VIII. A faca tem duas pontas, uma delas assassina, 292
IX. Manassés e Efraim, 338
X. Transfiguração, 379

Agradecimentos, 419
Créditos das imagens, 420

I.
Carlos de Laet, Machado de Assis e Gustave Flaubert

> *Um homem que começa mentindo disfarçada ou descaradamente acaba muita vez exato e sincero.*
>
> Machado de Assis, *Memorial de Aires*, 21 de maio de 1888

> *Ora, para caracterizar os retornos a Freud e a Marx, é preciso acrescentar um último atributo: eles se fazem com vistas a uma espécie de costura enigmática da obra e do autor.*
>
> Michel Foucault, "O que é um autor?"

Compro o quinto volume da correspondência de Machado de Assis na manhã do dia 24 de junho de 2015. Datas-limite definem e recobrem o material anotado com competência por especialistas e publicado pela Academia Brasileira de Letras: 1905-1908. Se recortada, a curta fração de tempo ganha o formato de ponto de interrogação e sobressai de forma agressiva e incontornável. Os nove caracteres — oito algarismos unidos quatro a quatro por traço — vêm impressos em negro na capa que guarnece cartas e mais cartas de Machado de Assis e de seus correspondentes. É inestimável a valia do volume para o estudioso da literatura ou para o simples observador da história nacional no início do século XX. Lá dentro, entre 1905 e 1908, se desenrola o cotidiano dos últimos anos de vida do grande romancista brasileiro que nasce na corte imperial em 1839. Passa toda a vida na metrópole, com curta estada em Petrópolis e em Nova Friburgo, e vem a falecer no bairro do Cosme Velho, em setembro de 1908, viúvo da portuguesa Carolina Augusta Xavier de Novais, e sem filhos.

Fixo os olhos no lado de fora do volume. Aprecio a curta fração de tempo que acoberta a reta final duma compacta e misteriosa vida profissional, vivida de modo a realçar os valores nobres que uma nação formada por indígenas, conquistadores lusitanos, escravos africanos e colonos europeus pode manifestar no Novo Mundo. Salienta-se a reta final duma vida bem tecida com amizades e amor, de muito trabalho e muito sofrida.

Aprecio a curta fração de tempo. Fascina-me enxergar a graça e o valor da experiência humana pela abreviação de longo e extraordinário percurso individual em pouquíssimos anos salientes. Nada responsabiliza mais o cidadão brasileiro letrado e o acusa de conluio vergonhoso com a ditadura imposta pelo Palácio do Catete que o relato dos meses que se seguem ao dia 13 de janeiro de 1937, dia em que o romancista Graciliano Ramos deixa a prisão a que fora condenado sem julgamento pelo regime Getúlio Vargas. Se o latino-americano negligenciar a viagem em 1936 do dramaturgo francês Antonin Artaud ao México, então presidido por Lázaro Cárdenas, não terá se adentrado com coragem e paixão pelas longas e intrincadas relações nos planos político e cultural entre os colonizadores espanhóis e os índios astecas e pelas relações pós-coloniais entre a Europa e a América Latina.

Ao negligenciar alguns meses das experiências de vida de Graciliano e de Artaud, nosso compatriota estaria também negligenciando o significado profundo da imersão tardia dos latino-americanos no fogo cruzado da Segunda Grande Guerra e o modo como a poderosa nação ao norte joga a bomba atômica em Hiroshima, chuta pra escanteio a Inglaterra e assume de modo dramático e incontestável a liderança mundial.

1905-1908. Um grão da areia que cobre as extensas praias que banham o oceano Atlântico. E se eu, para curar a intranquilidade que me assalta nos momentos duros da solidão derradeira, que desmorona o corpo e desmantela minha imaginação, decidisse domesticar, neste ano de 2015, a linguagem da viuvez e da velhice de Machado de Assis no modo como se amansa o filhote rebelde e arisco para transformá-lo em companheiro e interlocutor calado, em animal de estimação?

E se a curta fração de tempo vivida e impressa em negro na capa do livro fosse respeitada por mim como bula de remédio milagroso?

Há que se precaver com metáforas. *Adestramento da vida selvagem alheia* e *bulas de medicamento simbólico* são por natureza exercícios inequívocos e ditatoriais e servem para reafirmar a eficácia de quem quer manter curtas as rédeas sobre o próprio corpo ou sobre o corpo alheio. No final, regras de adestramento e bulas propõem mais do que dispõem. Ao espalharem aos quatro ventos os benefícios fortificantes do controle físico e do autocontrole emocional, querem esconder melhor os danos colaterais.

Arrisco-me, assim mesmo.

Na hora de dormir, enquanto afofo o travesseiro, os dois olhos arregalados e agradecidos do filhote domesticado me espiam com meiguice. Deito na cama, recosto a cabeça, estendo o corpo e o recubro, e me encaminho devagarzinho para o sono. *Boa noite* — Machado de Assis e eu nos despedimos em silêncio conivente para nos reencontrarmos nas regeneradoras aleias do sonho, lugar onde — e momento em que — o *happy ending* se assemelha a moral de fábula e diz que, ao embalo dos braços de Morfeu, os acontecimentos da véspera e os dramas tristes da vida são amadurecidos e caem do galho. Ao me levantar bem-humorado na manhã seguinte, calçar os chinelos e vestir o *robe de chambre* sobre o pijama, as quatro patas do bichinho de estimação se espreguiçam, distendem e me acompanham servilmente pelos cômodos do apartamento até a mesa. Espera-nos o café da manhã. Sirvo-o. Reinou a tranquilidade nas horas mais desamparadas e perigosas da nossa vida de velhos solitários.

Sem filhos e recém-viúvo, Machado de Assis continua a vivência e a rotina de pai de família casado, de funcionário público qualificado e cumpridor dos deveres, de refinado artesão das letras e amigo dos amigos. Depois da morte da patroa, as duas criadas permanecem no chalé do Cosme Velho. Carolina e Jovita se transformam em guardiãs durante o dia e anjos da guarda à noite. Para evitar lembranças amargas ou constrangimento diante de visita menos íntima, Machado alonga os nomes das criadas. Para a primeira adota o nome de Carolina Pereira e para a segunda, o de Jovita Maria. Apresentam-se mais como reorganizadoras da memória doméstica do que como alicerce ao sobrevivente castigado pela perda da doce Carolina no dia 20 de outubro de 1904. São proibidas pelo patrão de deslocar um único móvel ou objeto em toda a casa e de abolir ou simplificar os arranjos domésticos no quarto de dormir, na sala de banhos ou na sala de jantar e na cozinha. Bem que as duas tentaram retirar do lugar privilegiado a cadeira de dois assentos opostos, chamada de conversadeira, mas não conseguiram. Carolina Pereira volta a ter o cuidado — lembro e intercalo a observação feita por amigo íntimo do viúvo — em continuar a dispor na mesa de jantar os dois guardanapos, as duas xícaras e os dois pratinhos rasos, acompanhados dos dois jogos de talheres. Revela que, mal acesas as luzes da casa, o fantasma de Carolina abandona a cova no Cemitério de São João Batista, volta a sentar no lugar de sempre, à cabeceira, para tomar o café da manhã com o marido.

No Ministério da Indústria, Viação e Obras Públicas, onde tem a função de chefe de contabilidade, na Livraria Garnier, onde passa o final das tardes a conversar com colegas de literatura, e na recém-fundada Academia Brasileira de Letras, de que é o presidente desde a fundação em 1896, fala-se à boca pequena que, em virtude da solidão e da tristeza reinante no lar, as antigas e intermitentes crises nervosas do viúvo (as chamadas "vertigens", causadas pela imprudência de não conseguir seguir à risca o conselho médico e evitar o café) estão se tornando constantes e públicas. Observa-se e se comenta que o aplicado funcionário público, o leitor atento e crítico da produção literária clássica e europeia e o romancista de renome internacional estão os três enfermos. Os três continuam também produtivos e, a cada dia que passa, mais exibem os achaques da idade aos íntimos e ao médico clínico, o dr. Miguel Couto.

No entanto, o amanuense, o crítico e o escritor conseguem impor em público — como bem centrado núcleo da personalidade senhorial — a figura morena e frágil, de chapéu entre os dedos, mas sempre altiva, que, por tartamudear, se expressa em tom de sussurro. Nos momentos mais castigados do dia, o *vir probus*, com residência em chalé no bairro do Cosme Velho, alugado dos condes de São Mamede, se esconde por detrás do pincenê de cordão, da barba e do bigode bem aparados. Esconde-se, e sorri de modo discretíssimo e franco, como bruxo zombeteiro que aprendeu a resolver tantos enigmas humanos com o pó de cocaína sorvido nos livros que ama.

A intimidade pachorrenta e dolorida das noites sem fim da viuvez se resguarda na vida pública pelo avesso — este realça a extroversão cerimoniosa, embora descompassada e agitada, do intelectual. Profundamente melancólico por dentro, Machado de Assis simula descontração, doçura e atrevimento ao assumir sua parte de responsabilidade na governança da máquina pública nacional, no destino da arte da escrita literária no Brasil e na própria vida que se verga definitivamente sob o peso das doenças e dos anos. Embora recubra à perfeição os avanços guturais e amedrontadores da fala intermitente de gago contumaz, é calculado o modo da sociabilidade de quem está sendo abandonado definitivamente pela boa fortuna. Por timidez, por teima ou por orgulho, o viúvo nunca se revela na condição de sobrevivente.

Poucas vezes fala a amigos da solidão angustiante por que passa e jamais exige a adesão sentimental dos escritores que lhe são próximos. Continua homem educado, operoso, fino e aflito. Aflitivo para alguns, já que o rosto se tornou ultrassensível às náuseas súbitas e passa a impressão de que ele está para morrer. Ainda que estivesse a salvar o condenado à forca como a si, o mulato Machado deixa sobressair os ademanes de aristocrata e as frases castiças que se automodelam pelo falar culto, aprimorado no convívio com a esposa portuguesa. Parece aberto ao diálogo, ávido de contato com o outro e confiante nas avaliações que faz do ser humano. Ao redirecionar para o exterior os últimos fiapos de energia psíquica, magnetizando-os, ele está na verdade borrando a curiosidade alheia sobre a perda prematura da mãe e os maus-tratos que, desde a infância humilde no morro carioca, lhe foram impostos pelo destino e afastando os mexericos e as intrigas que capitalizam a saúde desde sempre fragilizada pelo grande mal. Nos corredores da burocracia e da vida literária, consegue desvencilhar-se da indiscrição malsã dos parceiros e neutralizar o demolidor disse me disse dos adversários.

Por simples vaidade, ou por querer emular a bonomia de mestre Victor Hugo a se divertir com os netos, o corpo enfermo do idoso e a mente envelhecida do escritor extraem o sumo da vida dos olhos derreados, mansos e meigos de mulato carioca, nascido no morro. Desvelam atenção ao interlocutor, amainam a conversação mais ríspida e afrouxam os atritos entre as partes em litígio. A doçura do olhar africano patriarcal — translúcida se observada através das lentes do pincenê — também dilui a dose expressiva de ressentimento acumulada no coração e ali guardada debaixo de sete chaves. No rosto enobrecido pela dura experiência de vida transparece o afeto à humanidade, sentimento indiscriminado e superior que tapa a boca do mais atrevido e insolente dos opositores, obrigando-o, quando em presença do escritor, ao cultivo do espírito de compreensão, tolerância e respeito.

Mas a crise nervosa, a convulsão, chega sem se anunciar. Põe abaixo os andaimes erguidos com vistas à construção infindável da subjetividade fraterna e poderosa pelo mestre dos mestres. Se a convulsão se anuncia pela fosforescência de bicos de gás que se apagam e se acendem, riscando com traços dourados e multicoloridos o ambiente como fogos de bengala, se se anuncia pelas faces repentinamente pálidas e pela tonteira que se lhe segue, pelos braços doloridos ou pelos dedos crispados ou pelas unhas que causam ferimentos nos braços da boa alma que acode o convulsivo, se se anuncia pela perda de coerência na fala, pela boca de lábios agigantados, cuja saliva ganha tal massa que a gosma esbranquiçada força os dentes, transpõe os lábios, tendo de ser escarrada no lenço, o enfermo busca alguma figura amiga à vista e dela se aproxima cambaleando. O corpo capitula ao ritmo gradativo de homem ferido por punhal ou por tiro de revólver. Caso o convulsivo perca de todo o equilíbrio de animal bípede, pode cair, ferir os braços e os joelhos e até o rosto.

O corpo tomado pela crise se apoia, então, em pessoa amiga como num par de muletas, ao mesmo tempo em que a boca a gesticular, gaguejando monossílabos, e a espumar saliva lhe implora para não chamar a atenção dos demais passantes. A exigência do recato é mistério indevassável.

Lembro-me do relato elaborado pelo escritor Carlos de Laet, professor do Colégio Pedro II e jornalista antirrepublicano. Ao acaso da sua caminhada diária pela rua Gonçalves Dias, Carlos de Laet está a conversar com colega do Colégio Pedro II e a zombar da Academia Brasileira de Letras, a que pertence. Diz que os acadêmicos perdem tempo a debater a ridícula simplificação ortográfica da língua portuguesa, proposta em plenário pelo pseudofilólogo e pedagogo Medeiros e Albuquerque, conhecido bajulador dos militares no poder e reconhecido pelos escolares como o autor dos versos bisonhos do Hino da Proclamação da República: "Nós nem cremos que escravos outrora/ Tenha havido em tão nobre país.../ Hoje o rubro lampejo da aurora/ Acha irmãos, não tiranos hostis".

Nos primeiros anos do século XX, não há novidade na capital federal que o jornalista adepto do regime monárquico e inveterado amigo da Igreja católica não encare pelo parti pris derrisório da polêmica pública. Laet teria sido também um ótimo caricaturista. E na verdade ele próprio é caricatura ambulante do Rio antigo. Tem o queixo apenas manchado por barbicha rala, não larga o guarda-chuva de alpaca nem o pincenê de cordão e, debaixo do braço, carrega uma maçaroca de jornais. Na polêmica, prefere o sabre ao florete. E em geral o cruza com estrondo nos ares antes de cravá-lo no inimigo. Como a maioria dos amigos íntimos, tem a mão pesada de monarquista enrustido em tempos de perseguição política pelos militares no poder. Se o clima ideológico permitisse, estaria sempre pelejando contra os republicanos, como os antigos guerreiros das cruzadas. Não admite as mudanças institucionais que estão sendo feitas à galega pelos representantes do novo regime, que impõem a ferro e fogo ao cidadão a cartilha positivista e científica, dita republicana. Tendo a fala fácil e convincente, o professor Carlos de Laet gosta de desembrulhar as propostas dos antimonarquistas seus inimigos em elucubrações intempestivas e de exibi-las nuas em letra de imprensa. É panfletário por natureza. Costuma exemplificar concretamente os argumentos ferinos e os sustentar com bordões de fácil memorização.

Laet toma o bonde e vai até a Gamboa. Manda um fiel tipógrafo imprimir em cartão-postal um exemplo contundente da falta de lógica do projeto de reforma que Medeiros e Albuquerque faz correr em favor de nova grafia fonética para a língua portuguesa no Brasil republicano, à semelhança do que era proposto em outras línguas nacionais do Ocidente. Logo os colegas acadêmicos atribuem conotação monárquica às duras críticas filológicas que faz. Seu grande desafeto é José Veríssimo — na nova ortografia, Zé Veríssimo —, reconhecido como historiador da literatura brasileira e evidentemente defensor do regime re-

Zé Veríssimo : — Ora, seu Laet! Veja outro assumpto para matar as suas saudades da monarchia!
Carlos de Laet : — Todos me servem, mas este da reforma da orthographia obriga-me a fazer lettras com muito prazer, e a carambolar por tabella, na tua Republica!
Lá vai obra!

publicano. Laet não esmorece; passa a distribuir entre colegas, alunos e amigos o cartão-postal impresso na tipografia da Gamboa. Distribui-o como se entrega cartão de visita ao novo amigo. Parados na calçada da Gonçalves Dias, Laet e seu colega se divertem com as frases reproduzidas no cartão, segundo a nova bitola simplificadora:

> Fálase muinto en ortografia fonétika: mas en ke se rezume ela? Na ekuasão du son i da grafia: ora, tal ekuasão não eziste, nunca ezistirá con un alfabetu ke, kual u ke erdamus dus latinus, é au mesmu tempu defisiente e superabundante.
> Logo, nunka será posivel fazer ortografia fonetika, antes ke Medeirus e seus adeptus corrijão u alfabetu, ô inventen ôtro melhor. Não se póde fazer uma omelete sen kebrar us óvus, nen ortografia fonétika sen mandar au infernu a tradisão.

Esse é o texto escalafobético que está sendo mostrado e lido por ele ao colega, e comentado jocosamente pelos dois, e eis que de repente seu olhar se levanta do papel para enquadrar a inesperada figura em preto do viúvo do Cosme Velho. Machado de Assis se aproxima a caminhar pela rua Gonçalves Dias, vindo da rua do Ouvidor em direção à Sete de Setembro.

Para melhor observar o escritor ao longe, Laet abre uma frincha na risada que comparte com o colega.

Machado, visivelmente desnorteado, tem a pessoa de Laet como único alvo, razão maior para que, por passe de mágica, o católico fervoroso entristeça a cara sorridente e prepare de antemão a palavra de reconforto pela recente e lamentável perda da devotada Carolina. Esquece-se de dar a réplica ao colega do Pedro II. Repara melhor nos passos titubeantes e apressados do confrade que, mais próximo, lhe faz um discreto sinal. A pressa no caminhar não camufla o semblante desassossegado do viúvo, antes o escancara pela respiração arquejante e pelo movimento impaciente e nauseado dos lábios como se a mastigar alimento de difícil ingestão. Ao se aproximar, Machado de Assis sussurra frases aparentemente desconexas. Ecoam com discrição nos ouvidos de Laet. Se bem consideradas, não são compreendidas. Passam a assustar os dois bem-humorados professores.

O andar desnorteado, o semblante desassossegado e as palavras desconexas do recente viúvo desqualificam não só a expressão dos sentimentos de compaixão que vinham sendo ensaiados por Laet e seu colega do Colégio Pedro II, como também os cumprimentos afetuosos, embora tristes. Não conseguem se adiantar ao inevitável assalto do viúvo, tomado por crise.

Na estreitíssima calçada da rua Gonçalves Dias, Laet e seu colega ficam empacados que nem burros de carga; mudos e assombrados, se transformam em muro de pedras a impedir o vaivém cotidiano dos passantes. Recolhem o abraço sentido que fortaleceria e revigoraria a sensibilidade combalida do presidente da Academia de Letras, entregue ao luto cerrado desde a morte da esposa.

As curtas frases sussurradas pelo mestre saem aos solavancos, sem sentido aparente. O rosto perturbado e o corpo sem plumo, enviesado, estão de frente para os dois professores e atraiçoam o propalado estoicismo e também a elogiada retidão de propósitos do grande escritor nacional, do mesmo modo como o Santo Graal se evocado em delírio noturno pelo cavaleiro da Távola Redonda reflete o estado de confusão mental a que pode chegar o cruzado obcecado.

Chocado, Laet escancara os olhos e não acredita na cena que flagra em plena rua do centro da capital federal e à luz do sol. Atônito, julga que a dor pela perda de Carolina é que lhe transtorna a fisionomia e que as palavras são balbucios porque proferidas por criança órfã, aturdida por tragédia incompreensível. Não há como lhe passar pela cabeça que o escritor tenha exagerado no vinho e caminhe trôpego pelas ruas como um ébrio. Lembra-se, acertadamente, das crises de fundo nervoso que de tempos a tempos atacam o fundador da Academia de Letras e lhe despedaçam a couraça impermeável que agasalha a sensibilidade à flor da pele, desnudando-a. Quer desvencilhar-se do colega de colégio. Muda de assunto: recorre à confusão no trânsito acarretada pelo desentendimento entre um pedestre e o cocheiro da carroça de aluguel que vinha chicotando os cavalos e atropelando os passantes, e finalmente se queixa do vento que sopra pela brecha das ruas estreitas e lhe encarde o terno escuro com a densa poeira das demolições dos casarões coloniais. Alegando compromisso cerimonioso e urgente, Laet se despede do colega com quem zomba da reforma ortográfica proposta por Medeiros e Albuquerque.

Sozinho, Laet dá um passo até o velho enfermo e lhe dá o braço sem abraço. Com a firmeza de poste, sustenta o corpo enviesado, já curvado e bamboleante. Ao se expandir de forma desengonçada, o viúvo se entrega a ele como se à beira do desmaio. A situação exige jogo rápido e clandestino.

Laet substitui as ensaiadas palavras de condolência pela sugestão dum gole de Elixir Werneck, que lhe deve acalmar o estômago e restaurar o ânimo.

Leva-o amparado até a farmácia mais próxima. A de Orlando Rangel, que fica logo adiante, no número 41 da rua Gonçalves Dias. O farmacêutico e proprietário do estabelecimento reconhece o senhor que requer cuidado médico. Cumprimenta-o pelo nome. Abre a portinhola que acopla os balcões em L da loja, deixa-o entrar no recinto fechado e o conduz a um quartinho nos fundos, resguardado por cortina negra.

Em estado de choque, Laet toma assento numa das cadeiras para os clientes, como se estivesse à espera dos remédios receitados pelo médico. Não enxerga os fregueses que entram e saem da farmácia e os dois balconistas que os atendem. Permanece calado. Mantém-se como se estivesse sentado em banco do cais Pharoux, a aguardar que a lancha que traz os passageiros do transatlântico fundeado na baía ganhe as águas rasas do píer para dela sair a visita tão aguardada. *Para tal golpe não há bálsamo possível* — a frase ocupa o vazio da sua cabeça, como refrão de ladainha, e expressa um profundo desalento diante da fatalidade. Sua consciência adormece pouco a pouco.

Por detrás da cortina negra, o enfermo está sendo atendido pelo farmacêutico de plantão.

O velho enfermo reaparece restabelecido de todo.

Quando Machado de Assis transpõe de volta a portinhola que une os balcões em L, seu rosto senhorial concerta mesuras aos poucos fregueses da farmácia. Distenso, o enfermo retoma posse do corpo pequeno-burguês e este, todo de negro, ainda trajado à moda da Monarquia, reassume a personalidade mundana. A vida continua, como se a interrupção no convívio social cotidiano, camuflada pela cortina negra da farmácia de Orlando Rangel, não tivesse acontecido. Interrupção longa e tão definitiva que reconfiguraria para sempre o caráter de Carlos de Laet, sorteado pelo Acaso para contracenar com Machado de Assis no palco da rua Gonçalves Dias, em pleno centro da cidade que o prefeito Pereira Passos manda botar abaixo para que se construa a avenida Central.

Laet e Machado saem pela ampla porta da farmácia de Orlando Rangel. Lado a lado, como dois peões no tabuleiro de xadrez. Não dialogam. Expressam-se por curtíssimos solilóquios paralelos, como se marionetes em espetáculo absurdo. A linha dramática imposta pelo *metteur en scène* do Acaso à dupla de atores vai do estranhamento à simpatia, do constrangimento à covardia. Instruído pelas normas pequeno-burguesas, o protocolo traz de volta o silêncio. Cada um conta os passos que os levam até a Estação Carioca, onde Machado deve tomar o bonde em direção ao largo do Machado.

À direita de quem segue pela Gonçalves Dias, no sopé do morro, de fundos para o convento e a igreja de Santo Antônio, erguia-se até há pouco tempo o imponente casarão colonial que abrigava o Hospital da Ordem Terceira de São Francisco da Penitência. Está sendo posto abaixo pelas picaretas destruidoras, sob o comando do infatigável engenheiro Paulo de Frontin.

Inspirado pelo esqueleto do prédio à sua frente e pelo que ainda há de vida no largo da Carioca, Laet redesenha na paisagem o antigo hospital. Os vendedores de jornais e de bilhetes

Demolição do Hospital da Ordem Terceira de São Francisco da Penitência no Largo da Carioca.

de loteria se misturam às cadeiras de engraxate e aos balcões de vender bicho. Cada um e todos gesticulam como loucos de hospício e apregoam aos gritos a mercadoria que lhes traz moedas e sustenta as famílias. Muitas das janelas do antigo hospital ficavam entreabertas durante todo o dia e exibiam a diversidade das faces dos convalescentes vestidos com camisolas de dormir. Emoldurados pelos caixilhos das janelas, os fantasmas humanos pareciam uma sucessão de retratos funestos, dependurados na parede de museu de arte. Os cabelos dos internados estavam engordurados e em desordem; os rostos, desbotados e as roupas, encardidas. As narinas de Laet se apuram e recordam o insuportável cheiro de iodofórmio e de fenol que fluía em nuvens pelo portão do hospital, que ao mesmo tempo era atravessado por duplas de enfermeiros apressados que conduziam a maca para o doente que chegava deitado na carruagem puxada a burro.

O olhar cismarento de Laet reganha o real: agora, o prédio que domina o largo é o moderno e amplo Edifício do Café, de três andares, projetado segundo o elogiado estilo compoteira, tomado de empréstimo dos arquitetos modernizadores de Paris. No andar térreo do prédio ao lado funciona a Confeitaria Rocha & Menères. No seu vasto e aconchegante salão, um seleto e combativo grupo de velhos conselheiros do Império ainda se reúne das quatro às seis. Por comungar as ideias e os ideais dos habitués, Laet aparece com frequência. Os alegres amigos bebericam, conversam, recitam poemas satíricos, fazem piadas e inventam trocadilhos com base no nome das personalidades políticas que se destacam nos jornais do dia.

O bonde das Laranjeiras deu a volta pelo largo da Carioca e para no ponto. Laet quer dizer a Machado de Assis que sua ascendência sobre ele não está diminuída. Não consegue abrir a boca. Abre-a, ameaçando querer fazer-lhe companhia, acompanhando-o até em casa.

Ao se aproximarem do bonde, Machado, com gesto ríspido, proíbe definitivamente o salvador de acompanhá-lo ao Cosme Velho. Pede-lhe muitas desculpas pelo incômodo causado. Acrescenta que em visita futura retribuirá a generosidade do gesto fraterno. O salvador não insiste em acompanhá-lo. Não se dobra fácil a vontade do mestre. Sustentando com os braços o peso do corpo do viúvo, ajuda-o a ganhar o estribo do bonde e, em seguida, o assento. Tão logo o acomoda no banco, desce ao mesmo tempo em que o livra do bando de moleques que querem lhe vender biscoitos e balas.

Para desanuviar o mal-estar na despedida, Laet não se contém e repete ao enfermo a expressão que ele diz quando, no meio duma festa maçante, dissimula sua desaparição discreta. Laet lhe grita da calçada, plagiando a fala educada e a entonação do seu ouvinte: "Vou raspar-me à francesa!", e por conta própria acrescenta um conselho fraterno que não esconde o puxão de orelha de reprimenda: "Você não se corrige". Com essa nota descontraída, Laet abandona o viúvo, sentado sozinho no bonde das Laranjeiras.

Laet vê que se distanciam no horizonte o bonde praticamente vazio e o confrade. Vão em direção ao largo da Lapa.

Instintiva e vagarosamente os acompanha com pernas que logo dobram à esquerda e ganham o vasto canteiro de obras onde a multidão de trabalhadores braçais abre pouco a pouco a futura avenida Central e, a toque de caixa, constrói de um lado e do outro os imponentes prédios art nouveau. Agiganta-se ao fundo, à direita, o moderno e majestoso Palácio São Luís (futuro Palácio Monroe, sede do Senado Federal a partir de 1925), prédio construído originariamente em território norte-americano, na cidade de St. Louis, às margens do rio Mississippi. Lá se realizou a Exposição Universal (World's Fair) de 1904, comemorativa do centenário da incorporação da Louisiana aos Estados

Unidos. Por ordem do presidente Rodrigues Alves, a nova República do Brasil se fez representar pelo moderníssimo pavilhão. Toda a sua complexa estrutura seria posteriormente desmontada e transplantada em navio cargueiro para o Distrito Federal, onde serviria de sede para a III Conferência Pan-Americana, projetada para o ano de 1906.

Nos anos de 1905 e 1906, o inovador e astucioso prédio construído em St. Louis é reerguido peça por peça no centro do Rio de Janeiro. Passa a ocupar amplo terreno no início da avenida Central, de onde acabavam de ser varridos os destroços das velhas casas e casarões coloniais que sobreviviam na região das ruas do Passeio e da travessa do Maia, à beira da praia de Santa Lúcia.

Enquanto caminha em direção à baía, os sapatos de Laet batem estaca no terreno pedregoso da memória em pânico. Arrasado, ele se distrai observando o trajeto das carroças de entulho puxadas a burro. Admira os belos lampiões em ferro batido. Como árvores sem raízes, cujos galhos metálicos são insensíveis às rajadas de vento, eles foram plantados nas calçadas pavimentadas pelos calceteiros imigrantes. À imitação do mar que já se avista desde as escadarias do futuro Palácio Monroe, as pedras portuguesas brancas e pretas desenham as sucessivas ondas em movimento. Laet chega finalmente à beira-mar. Para se desintoxicar da poeira úmida das demolições, o pulmão inspira o vento benfazejo da tarde que, no entanto, ameaça tempestade ao cair da noite.

Decide tirar os noves fora do recente e atropelado encontro com Machado de Assis.

Debruça-se sobre a amurada da avenida Beira-Mar. E admira a bela paisagem de cartão-postal. Descortina-se a baía de Guanabara em todo o seu esplendor. À direita, o bairro da Glória e o do Flamengo. Escondem pelas costas a enseada de Botafogo. Bem ao fundo, o Pão de Açúcar desde sempre protege os habitantes da cidade. O morro, qual paquiderme monstruoso

Pavilhão Brasileiro, World's Fair, St. Louis, 1904 (futuro Palácio Monroe, Rio de Janeiro).

sentando-se langorosamente nas quatro patas e espichando a carantonha para espreitar o passado do futuro, amanheceu recoberto por nuvens negras. Elas não arredam pé. Daqui a pouco se autodevorarão em tempestade e se liquidificarão em chuva torrencial.

O coração de Carlos de Laet se estraçalha e se decompõe em mil pedacinhos sentimentais. Começa a juntar os cacos como criança que quebra o bibelô que a encanta e, semiparalisada, fica à espera da reprimenda por parte dos pais.

O instante da vida é de perigosa instabilidade emocional e afetiva, mas é o medo de perigo iminente — medo impalpável e concreto — que Laet transforma em linha a empinar a pipa da imaginação pelos ares. Pelo movimento contínuo de rotação do eixo da manivela, o jornalista polêmico, qual adolescente sonhador, vai dando linha e mais linha a uma ideia-pipa, já pensada e nunca amadurecida. Até então latente no espírito, a imaginação multicolorida vai ganhando os ares e, a planar sobre as águas revoltas do mar a espocar contra a amurada da avenida Central, risca o risco de relâmpagos no cinza-chumbo dos céus que guarnecem e escondem a distante e monstruosa cadeia de montanhas que tem aos pés o pacato bairro da Urca. A imaginação multicolorida reganha galeio e se empina sob a força do vento que sopra do oceano Atlântico e a despacha em direção ao pico do Pão de Açúcar. A ideia pensada e nunca amadurecida atrai os raios como a pipa de Benjamin Franklin. A descarga elétrica da natureza percorre caminho inverso ao da imaginação, a que Laet dá mais e mais linha. Ao cair dos céus, o relâmpago eletrocuta o corpo do jornalista polêmico, que se fende em pedacinhos.

Coração e corpo estão aos pedaços. Num ato extremo de ousadia, Laet zomba da arruaça sonora dos trovões e se concentra.

Se desvencilhada dos resíduos cristãos que a desviariam para o esquecimento absoluto, a cena trágica, clicada há pouco pelos seus olhos na rua Gonçalves Dias, se apura. Não deve ser o que não é. Representa o que representa.

Enfermo e solitário, o viúvo do Cosme Velho está à beira da morte.

O medo de doença fatal, que até então Laet sentia de modo impalpável, se torna concreto. Confiante, decide lutar corpo a corpo com a ideia que o vem enfeitiçando há alguns anos. Há que retirá-la da latência onde a deixou por receio da má repercussão que causaria junto aos leitores de jornal e aos companheiros da Academia de Letras. Não se trata mais duma pipa multicolorida a sobreviver num canto obscuro da imaginação crítica, abandonada, trancada e escondida entre as quatro paredes do gabinete doméstico de trabalho. A ideia-pipa acabara de receber os bons fluidos dos ares tempestuosos da baía onde navega a cidade de São Sebastião do Rio de Janeiro.

Com o coração apequenado pela tempestade que se anuncia e o corpo fulminado pelo raio da verdade, a cabeça de Carlos de Laet se recompõe pela lucidez. Pela primeira vez, ela enuncia o que nunca teve coragem de pensar, o que sente por dentro e sofre.

A doença que cresce e vai devastando o ser humano por toda a vida é a principal responsável pela busca da imortalidade a ser alcançada pela obra de arte construída em independência da dor inafiançável e da exclusão educada do artista pelos companheiros e pelos pares. A águia voa solitária; as andorinhas é que voam aos bandos.

A doença sempiterna não se explica por justificativas rasas e piegas, não se dilui em lamentos piedosos e circunstanciais nem se expressa por comentários amargos motivados pelo rancor contra os deuses. A doença exige da obra que se faz a opção pela fatura perfeita, garantia da perpetuidade na memória dos homens. Não é a obra em si que se faz imortal pela graça e pela excelência geradas pelo trabalho diuturno do artista de posse dos mecanismos internos de composição. A arte pela arte é apenas uma tautologia de espiritualistas perdidos nas nuvens da estética romântica. Numa palavra, é bazófia. Do lado de fora e também do lado de dentro do trabalho que faz, é o artista doente que se alonga e se robustece pelo esforço hercúleo, febril e inédito, cujo fim é esbanjar, no ato extenuante de criar, o que lhe falta e, no entanto, sobra nos companheiros e nos pares contentes com a mediania — a boa saúde, que é distribuída democraticamente à maioria dos mortais.

A beleza artística é uma forma arrogante e salutar da doença que devasta o ser humano. O corpo enfermo sobre-excede a si pelo objeto que ele modela de modo insano e torna sublime. A proclamada arte pela arte na verdade se ancora no corpo enfermo que, ao ir soltando os gritos derradeiros do viço, passa a exprimir a eterna vitalidade pelo desperdício gratuito e suicida de energia.

O sublime em arte se expressa pela exuberância física do coração no corpo enfermo; bate-lhe à porta como se fosse chegada a hora em que se exaure definitivamente. O desejo do sublime não suspira; leva o coração a inspirar o ar das alturas e a soltar o grito final de redenção. O talhe do formão que fere a tora informe de madeira, a letra desenhada no papel e a pincelada dada na tela anunciam e retardam o bimbalhar do dobre fúnebre do corpo.

O monarquista Carlos de Laet tinha sido obrigado a se exilar em São João del-Rei, cidade colonial entregue ao abandono no estado de Minas Gerais, em represália contra a insubordinação ao poder militar e republicano recém-instalado no Palácio do Itamaraty. Seguia o caminho aberto pelo amigo e poeta Olavo Bilac, que fora deportado pelo presidente marechal Floriano para a decadente e Imperial Cidade de Ouro Preto. Podem relembrar velhos feitos esquecidos. Por muito observar e admirar a bela decadência das cidades barrocas do ciclo do ouro, os dois escritores se entregam ao estudo e ao conhecimento das relíquias da abastança colonial e, em conversa com o povo vaidoso das grandezas municipais, têm acesso à biografia dos artistas do passado setecentista.

Não lhes sai da cabeça a figura repelente do escultor mulato Antônio Francisco Lisboa, o Aleijadinho.

Sim, pensa Laet, Aleijadinho é genial por reclamo da doença degenerativa, cujo diagnóstico é dado pela pressão do humor gálico sobre o escorbútico. A cada dia, a doença repugnante ganha mais e mais o corpo do artista, fervilhando-lhe as entranhas, e, minuto após minuto, consome a carne e os músculos dos braços e os nervos sensíveis das mãos produtivas. Estas perdem os dedos que perdem a maleabilidade da articulação e viram aleijões físicos, a que o ajudante do escultor ata o cinzel que entalha a pedra-sabão. O homem a que se aplicou o famoso diminutivo nada tinha de fraco nem pequeno. Era formidável em sua disformidade. Nem no físico, nem no moral, nem na arte, nenhum vestígio de tibieza sentimental. Toda a sua obra de arquiteto e de escultor é de uma saúde, de uma robustez, de uma dignidade a que não atingiu nunca nenhum outro artista plástico entre nós. Por mais santo que seja o objeto a ser esculpido, não é sua aura, tampouco é ele em si, que induz o escultor ao trabalho superior e sublime. Depois de já ser perfeita, a arte de Aleijadinho se aperfeiçoa o quanto for possível. Suas esculturas riscam ornatos perfeitos no azul autêntico do Brasil.

A doença, sua extravagante e extraordinária força motriz, não se contenta com as meias medidas em arte. Estabelece metas cada vez mais inalcançáveis que restabelecem no homem o estímulo indispensável para que o trabalho artístico seja levado a cabo de modo a não deixar coração insatisfeito entre os futuros espectadores.

Carlos de Laet não conseguia deitar as novas ideias sobre arte e doença no papel impresso porque sabia o que deduziriam os amigos, os colegas acadêmicos e os leitores desconhecidos, se e quando tomassem conhecimento delas. Sem dificuldade, adivinhariam a que importante figura das letras brasileiras, descendente também de escravo africano, o colunista se refere pelo elogio do escultor ouro-pretano, e passariam a desprezá-lo, tendo-o como o crítico panfletário que, ao perder o norte ético dos monarquistas brasileiros, perdia também os valores cristãos da Igreja católica e, ainda, o decoro indispensável para continuar membro da Academia Brasileira de Letras. Com o fim de granjear fama nos meios literários da capital federal, diriam os detratores republicanos, lá está o professor Laet a desencadear relâmpagos no fleumático clube britânico que a recém-fundada Academia almeja ser. Como a caixa de Pandora, se aberta, deixa à solta todos os males do mundo, o conhecido polemista injetaria a discórdia entre monarquistas, católicos, literatos e medalhões, todos desprotegidos de para-raios.

Mesmo escondidas, reclusas e guardadas a sete chaves, como a pipa multicolorida da infância, as ideias de Laet sobre doença e arte vinham ganhando reforço desde os anos 1890. Cristalizam-se durante a leitura que faz do capítulo VII do livro *Souvenirs littéraires*, de Maxime du Camp, dedicado a Gustave Flaubert. O famoso romancista realista francês, autor de *Madame Bovary*, também padecera do grande mal e, nessa condição, se transforma no mais polêmico dos personagens nas lembranças literárias escritas pelo seu contemporâneo na Escola de Direito de Paris.

Na província brasileira, onde não há biblioteca pública que mereça o adjetivo, a curiosidade intelectual não se satisfaz sem muita caminhada pela rua do Ouvidor. Há que ser mestre nas artes de caça à raposa. Por instinto, Laet o é, e também por necessidade e por profissão. No Rio de Janeiro da finada Monarquia, a Casa Crashley, propriedade de ex-importador de calçados britânico, é que ainda recebe as boas revistas literárias do estrangeiro. Quando Laet passa pelo número 58 da rua do Ouvidor, entra, folheia um pouco de tudo e acaba por comprar algum exemplar, antigo ou novo, da *Revue des Deux Mondes*.

Caiu-lhe às mãos um antigo número da revista, dos anos 1880. Pela primeira vez é informado sobre a então recente publicação das lembranças literárias de Maxime du Camp, que levam de roldão o escandaloso capítulo sobre Gustave Flaubert. Naquela década, *Memórias póstumas de Brás Cubas* já era tido pelos *happy few* como o último e definitivo romance brasileiro do século XIX e Machado de Assis ganhava preeminência sobre os autores românticos e levava a melhor na troca de farpas com o português Eça de Queirós, autor de *O primo Basílio*.

Laet não se contenta com os dados fornecidos pela resenha do livro *Souvenirs littéraires*. Lendo-a e relendo-a, mais e mais se inteira da epilepsia de Flaubert, abordada apenas de raspão na *Revue des Deux Mondes*. Para benefício futuro, recortou o artigo e o arquivou, mal sabendo que já no novo século, em plena rua Gonçalves Dias, seria amaldiçoado e abençoado pelas astúcias do Acaso.

Machado, Aleijadinho, Flaubert... — a lista do seu interesse pessoal e recôndito se alonga e, diante das sucessivas coincidências, Laet não titubeia mais e pensa em quem todos pensam quando dão de encontro com a limitada oferta de livros estrangeiros na província brasileira. Pede ao diplomata e amigo Magalhães de Azeredo que lhe compre nalguma livraria europeia um exemplar das recordações literárias de Maxime du Camp e o traga numa das próximas viagens de visita à pátria e aos familiares. De posse do volume, logo destaca o capítulo sobre o jovem colega e amigo Gustave.

Carlos de Laet nem sempre concorda com o perfil de Gustave Flaubert, desenhado cuidadosa e cronologicamente por Maxime du Camp. Encanta-se mais com as descrições da vida em família dos Flaubert na província francesa e não esconde sua preferência pelo tom fraterno e elogioso, às vezes ambíguo, de que se vale o memorialista para relatar os anos de formação do pai de Flaubert, o médico Achille-Cléophas. Católico por convicção, Laet admira a dedicação humanitária do cirurgião-chefe à profissão e, quando Maxime descreve o sacrifício do médico da Santa Casa de Rouen pelos doentes sob a sua guarda, o compara mentalmente a São Francisco de Assis visitado por Deus no mosteiro de Fonte Colombo. O infatigável médico normando não distingue rico de pobre. Com o correr das décadas, o dr. Flaubert — acompanhado do filho mais velho, também médico e de mesmo nome — torna-se mito na província, enquanto o desiludido romancista abandona os seus e se esconde, como avatar normando de Santo Antão, no pavilhão familiar localizado na vizinha cidade de Croisset. O jardim em frente ao pavilhão, onde o escritor mora, o distancia da rua e das margens do rio Sena. Um sino enorme, dependurado ao lado do escritório de trabalho, anuncia ao jovem ermitão qualquer visita inesperada.

Recolhida ao acaso por Maxime, há uma frase de Flaubert que sobressai solitariamente e ofusca a mente mazomba de Laet: *"J'ai le sentiment d'être mort plusieurs fois"*. Encanta-lhe a mente assassina do escritor francês, vítima constante das convulsões epilépticas. Vida, morte e ressurreição do corpo se dão a cada dia.

Modesto em suas pretensões de memorialista, Maxime informa ao leitor curioso que o melhor retrato do cirurgião-chefe da Santa Casa de Rouen fora desenhado em *Madame Bovary* pelo filho romancista. Refere-se ao personagem dr. Larivière que aparece nas páginas finais do famoso romance. Laet caminha até a estante de livros e apanha seu exemplar de *Madame Bovary*. Volta e toma assento na escrivaninha de trabalho. Quer apreciar no aprumo estilístico do romancista a elogiável modéstia de Maxime, que delega ao ficcionista Flaubert o papel de autobiógrafo que caberia a ele por legítima pretensão, e só a ele. Relidas as sucessivas páginas finais do romance — agora em plena posse do dado biográfico que revoluciona sua leitura e compreensão da literatura —, Laet reconhece nas profundidades da sensibilidade artística de Flaubert a poderosa arte do retrato. O romancista francês não tem receio em esconder a notável figura do pai médico — ou em revelá-la ao leitor — por detrás de personagem secundário, quase insignificante, do seu mais famoso romance.

À imitação de Rembrandt, Flaubert pinta o *portrait* de Achille-Cléophas com a acuidade técnica recomendada pelas virtudes do realismo e com a destreza visionária dos que são dotados pela natureza com o controle das sutilezas desentranhadas da análise psicológica que se detém em nonadas, e não se esquiva a expor, pelo viés imitativo da representação artística, a experiência profissional do modelo-vivo pelos sentimentos sofridos por ele na carne, na pele delicada e solidária do rosto.

Volto ao perfil de Carlos de Laet. Nada define melhor o destino de eterno candidato derrotado a herói que a série de cambalhotas mal-ajambradas que o homem sensível e inteligente dá pela vida e levam o corpo a se estatelar vezes seguidas no chão do real. Levanta, sacode a poeira, dá a volta por cima, e, inteligente que também é, que fazer senão dar nova e vistosa cambalhota aos olhos da História? Termina em novo tombo espetacular. Bons amigos de Carlos de Laet julgam-no um Sancho Pança que corteja à noite o fidalgo Dom Quixote. Proclamada a República, Laet decide conduzir os dias e as várias profissões (era homem de mil instrumentos) por algumas ideias simples e chocantes. A mais singela e abrangente de todas reza que, no Brasil, não se deve viver no Brasil, cujo corolário é mais fascinante que o teorema porque é do agrado de gregos e troianos: localizado no Brasil, tudo seria perfeito se o Rio de Janeiro fosse *un quartier* de Paris.

No ano em que os militares proclamam a República, acontece a primeira e a mais espalhafatosa das mal-ajambradas cambalhotas de Laet. Com carreira promissora de professor concursado no prestigioso Colégio Pedro II, o monarquista decide enfrentar abertamente os novos donos do poder nacional. Solta a voz em sala de aula e em palanque. Diz que os marechais não perseguem apenas os cidadãos politicamente retrógrados. Eles praticam retaliações contra os combativos monarquistas na mais tradicional das instituições de ensino da nação, fundada por decreto de 12 de dezembro de 1837. O Colégio Pedro II, onde Laet é professor em português, geografia e aritmética, não mais poderá ostentar o nome que lhe fora dado por decreto desde a fundação. Botam abaixo o letreiro na fachada do edifício. Estamos corrigindo, dizem os novos donos do poder, o imperdoável atraso histórico da nação. Mudam o nome do colégio. Vira Instituto Nacional de Instrução Secundária.

Laet e mais alguns professores julgam a mudança no nome da tradicional instituição de ensino um ato de barbaridade histórica. Rebelam-se e contra-atacam, apelando para o bom senso dos conselheiros republicanos. A insubordinação do zeloso funcionário público é castigada de imediato. Serve de exemplo. É divulgada nos jornais. Perde primeiro o posto de professor e, pouco depois da segunda cambalhota em falso, é aposentado compulsoriamente. Novas perseguições políticas engatilham uma terceira e mal ensaiada cambalhota, e lá vai o professor aposentado comer o pão que o diabo amassou no interior do país. Exilam-no na histórica cidade de São João del-Rei, cuja decadência política é visível no infindável número de igrejas e de casarões coloniais. A César o que é de César, e a Deus o que é de Deus.

O eterno candidato derrotado a herói mal pode imaginar que não é apenas a maledicência pública que alimenta as línguas pérfidas da época. Elas são também tratadas pelo fel da desforra. Derrotado o inimigo, abatem-no e tripudiam sobre seu cadáver. Não é outro o motivo que leva os leitores de jornal a interpretar equivocadamente a preferência desacautelada de Laet pela personalidade ímpar do dr. Larivière, em detrimento da velha paixão que nutre pelas belas páginas escritas por Gustave Flaubert. Nova cambalhota em falso. Não são gratuitos, dizem os leitores republicanos, os elogios do jornalista monarquista ao médico normando e pai do escritor.

Onde se lê: dr. Larivière, leia-se: o imperador Pedro II.

Por símbolo francês interposto, os pérfidos republicanos difundem a errata para caluniarem a fidelidade de Laet ao deposto Pedro II, já então falecido no curto exílio parisiense e enterrado para a eternidade no Panteão dos Bragança, em Portugal. Folheando apressadamente o volume de *Madame Bovary* retirado da estante, Laet chega à página 334. O jornalista não resiste ao impulso de eterno candidato derrotado a herói e, aproveitando as horas vazias do dia, presas ao lar em virtude da aposentadoria precoce, segue a moda das senhoritas e senhoras do tempo. Transcreve no caderno de anotações o longo e precioso parágrafo do romance. Admira mais a notável personalidade do pai retratado pelo filho para, quem sabe, mais sentidamente reverenciar o altaneiro defunto deposto.

> A aparição de um deus não teria causado tanta emoção. Larivière pertencia à grande escola cirúrgica saída de Bichat, a essa geração, já desaparecida, de médicos filósofos que, dedicando à sua arte um amor fanático, a exerciam com exaltação e sagacidade! No seu hospital, tudo tremia quando ele se irava e os alunos tinham-lhe tal veneração que, tão logo se estabeleciam, se esforçavam por imitá-lo o mais possível, de modo que se podia ver neles, pelas vilas dos arredores, a sua longa capa de merino e o amplo fato preto, que, desabotoado, lhe encobria um pouco as mãos carnudas, umas mãos belas que nunca calçavam luvas, como para estarem mais prontas a mergulhar nos mistérios. Desdenhando as condecorações, os títulos e as academias, hospitaleiro, liberal e paternal com os pobres, praticando a virtude sem crer nela, teria quase passado por um santo, se a agudeza do seu espírito o não tornasse temido como um demônio. O seu olhar, mais cortante do que os bisturis, penetrava diretamente na alma e desarticulava todas as mentiras, atravessando alegações e pudores.

Só dois anos depois de ter tido o Flaubert provinciano como colega na Faculdade de Direito em Paris, no ano de 1844, é que Maxime fica a par das intermitentes convulsões de epilepsia que lhe afetam a consciência e lhe provocam solavancos corporais por curtos períodos de tempo. Podem levá-lo a desmaiar. Não vê o ex-colega desde o momento em que ele desiste definitivamente da carreira de advogado. No final do primeiro ano de direito, ao receber dos examinadores três bolas pretas, o acadêmico estava reprovado segundo a norma pedagógica da época. Inabilitado pelos mestres, Gustave informa os bons colegas Alfred Poittevin e Maxime du Camp sobre sua decisão definitiva. A partir daquele dia, só a literatura conta. Nada mais, apenas ela. "Estou dando um adeus irrevocável" — para retomar as próprias palavras do então aluno relapso — "à vida prática." Maxime e o colega trocam algumas cartas em 1843 e depois o silêncio, que só é quebrado em 1844. Recebe inesperado e estranho convite da sra. Anne Justine Caroline, mãe de Gustave.

Preocupada com a saúde ameaçada do filho, sua mãe escreve pessoalmente a Maxime, que continua os estudos em direito em Paris. Informa-lhe que o filho Gustave tem a mão direita bastante injuriada por causa de forte queimadura acidental. Daria enorme prazer à família se ele pudesse vir passar uns dias em Rouen, ao lado do amigo.

Maxime reencontra na província normanda o colega parisiense.

Maxime desentranha a epilepsia do jovem Gustave da sua frustração como acadêmico de direito e do desconforto sentimental que o pai passa a experimentar diante das sucessivas crises nervosas que atacam o filho mais novo. No rosto do pai e médico podiam-se ler a humilhação, o desespero e — observa Maxime — uma espécie de resignação diante da força maior da morte. Pai e médico não poderiam controlá-la e menos ainda vencê-la. Diante da multidão de sensações deprimentes, o dr. Flaubert constata que o conhecimento científico acumulado por anos de estudos e pela prática da medicina permanece paralisado. Laet volta os olhos para *Madame Bovary* e recolhe o pedaço de frase que tinha sublinhado. Os olhos do marido combalido de Emma se encontram com os olhos do dr. Larivière, e diz o romance: "fixaram-se um ao outro, e aquele homem, apesar de tão habituado à imagem da dor, não pôde conter a lágrima que lhe caiu sobre o peitilho". A compaixão é a força maior a mover o dr. Larivière.

O pai de Gustave não presencia a primeira crise do filho. Ocorre no mês de janeiro de 1844. O filho mais novo e o irmão mais velho viajam à noite de Pont-Audemer em direção à cidade de Rouen. Regressam das férias em praias normandas. Gustave conduz o cabriolé. Ao se aproximarem de Bourg-Achard, uma carroça de entregas avança de repente pela esquerda e o assusta. O condutor fica zonzo. Perde as rédeas e o equilíbrio. O corpo escorrega do assento e todo ele se crispa em crise nervosa. Entra em convulsão. O irmão mais velho toma as rédeas do cabriolé. Domina o cavalo. Freia o cabriolé. Estaciona-o no costado da estrada.

Com o bisturi que traz na maleta, faz incisão na veia braquial de Gustave e deixa o braço do irmão a sangrar no assento. Não há que estancar o jorro de sangue. O irmão mais velho não acredita que tenha salvado o irmão mais novo — anota Maxime — do inevitável. Salvou-o da morte súbita.

De volta a casa, Gustave passa por quatro crises nos quinze dias seguintes. O ataque dos nervos, como se diz vulgarmente em família, se repetiria por toda a vida, com constância.

Achille-Cléophas vive num século em que as doenças nervosas são compreendidas pelas pesquisas e ensinamentos do professor François Broussais. O professor entra para a história das ciências da saúde ao propor um catecismo da medicina fisiológica que foi seguido pelos discípulos franceses e, devido à expansão iluminista de Paris, pela maioria dos profissionais do mundo ocidental. Sua concepção de doença se resume a um modelo único — a gastroenterite. A um único mecanismo patológico, a irritação. A um único tratamento universal, a sangria.

A essa lição Broussais irá propor novo capítulo em 1828, ano em que publica o *Traité sur l'irritation et sur la folie*. Nele, a doutrina fisiológica passa a ser aplicada à patologia mental. A loucura humana se deve a uma inflamação do cérebro e de suas membranas. Como o cérebro nunca sofre sozinho, a principal causa da sua inflamação está em outro órgão — o tubo digestivo. A gastroenterite da medicina fisiológica encontra o lugar privilegiado no tratamento da loucura. Ao se combater uma, combate-se a outra.

Achille-Cléophas submete as veias sanguíneas de Gustave a sangrias constantes, enquanto preserva, em dieta autoritária, o estômago de gourmet bem alimentado pelo que ele mais apreciara nos bons restaurantes parisienses: os bons vinhos tinto e branco, as carnes vermelhas *saignantes*, gordurosas e suculentas, o café forte e o fumo. Obriga-o a tomar doses maciças de óleo de castóreo (retirado das glândulas do castor), então o antiespasmódico mais eficiente na cura do grande mal. Força-o a se alimentar exclusivamente de carnes brancas. As refeições são acompanhadas de xícaras de chá de valeriana. A apreciada ironia do escritor desponta no comentário sobre a infusão que o filho faz à mesa: "Bem inferior ao vinho de Sauternes".

A relação entre o médico-pai e o filho-cliente muda de tom quando o primeiro, já tendo feito a incisão com o bisturi no braço direito do segundo em plena crise nervosa, não chega ao resultado esperado. Decide jogar água pelando na sua mão. Com o choque térmico, espera que a veia braquial ressalte e o sangue reaja. A veia reage, mas a pele também reage à água pegando fogo.

Queimadura de segundo grau.

Nas lembranças, Maxime observa que o romancista guardará a cicatriz da queimadura na mão direita, por toda a vida. A cada um sua marca de varíola e seu destino de órfão involuntário. Maxime adivinha as muitas crises do jovem Flaubert na crise que ele presenciou e na mancha escura que se torna indelével na pele do escritor. Transcrevo-o.

De repente, sem motivo aparente, Gustave levanta a cabeça e empalidece. Sente a *aura*, esse sopro misterioso que vem e passa pelo rosto como o voo dum espírito. Com o olhar tomado pela angústia, o convulsivo ergue os ombros em gesto de abandono e de desdém. Diz: "Uma chama brilha no meu olho direito: tudo parece dourado". A sensação singular que o paralisa se prolonga por alguns minutos. O rosto empalidece mais ainda e passa a exprimir o desespero que passa a dominá-lo. Levanta-se, caminha, corre até a sua cama, repousa o próprio corpo como se o estivesse estendendo no leito do caixão. A convulsão se adianta, desce sobre o jovem deitado e se torna dona do corpo em convulsão epiléptica.

Se a história dos percalços da medicina no tratamento de doença tão insidiosa, se as delicadas descrições do sofrimento por que passa o jovem Flaubert fascinam e encantam a imaginação multicolorida de Carlos de Laet, é, no entanto, uma sentida frase confessional de Maxime que o arrasta para o fundo do poço da própria subjetividade, sempre em jogo no amplo salão da Academia de Letras, onde ele se torna membro fundador da cadeira de número 32, que tem como patrono o escritor e pintor Araújo Porto-Alegre. Maxime anota a frase — que Laet transcreve — ao perceber o complexo de inferioridade que toma conta do seu espírito quando está ao lado de Flaubert. Laet a transcreve primeiro em francês: *"Je puis tout te pardonner; sauf d'être ce que tu es; sauf que je ne suis pas ce que tu es; sauf que 'je' ne suis pas 'toi'"*.

Ao vê-la ganhar corpo no caderno íntimo de notas, Laet decide traduzi-la. Várias vezes, em dias sucessivos, tenta traduzi-la. Finalmente, muda a pontuação francesa e opta por sublinhar os dois pronomes — "je" e "toi" — que vêm entre aspas no original. A frase de Maxime passa a ser sua; é também sua: "Posso perdoar-te por tudo. Menos por seres quem tu és. Menos por eu não ser quem tu és. Menos ainda porque eu não sou tu".

Por que a frase de Maxime tinha fincado raízes tão profundas no seu coração? — Carlos de Laet se pergunta, entre desconfiado diante da armadilha e melindrado na imprudência que o assalta, logo depois da morte de Machado de Assis em 1908.

Depois de contracenar com o escritor na rua Gonçalves Dias, já não esconde de si o significado da frase. Sabe que se refere diretamente ao relacionamento humano e literário seu com o presidente da Academia de Letras. Na realidade, sua consternação pelo homem enfermo que se esvai em plena rua Gonçalves Dias oscila. Oscila entre o encantamento com o escritor e a inveja e o ressentimento que guarda por ser ele quem chegou a ser. Oscila entre a admiração pela frase límpida, escorreita, irônica e às vezes debochada do ficcionista, frase perfeita e inimitável, e o receio de se aventurar sozinho pelas tramas tortuosas, cínicas, voluptuosas e aristocráticas que o mulato carioca inventa nos últimos romances e contos. Amor, inveja e indignação se casam no altar do ciúme, ao mesmo tempo em que abrem espaço para o ressentimento por não ser ele quem Machado é no Brasil e Flaubert, na França. *Eu não sou quem tu és. Nunca serei. Não posso perdoar-te. Não posso perdoar-me.*

Desde criança Laet se deslumbra ao observar a inconstância da coluna de mercúrio no termômetro. Sua volatilidade é cientificamente precisa e é contraditória. É resultado do modo como funciona a mecânica do instrumento. O termômetro marca com exatidão tanto os grandes frios, ainda mais gélidos que o próprio gelo, quanto a cálida temperatura em que a água se faz vapor. No entanto, as indicações numéricas do termômetro são apenas aproximativas nos extremos. A coluna de mercúrio só apanha com justezas mínimas (em décimos de grau, para ser preciso) as temperaturas médias, seja a dos aposentos seja a dos corpos humanos. Na volatilidade do aparelho de medir a temperatura está a razão superior que sedimenta o rigor absoluto com que o instrumento se deixa impressionar, apreciando e ao mesmo tempo avaliando os variados ambientes que lhe são exteriores.

Sensibilizado e convulsionado pelo mercúrio das crises epilépticas, o termômetro estético de Gustave Flaubert ou de Machado de Assis não se notabiliza por medir e avaliar a vivência medíocre que sobrevive nas temperaturas médias das emoções humanas. Assim pensa Carlos de Laet. Não são escritores românticos nem realistas-naturalistas. Machado de Assis extrapola as categorias escolares da literatura que lhe é contemporânea pelos extremos da frieza temperamental que ele, nos trópicos, toma de empréstimo ao *Lord* e ao *Knight*, que o fascinam nos romances ingleses do século XVIII. Toma de empréstimo a frieza temperamental dos europeus monarquistas e a robustece com a violência passional que só o legítimo africano emigrado a contragosto para a terra inculta e bela exprime.

Esse descontrole autocontrolado da personalidade brasileira de Machado de Assis abisma Carlos de Laet no ressentimento cristão. O grande mal é sagrado, e é ele quem o sacrifica e o torna mártir admirado e invejado. Laet pressente na frase invejosa de Maxime du Camp o mistério da criação literária genial, cuja sobrecarga o esmaga quando desce do bonde no Passeio Público e pisa na praia da Lapa. Alguns passos mais e se adentra pelo imponente prédio do Silogeu Brasileiro. Dá de cara com a altiva e sereníssima figura de Machado de Assis a presidir os trabalhos. Não há dúvida, ele nunca escreveria o que Machado de Assis escreveu um dia modestamente, que ele, como escritor, se assemelha a "um soldado raso, todo empoeirado das suas marchas e do seu trabalho de sapa"?

A frase invejosa e ressentida de Maxime queima Laet por dentro, como a água pegando fogo queimou por fora a mão pálida e translúcida de Gustave Flaubert. Deixa-lhe marca semelhante. Anos depois de ter dado de cara com o presidente da Academia de Letras em plena crise na rua Gonçalves Dias, a mistura ressentida de sentimentos baixos e nobres toma conta da imaginação multicolorida do professor e escritor. A perturbação mental se camufla e se evidencia no obituário de Machado de Assis que Laet escreve altas horas da noite de 29 de setembro de 1908. Na manhã seguinte, ele leva o folhetim até a mesma rua Gonçalves Dias, onde fica a redação do *Jornal do Brasil*. O folhetim sairá publicado no dia 1º de outubro.

Antes de chegar à sala de redação, Carlos de Laet passa pela sala da diretoria. Quer saudar os donos do jornal, os irmãos Mendes. Fernando e Cândido. Quer dar-lhes uma palavrinha sobre a grande perda para as letras nacionais. Ao transpor a porta da sala da diretoria, não consegue não perceber que é a mão do fantasma de Machado de Assis que gira a maçaneta para jogá-lo na cova dos leões. Todos na redação estão a par das alcunhas de que o polemista se serve para apelidar jovialmente mas pelas costas os donos irmãos do *Jornal do Brasil*. Esaú e Jacó. O primeiro, Fernando Mendes, é inveterado republicano, e o outro, Cândido Mendes, monarquista pertinaz.

Já na rua, os olhos comovidos de Laet servem de eco ao silêncio na redação do jornal.

II.
29 de setembro

> Não consultes médico; consulta alguém que tenha estado doente.
>
> Machado de Assis, *Não consultes médico* (peça de teatro)
>
> *Portanto, é possível e é provável que a primeira crise de epilepsia tenha imprimido no espírito ardente do rapaz robusto uma marca de melancolia e de temor. Em seguida, é provável que uma espécie de apreensão tenha perdurado pela vida: um jeito um pouco mais sombrio de considerar as coisas, uma suspeita diante dos acontecimentos, uma dúvida diante da felicidade aparente.*
>
> Guy de Maupassant, *Étude sur Gustave Flaubert*, 1884

Uso as duas mãos como pinça e com elas imprenso e logo depois apalpo o grosso volume da *Correspondência de Machado de Assis*. Examino-o, ainda que somente pelas capas e pela lombada. O tato dos dedos abusa da curiosidade e respeita meu receio. Manuseia-o como se fosse pequeno e misterioso embrulho explosivo, entrevisto ao acaso da caminhada rotineira pelas ruas antigas do centro do Rio de Janeiro. Dobrei à direita na rua Sete de Setembro. Caminhava da antiga avenida Central, hoje Barão do Rio Branco, em direção ao Paço Imperial. Resolvi dobrar à esquerda na travessa do Ouvidor. Exposto na vitrina da livraria, um livro me atrai. Entro. Encontro-o. O tato dos dedos abusa do carinho e traz o volume ao tórax como caixa de bombons belgas, recebidos de presente.

A arapuca foi armada pela minha admiração ao romancista Machado de Assis e, como pardal cheio de fome à cata de alpiste numa manhã do inverno carioca, sou seduzido pelo volume que recolhe as cartas trocadas nos últimos anos de vida.

As dez digitais dos meus dedos, já semiapagadas pela velhice da pele, ganham dez olhos de sondar e explorar o livro antes de lê-lo. Apropriam o significado das páginas e mais páginas antes que sejam percorridas pelo sol da atenção. As duas mãos se transformam em memória epidérmica das palavras impressas. Num desses espantosos passes de mágica, que vêm desde sempre norteando, ilustrando e reestruturando minha própria vida, as cartas escritas e recebidas pelo famoso escritor brasileiro do século XIX se interiorizam entranhas adentro em processo inédito de metamorfose. No novo milênio, encontram abrigo sob as asas da minha imaginação.

Transfiguro-me. Sou o outro sendo eu. Sou o tomo V da correspondência de Machado de Assis: 1905-1908.

Sem ter lido uma única das inúmeras cartas, já as tenho todas gravadas e guardadas a sete chaves na caixa torácica do corpo. E bem aquecidas e protegidas. Sendo eu o guardião do chaveiro, aproveito a posse das sete chaves para reabrir as fechaduras do osso esterno do tórax. Segregado aqui nos pulmões e no coração, explícito lá nas cartas, o conteúdo, que ele troveje, ressoe e se revele! Quem se interessar que se aproxime.

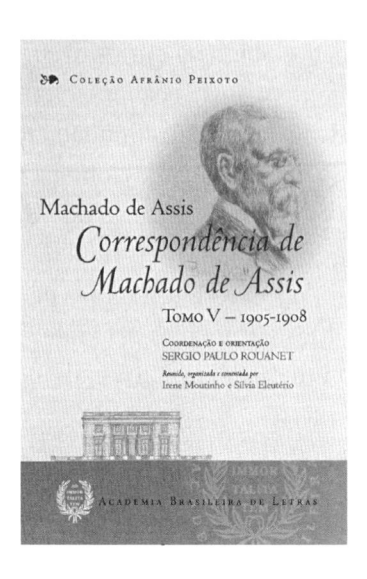

Que se debandem os céticos!

Meus cinco sentidos escarafuncham o interior da caixa torácica, blindada pela coluna vertebral e resguardada pela carne e pela pele envelhecidas. Enquanto eles cinco se reaquecem sob a respiração e o pulsar das experiências já vividas e das emoções inéditas que nem minhas são, as fantasmagorias singulares nascem, ganham voo e perambulam — como se presas da doença de são guido — pelo palco da antiga capital federal, palco ainda e sempre delimitado pelas seis paredes do volume de cartas. Tomadas pela respiração sôfrega dos meus pulmões e pelos batimentos anárquicos do coração, as fantasmagorias se exercitam, saltam saltando na cama elástica, instruindo um futuro projeto ficcional. As cartas editadas e comentadas, acalmadas pelo gole de Elixir Werneck — que o farmacêutico Orlando Rangel, a pedido de Laet, serviu ao Machado de Assis desnorteado que, para chegar até o Cosme Velho, se orientava apenas pelo bonde à sua espera na Estação Carioca —, decidem abrir na minha imaginação uma estrada semelhante e paralela à da vida do escritor. Nela, elas intrometem, como soldadinhos de chumbo manuseados por mãos infantis, os fantasmas nascentes e perambulantes que transformam a mim em personagem semelhante e paralelo ao famoso protagonista das cartas.

No troca-troca, consolo-me com o pouco que toca a mim, que já é excessivo. Sirvo de contrapeso ao filé-mignon Machado de Assis. As cartas agem como age o açougueiro quando economiza na balança a carne cara e de primeira. Substitui um bom pedaço dela por carne de segunda, cheia de nervos. Lucra ele com o contrapeso; lucro eu sendo o contrapeso de Machado de Assis; lucrará algo o freguês?

As cartas misturam a carne muxibenta à carne de primeira e, no movimento ainda silencioso de transferência, pouco se lixam se a futura caminhada dos protagonistas — a de Machado pela estrada real da escrita impecável e a minha, de mero personagem, pela estrada imaginosa da leitura — contrarie os bons e exigentes costumes da cronologia, cujas leis autoritárias foram fundadas pelo calendário gregoriano e são administradas pelos historiadores zelosos da verdade. As estradas das respectivas vidas perdem as balizas cronológicas para que, em rebeldia à sucessão dos anos e dos séculos, se transformem num único caminho, transitável por ele, o protagonista Machado, e por mim, o personagem Silviano, *compagnons de route*, como dizem os franceses politizados. Seremos companheiros de caminhada, *bras dessous bras dessus*.

Tudo só vivido seria monótono; tudo só imaginado seria cansativo.

No papel em branco, a boa distribuição de lágrimas, sentidas e sofridas pelo protagonista Machado, e de polcas imaginárias, lidas e forjadas pelo personagem Silviano, acaba por aquecer a alma da literatura com a variedade necessária do vivido e do imaginado, e assim realizar a instabilidade das massas, que a arte também comporta. O ônus da autenticidade e legitimidade do projeto literário, em que comungam as lágrimas choradas por Machado e as minhas supostas polcas, é de exclusiva responsabilidade deste narrador que, ávido de vida vivida no Rio de Janeiro, ainda que por outrem, não pensa duas vezes antes de dar o chute inicial no romance que se anuncia. Ele age, eu ajo. Arrombamos violentamente a porta da sensibilidade mórbida, que ainda resguarda a modéstia.

No meu caso, confesso, a modéstia tem tido papel paradoxal. À imitação de carmelita descalça, ela parece reclusa e assim é vista pelos mais íntimos. O problema é que tão logo se excita em júbilo místico na cela monacal, traveste o negro de hábito religioso com o traje público de anarquista para demonstrar caprichos de transgressora às normas vigentes e gritar ousadias diante dos valores consagrados. Vira herdeira do temperamento alternativo dos poetas espanhóis Teresa de Ávila e João da Cruz.

A ninguém se aplica como a mim o lugar-comum que diz "sem falsa modéstia é que escrevo".

Ao caminharem aleatoriamente pelo caminho trilhado pelo fantasma de Machado de Assis nos quatro últimos anos de vida, as fantasmagorias do narrador deste livro sobrepõem o dia e mês em que nasço em 1936, 29 de setembro, ao dia e mês em que morre o grande escritor em 1908, 29 de setembro. O narrador sobrepõe o personagem nascido numa distante cidade interiorana de Minas Gerais ao protagonista morto na capital federal do Brasil. Na aposta sobre o futuro da literatura no século XXI, a sobreposição desencontrada dos dois corpos e das duas vidas, o desembestado e atrevido encontro das duas sensibilidades é armado pelo jogo de dados do Acaso e sinaliza como dia natural para toda reencarnação de Machado de Assis o penúltimo do mês de setembro.

Vinte e oito anos depois de falecido no chalé do Cosme Velho e enterrado no Cemitério de São João Batista, onde o espera a companheira Carolina, Machado de Assis, o protagonista, renasce na pele de diferente e ousado personagem. De maneira positiva, as aparências apontam para o verossímil das hipotéticas e delirantes fantasmagorias, a serem imaginadas, assumidas e desenvolvidas pelo narrador durante a trama romanesca, e apontam também, de maneira negativa, para a futura maledicência biliosa dos amigos e confrades que me são próximos ou distantes, e dos futuros leitores. Mas os dados lançados pela mão do Acaso no feltro, que recobre a mesa dos jogos literários no Rio de Janeiro, não estão viciados. Jogo ("ô", fechado, substantivo, e "ó", aberto, verbo) limpo. E se os dados não estão viciados e se a aposta for ganha por mim, há que concluir que não há solução de continuidade entre os quatro anos da primeira década do século XX, que antecedem a morte do protagonista, e os poucos anos de vida que se descortinam para o personagem contra o horizonte do século XXI.

A sobreposição e o acoplamento das duas vidas afins e distintas funcionam como azeitado mecanismo de reprodução gráfica. A dádiva de Gutenberg aos tempos modernos minimiza o poder subterrâneo da audição para maximizar a força penetrante do olhar na formação e na madureza do ser humano. A imortalidade do homem e da sua alma é garantia exclusiva da reprodução gráfica das visões autorizadas desde o Apocalipse narrado na Bíblia sagrada. Em fins do século XIX e início do século XX, quando Machado viveu, a imortalidade era guiada por blocos tipográficos móveis, fundidos em chumbo e em carne e osso. Pela impressão gráfica é que se reproduzem e se disseminam as falas, os pensamentos, as reflexões, os poemas, os teoremas, os livros e nossas vidas.

Cada um de nós é único, com direito a certidão de idade no cartório, batismo na igreja, foto de identidade no documento, impressões digitais na Polícia Técnica e sinais particulares anotados no passaporte, e também somos todos, se associados uns aos outros pela cabeça, tronco e membros, perfeitamente substituíveis no correr dos séculos. Cerceados pelo princípio animal e pelo fim apocalíptico, somos o infinito da vida humana que perdura no minuto do presente e o configura, definindo-o. Somos o infinito da vida humana como molécula primordial e solitária no planeta Terra, e existimos em metamorfose de corpos sucessivos, como está fixado na célebre imagem evolutiva que, a partir da teoria de Charles Darwin, é divulgada pelos livros didáticos que lemos e pelas enciclopédias que consultamos.

Cada um de nós se reproduz no seguinte e, em infinita fila indiana, todos nós caminhamos na ordem ascendente — ou na ordem descendente, segundo os pessimistas e detratores do progresso — da espécie humana. Como na corrida de revezamento, se alguém termina a caminhada é para que passe o bastão para o companheiro na manhã seguinte, ou para que o passe vinte e oito anos depois, quando a Fortuna julgar chegado o momento de dar continuidade à bela vida naufragada no dia 29 de setembro de 1908, no chalé do Cosme Velho.

Na madrugada daquele dia, tendo à cabeceira o dr. Miguel Couto, os olhos de Machado de Assis moribundo se fecham em profundo recolhimento. Reabrem-se em 1936 no choro motivado pela palmada dada na bundinha sanguínea do bebê pela parteira precavida e desconhecida.

1908. Os obituários falam do doce e benévolo ceticismo de Machado de Assis, cultivado à vista da bela paisagem colonial carioca que, nos primeiros anos do século XX, está sendo posta abaixo pelos poderosos do dia. Que a capital federal da República do Brasil e seus moradores se civilizem! O doce e benévolo ceticismo grego se deixou entranhar pelo pessimismo schope-

O País, 29 de
setembro de 1908.

MACHADO DE ASSIS

Acha-se desde alguns dias gravemente enfermo o eminente literato brazileiro Machado de Assis.

Prostrou-o de cama uma enterite-infecciosa, e tem se achado desveladamente tratando-o o illustre professor Dr. Miguel Couto.

Durante o dia de hontem o estado geral do enfermo deu esperanças de que a crise fosse conjurada e que aquella vida tão preciosa para as letras patrias se prolongasse.

Machado de Assis tinha perfeita lucidez de espirito; conversava com as poucas pessoas, os amigos intimos, que se permittia chegar á sua presença.

A' noite, entretanto, os phenomenos novos que se manifestaram tornaram-se alarmantes, e a 1 hora da madrugada era considerado desesperador o seu estado. Achava-se então desveladamente assistindo-o o Dr. Miguel Couto.

Contam-se por centenas as pessoas que têm ido informar-se de sua saude. Entre os que hontem, por vezes, tiveram este cuidado amigo, conta-se o barão do Rio Branco.

nhaueriano quando o presidente da Academia Brasileira de Letras — ao ler pela manhã os jornais do dia ou ao descer à tarde do bonde das Laranjeiras no Passeio Público e caminhar até o prédio do Silogeu Brasileiro — constata que, por ordem e graça dos engenheiros liderados por Paulo de Frontin, a recatada corte imperial da sua infância e juventude se autodestrói a golpes violentos de picareta e de marreta para se transformar. A cidade que se quis majestática pela mera reprodução da metrópole lusitana nos trópicos agora se moderniza por processo de embranquecimento *à la parisienne*. Como clown tropical atrevido, o prefeito do Distrito Federal, o engenheiro Pereira Passos, imita as diabruras do barão Haussmann, o Artista da Demolição que, em plena Paris medieval, abriu amplas avenidas e *faubourgs*. Erguido em terreno tomado pelas escavações e pelo barulho infernal, o picadeiro poeirento do circo carioca, protegido pela lona estendida sob o céu azul tropical pelos novos investimentos do banqueiro Rothschild, se farta de engenheiros, arquitetos, mestres de obras, cabouqueiros, pedreiros e ajudantes, enquanto o senhor prefeito anuncia aos quatro ventos estar arrebatando da capital federal os ares doentios e fétidos de Cemitério de Europeus (para repetir o apelido dado à cidade pelos detratores estrangeiros).

O Rio se civiliza para eles.

1936. Às vésperas da Segunda Grande Guerra, num pequeno e humilde município agropecuário de Minas Gerais, muda-se o espírito conservador que o faz caminhar ao ritmo da economia de guerra (na despensa da casa, falta açúcar e sobra rapadura, falta trigo e sobra fubá; nos veículos modernos de transporte, falta gasolina e sobra gasogênio) pelo transbordamento entre as crianças da alegria proporcionada pela exibição de filmes importados diretamente de Hollywood. O cinema do seu Franklin leva o *hinterland* brasileiro — alimentado a fatia de bolo de fubá e caneca esmaltada de café com leite adocicado com pedaços de rapadura — a participar da Segunda Grande Guerra com a colaboração dos produtos de entretenimento das massas *made in USA*. Projetadas em preto e branco na tela do cinema local, as gigantescas imagens — arriscadas, corajosas e invejadas de adultos e de crianças, que as imitam no imaginário — escondem dos meus olhos infantis a pasmaceira da província aviltada. Escondem-na, assim como as aventuras de Robinson Crusoé na ilha deserta sempre abriram a janela da imaginação vivencial para todos os desprovidos da Europa, indistintamente. Nos filmes *made in USA*, soldados, marinheiros e aviadores destemidos e, nos gibis reproduzidos em editora carioca, os valentes super-heróis da fantasia dos Aliados me revelam um mundo que se autodestrói pelas moderníssimas e potentes máquinas de guerra. As vidas heroicas renascem das cinzas do Eixo e eu menino as invejo. Servem-me para transgredir as convenções entronizadas a ferro e fogo na futura nação brasileira pelos colonizadores vindos do Velho Mundo.

O Brasil se americaniza para eles.

Em 1908 e em 1936, as terras ao sul do equador trocam de dono.

No dia 29 de setembro, o palco do passado distante ressurge na tela do futuro próximo. O Machado viúvo e o bebê provinciano, os dois eleitos pela mão do acaso setembrino, dançam no palco do cabaré Moulin Rouge o cancã belle époque de La Goulue que, ao se transbordar pela adoção do ritmo frenético e anárquico do jazz, é coreografado para Fred Astaire e Ginger Rogers nas telas de cinema do seu Franklin. *Orphée aux Enfers* de Offenbach ecoa no "Cheek to Cheek" de Irving Berlin. Carne e osso de La Goulue reencarnam na imagem em preto e branco de Fred e Ginger. Na história do mundo ocidental e na vida de quem é vivo há simetrias inesperadas e definitivas — escreve no seu memorial o conselheiro Aires, personagem de Machado de Assis, e acrescenta: "A verdade pode ser inverossímil e muitas vezes o é".

Somos Machado & eu semelhantes ao deus bifronte romano Jano, que emprestou o nome ao mês de janeiro no calendário cristão e à colina do Janículo lá em Roma. É Jano quem, no dia 1º de janeiro, vela pelas transições e tutela os finais e as entradas de ano. Machado & eu somos duas faces diferentes, impressas numa moeda ainda desprovida de valor simbólico. A escapada do passado em direção ao futuro, ou a viagem do futuro em busca do passado, transfigurará aos dois na cara duma moeda única chamada Literatura. Duas caras, uma só coroa.

No volume das cartas, que meus dedos tateiam ansiosos, se me oferece a vida de Machado de Assis no seu quinto e derradeiro estalo. 1905-1908. Entre o nascimento em 1839 e a morte em 1908, ele passou várias vezes a vida a limpo. Sempre riscou e borrou as palavras da última página do último caderno para que, na mancha negra silenciada pelas próprias mãos, se sobrepusesse em tinta branca a sua reafirmação em novo e virgem caderno da vida e da arte. Atitudes, ideias e obras de Machado de Assis são sempre atuais e estão sempre a surpreender os amigos e os leitores. Talvez seja ele o único escritor brasileiro que não deixou que a força inativa do passado o impulsionasse para o futuro trabalho. Presente, passado e futuro são plurais. Há presentes, há passados e há futuros. Com sua própria fraqueza e suas exigências, cada dimensão temporal apaga as três dimensões e, de maneira imperial, as reconstrói. Machado interrompe um ciclo da vida como o vaqueiro no campo. Ele corteja a boiada que se alimenta de capim espraiada pela planície para aprisioná-la no curral da fazenda. Encerrado na gaveta o ciclo da vida, Machado o dá por liquidado. Dado por liquidado, ele se mune de marreta e finca o marco zero que indica o desrespeito ao passado, a crença no presente iluminador e a esperança de novas impressões e sensações no futuro. Pareceria um desmemoriado retirado de asilo de alienados, se não tivesse como finalidade a busca do ineditismo e do sublime na arte literária. O magnetismo da obsessão do escritor se combina com o magnetismo do trabalho literário e ambos padecem no campo magnético da vida humana.

Essas comprovações biográficas são óbvias e, por isso, grosseiras, mas não me abalo e insisto no meu interesse exclusivo. 1905-1908. Os quatro anos se reportam à curta fração de tempo que se confunde — guardados os imprevistos mortais das doenças inesperadas — com o lento desaparecimento de qualquer corpo humano que, nascido em meados do século XIX, conseguiu chegar ao início do século XX, época em que a belle époque novidadeira refloresce nos trópicos sob a forma dos majestosos edifícios art nouveau enfileirados nos dois lados da avenida Central.

Lento desaparecimento. Não foi súbito.

Não quero qualificar a palavra "desaparecimento" com outros adjetivos. "Lento" basta e permanece sozinho, como se já anunciasse o desabrochar do longo substantivo no eco das suas duas sílabas.

Deixo o adjetivo acasalado por afinidade ao substantivo. Quero-os também soltos e instigantes como aquela carta de Mário de Alencar a Machado de Assis que meus cinco sentidos destacam, e ainda está preservada da curiosidade do leitor lá dentro do livro que reúne toda a correspondência. Foi escrita por Mário de Alencar, filho do escritor José de Alencar e neto de Tomás Cochrane, médico homeopata e empreendedor de descendência escocesa que, tendo migrado para o Brasil em 1830, já em meados do século XIX, constrói sua casa de campo, a Chácara do Castelo, no Alto da Tijuca. A carta de Mário a Machado, as figuras públicas de José de Alencar, de Tomás Cochrane e do médico Miguel Couto, a região do Alto da Tijuca, onde se localiza a Chácara do Castelo, e a rua dos Ourives, perpendicular à avenida Central, cada um e todos me fascinam de antemão. Lá de dentro do livro, o conjunto harmonioso e heteróclito — por motivo que ainda vaga como incógnita para o leitor — solta um grito abafado de dor, que se tornará lancinante no dia 26 de fevereiro de 1906, quando a carta de Mário será entregue por um moleque ao destinatário, Machado de Assis.

Como romancista, sou vítima de complôs armados pelo destino para outros. Gosto dos enigmas propostos pelo Acaso e que se adensam e se metamorfoseiam pouco a pouco em incógnita. Gosto deles porque são os autênticos responsáveis pelo modo como o mistério tece a vida que cumpre a mim, a nós, desvendar como detetives para melhor revelar isto a que se chama o ser humano, suas alegrias e suas adversidades.

Eis como principia o enigma. As iniciais do destinatário da carta do dia 26 de fevereiro são também as do remetente: está endereçada a M. de A. e vem assinada por M. de A. As iniciais do destinatário, Machado de Assis, são as do velho enfermo que espreita a chegada da morte pela frincha da porta do chalé do Cosme Velho, e também são as do remetente, Mário de Alencar, jovem e favorito discípulo do velho mestre, eleito no dia 10 de outubro de 1905 para a Academia Brasileira de Letras.

O enigma prossegue. Pressente-se na carta de 1906 que o jovem Mário de Alencar, logo depois de ter sido aceito como membro efetivo e perpétuo da Academia Brasileira de Letras, terá de reinventar a própria vida física. Seu cérebro está tomado pela mesma doença crônica que corroeu e continua corroendo o organismo de Machado de Assis. O dr. Miguel Couto, professor na Academia Nacional de Medicina, antiga Imperial, suspeita que as membranas do cérebro do jovem escritor estão sendo tomadas tardiamente pela epilepsia. Será que conseguirá ir além da suspeita e constatar os estragos da doença pelos exames clínicos?

Esse é o desastre existencial que, na carta de 26 de fevereiro de 1906, Mário de Alencar confessa ao mestre querido, principal responsável pela sua eleição à vaga na Academia de Letras em fins de outubro de 1905. São os dois M. de A., em virtude de doença crônica comum, clientes do dr. Miguel Couto. O triângulo controlado pela inicial M. começa a se desvendar.

M. de A. recebe de M. de A. uma carta. Aparentemente os dois são, respectivamente, o protagonista e o personagem do mesmo drama da doença e da arte, e o são na verdade, já que eles trazem em comum, no corpo, algo de mórbido. Mas os dois não são a mesma pessoa, e é por isso que daqui a pouco seguirei, na manhã do dia 26 de fevereiro de 1906, o jovem Mário pelo multifacetado e barulhento canteiro de obras da avenida Central e caminharei, ainda na companhia dele, até a esquina da rua do Ouvidor. Entraremos os dois na rua dos Ourives.

Por sugestão de Machado de Assis, Mário de Alencar dirige-

-se ao consultório do dr. Miguel Couto, que fica no número 71 da recém-traçada rua dos Ourives, que vai da esquina da rua do Ouvidor até o largo de Santa Rita. O velho senhor e o filho de José de Alencar são escritores e acadêmicos, funcionários públicos e, circunstancialmente, o mesmo enfermo, já que o jovem Mário apenas refaz caminho semelhante ao percorrido dias atrás por Machado de Assis. Nos anos passados e nos dias atuais, Machado de Assis também se dirige com frequência ao mesmo número 71 da rua dos Ourives. No segundo andar do casarão colonial está instalado o consultório do dr. Miguel Couto.

M. de A. e M. de A. são clientes destacados do médico.

No ano de 1936 — permitam-me que uma vez mais e sempre transgrida a ordem cronológica com jogos temporais intempestivos — o dr. Miguel Couto acabará por emprestar o próprio nome à rua dos Ourives, tal como retraçada pela Comissão Construtora da avenida Central em 1904. A honorabilidade que o nome do insigne médico carioca passou a carrear na sociedade brasileira libera a antiga e importante rua colonial da pecha que ganhou — nos longínquos tempos do rei d. João VI e do imperador d. Pedro I — de ponto de reunião favorito de desordeiros e de alcoólatras da pior espécie, atraídos pelas tabernas das suas redondezas. Libera-a da pecha e, ao mesmo tempo, da desconfiança das autoridades policiais que a estigmatizam durante o auge do ciclo do ouro em Minas Gerais. A Coroa portuguesa suspeita então dos lapidários e joalheiros que ali vêm instalando suas oficinas, ateliês e lojas. Acreditam serem os artesãos meros receptadores do ouro sonegado à vigilância do Fisco na rica província de Minas Gerais. Em 1936, a rua dos Ourives passa a viver sob a tutela do ilustre professor da Faculdade de Medicina e Cirurgia do Rio de Janeiro e famoso médico clínico.

Simetrias não são fortuitas e menos fortuitas ainda são as coincidências das personalidades envolvidas por elas em trama inesperada. Ao ler as lembranças da vida literária francesa no século XIX, escritas por Maxime du Camp, o professor e jornalista Carlos de Laet põe à mostra a epilepsia de Machado de Assis. Apoia-se no relato por um companheiro íntimo da vida cotidiana doentia do jovem Gustave Flaubert. Ao apoiar-me no quinto volume da correspondência de Machado de Assis, reconheço o velho romancista José de Alencar no seu filho Mário, que desentranho da admiração e do carinho que o fundador da Academia Brasileira de Letras, Machado de Assis, sente por ele desde o momento em que o sabe atingido pela epilepsia e o recomenda ao dr. Miguel Couto. O ciclo das simetrias, das coincidências e das metamorfoses e das reencarnações dos personagens não se encerra assim, de modo tão lógico.

Apenas começa. E peço que me acompanhem nas divagações, transgressoras ao sentido único proposto pela cronologia.

Acrescento ao material tão borbulhante de sugestões e já a caminho da prosa anárquica o caso do escritor católico Paul Claudel. Em 1917, ele ocupa o posto de embaixador na Légation de France au Brésil, localizada então na rua Paissandu, no bairro do Flamengo. Enquanto o escritor caminha distraidamente pela avenida Central, seu ouvido, ainda afinado pelas últimas palavras proferidas pelo moribundo poeta Arthur Rimbaud, escuta provérbio dito por um popular. Surpreende-se com o que escuta ao acaso da caminhada. Aproxima-se do passante brasileiro, identifica-se como francês e se certifica de que tinha escutado o que o outro tinha dito em conversa com o companheiro. Os ouvidos não mentem. Escutam certo. "*Merci, Monsieur, pardonnez-moi*", e anota o provérbio no carnê. Já na legação, o transpõe para página do diário íntimo, onde permanece até hoje em edição da editora Gallimard. Não o traduz. Guarda-o na língua original. "Deus escreve direito por linhas tortas."

Guiada pelo clarividente olhar divino, teria a mão de Deus

escrito o destino dessas poucas pessoas que recolho no Rio de Janeiro do início do século XX e alimento ao acaso duma narrativa sobre a doença e a obra literária de famoso romancista francês e de dois escritores cariocas?

Consulto o *Diário íntimo* do poeta e embaixador francês e transcrevo o que segue à antiga anotação. As secretas artimanhas divinas que se escondem nas "linhas tortas" do pecado original — é o que o provérbio lhe diz — são peça de enorme importância para a constância e o carinho punitivo do trabalho de Deus junto ao ser humano. A "escrita direita" é a razão de ser da Sua vida, e as "linhas tortas", modo de vida do homem.

No relâmpago da fala popular, a motivação divina, que está por detrás da origem e do fim da imperfeição humana e do sofrimento de todos nós, se revela a Claudel. Ele se habilita a compreender como a caligrafia de Deus está presente tanto na primeira figuração do Mal na terra quanto na do Apocalipse. Deus existe para escrever direito por linhas tortas. O escritor francês se regala com o achado carioca que vira chave mestra na sua visão teológica de mundo.

Linhas tortas: é preciso primeiro que Deus castigue Adão, Eva e sua prole.

Escrita direita: só Ele, no final da jornada de todos pela terra, poderá contemplar-nos e presentear-nos com a redenção.

Deus escreve direito por linhas tortas, humanas demasiadamente humanas. Claudel acreditaria que Deus escreve direito as vidas tortas de Aleijadinho, Gustave Flaubert, Machado de Assis e Mário de Alencar?

Ainda sem resposta, prolongo a digressão. Aproximo o antigo e original provérbio lusitano, a flanar ordeiro e vagabundo pela avenida Central do Rio de Janeiro, do livro Eclesiastes, cuja releitura sempre entusiasma Machado de Assis. Uma de suas recomendações (capítulo 7, versículo 13) quer também reorganizar numa pergunta em nada proverbial o protagonista e os vários personagens desta narrativa — nós todos, os humanos — envolvendo-nos também nos meandros do provérbio lusitano. Copio a pergunta estampada no versículo 13: "Olha a obra de Deus: Quem poderá endireitar o que ele fez torto?".

Não é difícil respondê-la. Ninguém. Nenhum médico. Nenhum médico colonial na cidade imperial de Ouro Preto. Nenhum Achille-Cléophas em Rouen. Nenhum Miguel Couto no Rio de Janeiro. Por mais competentes que sejam todos. As poucas palavras do Eclesiastes me obrigam a olhar Deus direto nos olhos e a constatar que ninguém, nem mesmo um poeta e dramaturgo cristão da envergadura de Paul Claudel, chegará a endireitar, nas suas obras, o nascido torto. Ele só Ele pode endireitar a mim, a nós, tortos de nascença, sofredores e predestinados ao Mal pelo nascimento. Endireitados no final dos tempos, reconheceremos n'Ele a primazia e as graças do escrever direito a vida.

Não admiro Paul Claudel. Prefiro crer na escrita torta por linhas direitas do Diabo. Para a felicidade do homem, ele inventou a fé e o sexo. Já Deus, invejoso do rival, fez o homem confundir fé com religião universal e sexo com casamento. Na verdade, não creio em Deus nem no Diabo. Prefiro crer no homem e no seu trabalho.

Prefiro a preciosa anedota contada por um dos personagens de Samuel Beckett na peça *Fim de jogo*. Só a impaciência diante da passagem frenética do tempo é que come no prato sujo e subserviente legado a nós por Deus. Relembro a anedota. Fala do alfaiate e das calças que costura por meses para um cliente apressado. Depois de ouvida a reclamação ríspida feita pelo Freguês — "Deus fez o mundo em seis dias, e o senhor não conseguiu me costurar essa merda de calças em seis meses" —, o Alfaiate de Beckett reage orgulhoso da obra-prima costurada por ele durante meses e exposta à vista do cliente ansioso: "Mas,

Buster Keaton como Vênus de Milo.

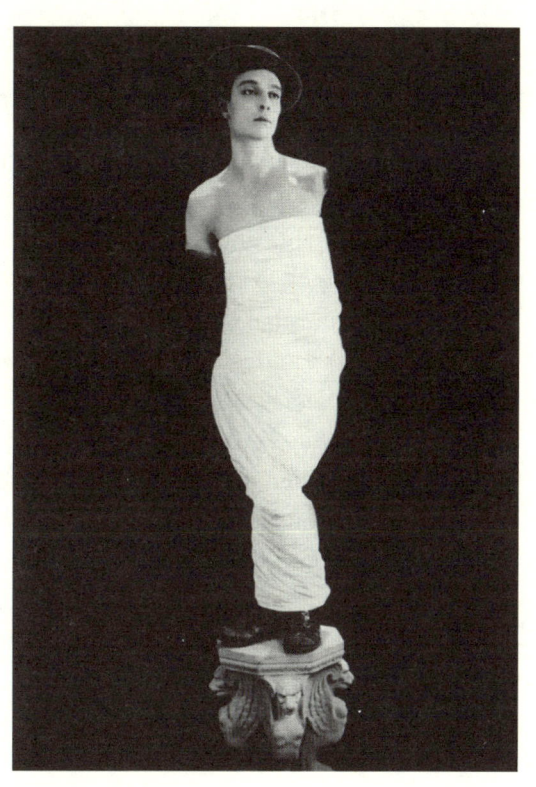

meu senhor, olhe o mundo, feito mal e parcamente em seis dias por Deus, e olhe suas calças!".

As calças costuradas por seis meses vestem sob medida o cliente. São perfeitas. Pelo trabalho solitário, paciente e dedicado, expressão maior da medida justa das suas forças e do seu artesanato, o Alfaiate — o Homem — pode escrever direito o que Deus fez apressada e egoistamente torto. Aleijadinho, Gustave Flaubert, Machado de Assis e Mário de Alencar reescrevem por linhas direitas os personagens tortos escritos por Deus. Eles são os alfaiates nossos de todos os dias, e para sempre.

Volto aos últimos anos de vida de Machado de Assis, onde os perdi. Lento desaparecimento. 1905-1908. O adjetivo "lento" é em si performático, também o substantivo "desaparecimento". Nada acontece às pressas.

O lento desaparecimento de Machado de Assis lembra o ator que, tendo mudado de roupa no camarim, senta-se diante do espelho e vai desaparecendo por detrás da maquiagem branca à medida que vai aplicando camadas e mais camadas de creme na face. Machado de Assis é o mímico, o verdadeiro, legítimo e anônimo protagonista deste romance.

Encarnação da arte como metáfora da vida, encarnação do artista como metáfora do ser humano, Machado de Assis, como protagonista a atuar no palco desta narrativa, não vive mais com amor, fúria ou desdém as incertezas e as asperezas do dia a dia. Pelo esmero com que arma os gestos básicos da sobrevivência do corpo e do espírito e os desenha, como mímico, no espaço da página em branco, aplica-se como aluno disciplinado ao ritual da vida diária pelo esforço gratuito, ritmado e belo das mãos que escrevem. Machado conhece de cor e salteado tudo o que se sabe sobre o homem e a vida no planeta Terra e, no entanto, se contenta em imitá-los pelas abstrações simbólicas da arte que, nas circunstâncias do dia a dia, o aproximam, distanciando-o do corpo a corpo feroz ou carinhoso com o comportamento nosso rotineiro.

Como o mímico, Machado aprendeu a engabelar o espectador, tendo antes lhe batido a carteira na bilheteria.

Na praça pública dos acontecimentos, o medo-de-viver às claras é o camarim iluminado onde Machado de Assis ensaia a arte do mímico. Veste-se todo de branco, empoeira o rosto e as mãos de pó de arroz, ganha coragem para sair do camarim onde aprimora os gestos definitivos da arte e começa a dar vida à representação ideal de todo e qualquer ser humano, de todas as vidas. O olho do mímico fotografa o que é invisível ao outro, como seu ouvido grava o eco do silêncio que ele, no entanto, escuta. Já em cena aberta, o mímico vai armando, concatenando e desenhando o longo gestual espaçoso e intrincado que nunca se complementa por ação concreta ou fala aberta. O mímico apenas ativa uma tendência do corpo humano. Figura um gesto com vistas à realização duma ação que não se concretiza. O ovo que exibe ao espectador não gera um pintinho de verdade. O ovo permanece ovo na sua mão, embora o corpinho da ave surja latente aos olhos do espectador. O pintinho nasce, vive e cresce no ovo que o mímico lhe mostra. *Omne vivum ex ovo.*

Músculos e nervos do mímico dançam letras no palco. Elas não compõem palavras nem frases. Não se derramam em falas transparentes nem fazem das tripas coração. Para viver como vive, em desconsolo, para sobreviver como sobrevive, sem confidências e sem extravasamentos sentimentais, o mímico estabeleceu um metro linear caseiro e modesto, de que se vale para medir as horas do cotidiano, os dias da semana e os meses do ano. Nenhum acontecimento da vida deve sobressair aos mil milímetros de comprimento do metro linear. A atitude do mímico que transgredir a medida justa acaba por fluir no final do dia como gota d'água em ribeirinho que se contenta em ser apenas afluente de algum grande rio, este sim, de importância nacional. A gota d'água deságua em surdina, como a sonata que, terminada sua execução pelo pianista, se recupera acorde após acorde, em silêncio, na memória de cada ouvinte.

É o medo-de-viver às claras que dá forças a Machado de Assis para se automodelar por gestual autêntico e cristalino que não se materializa em ações concretas mas que alude metaforicamente ao estar e ser dele e de seus semelhantes no mundo. O medo-de-viver às claras é alavanca de automodelagem do mímico, embora não seja o modo de ser da personalidade pública de quem atua. O medo-de-viver às claras não vê sentido em delinear perfil humano singular com atividades e falas autoritárias e enérgicas, definitivas e inquestionáveis — aliás, críticos maldosos dizem que faltam forças ao nosso mímico para desenhar nos seus romances a complexidade do ser humano. Não raramente essas sentinelas da participação social do homem e do compromisso político do artista julgam-no um escritor despersonalizado. "Uma múmia", no dizer do literato invejoso cuja língua pérfida serve para encharcá-lo na glorificação do próprio valor. Mentira. Sobram forças e caráter ao mímico para alavancar o protagonista discreto e ao mesmo tempo ativo na crítica à atualidade sociopolítica brasileira.

No momento em que o escritor Machado de Assis se subtrai da máscara de mímico e se joga corpo e alma no palco iluminado da folha de papel branco, se abranda a força do medo-de-viver às claras e se esvazia de significado. As três pancadas anunciam o espetáculo. A luz seletiva do spot se acende e incide sobre o rosto e o expande em resplandecência ofuscante como súbita aparição em tela de cinema do rosto do escritor em close-up. O spot incide em seguida sobre as mãos tão pálidas e invisíveis quanto as da virgem que nunca deixou a pele morena se dourar à luz do sol do Rio de Janeiro. O escritor já não expressa o medo-de-viver às claras.

Começa o espetáculo. Sozinho, o protagonista atua de costas para o espelho do camarim e de frente para o público.

Nada do que se vê no palco é o que se vê. Nada do que se vê no palco é só o que se vê.

Subtraído do mímico, o escritor Machado de Assis caminha para o proscênio. O fantasma branco assombra e ganha vulto de gigante, mas é logo obscurecido pela impetuosidade dos refletores colocados no piso do palco. Semelhante a uma folha de papel que ainda não foi escrita, ele se torna tão diáfano quanto a roupa de tule branco e esvoaçante que o veste. Seus braços se adiantam ao corpo, as mãos tateiam, à frente, a quarta parede inexistente do palco — a que abre a cena teatral para os olhos indiscretos dos espectadores.

Começa o drama. No cesto de palha que fica no centro da mesa de jantar, Machado de Assis ajeita a pinça dos dedos e apanha a fruta que o espectador não enxerga e a apalpa. Apalpa-a com os dez dedos famintos. Caminha até a cozinha e a ensaboa cuidadosamente e a lava com água da pia. Leva a maçã até a boca, dá-lhe uma mordida e mastiga. Todos os gestos são os da aparência. Da maçã ele engole apenas a própria carência do organismo fragilizado. O organismo ferrugento não suporta mais a polpa ácida e suculenta do alimento. Rejeita-a. É da carência que extrai sua resistência à morte.

O faz de conta morde a maçã em dentadas sucessivas. Os pedaços da fruta não chegam a entrar na boca. Não ativam o movimento de trituração dos molares. Não deixam o sabor avivar o paladar. A mordida na maçã pelo mímico apenas faz de conta que os pedaços da fruta descem pelo tubo digestivo para, bem digeridos, alimentar o corpo fragilizado pela gastroenterite.

A maçã permanece redondinha e inteira à vista do espectador porque não há maçã mordida e comida a ser vista por ele.

Como o epiléptico a sofrer uma crise na rua Gonçalves Dias, Machado de Assis se refere de modo desnorteado aos azares da vida vivida. Trabalha por alusões já sabidas e sinceras, como o padre *défroqué* que, quando tem de subir uma escada, levanta a batina inexistente. O padre *defroqué* não age por instinto. Falta-lhe a maldade do escárnio alheio. Age como age para sobreviver. Para não tropeçar em degrau e sofrer um acidente mortal é que o *défroqué* puxa como se puxasse batina a barra das calças para cima com as duas mãos paralelas às pernas. *Não vou tropeçar na batina e levar um tombo* — pensa e age o padre cuja batina tinha sido substituída por calças e desaparecido numa das curvas da vida.

Anacrônica, a batina permanecia na memória do *defroqué*, prefigurando o perigo da sobrevivência do homem nos seus próximos passos.

Há, no entanto, motivo justo para que os atos sucessivos do mímico se realizem de modo meticuloso no palco. Machado de Assis sente fome e sede e tem de se alimentar várias vezes ao dia. Mas seu organismo debilitado não extrai uma finalidade proveitosa da ação de comer e de beber. "Tanto o dr. Richet quanto o dr. Méry", informa o dr. Miguel Couto ao cliente no consultório, "recomendam a dieta láctea nos casos de diarreia causada por ingestão de remédios anticonvulsivos comprovadamente tóxicos." E continua o médico, prescrevendo a próxima receita: "Só a ingestão contínua de leite consegue reduzir a alta taxa de clorureto de sódio, modificando sensivelmente a atuação nociva do bromureto de potássio".

No chalé do Cosme Velho são as mãos da doce Jovita Maria que alimentam Machado de Assis entregue ao enjoo, ao vômito e às náuseas.

"Clientes do dr. Richet e do dr. Méry", prossegue o dr. Miguel, "que tomavam desde muitos anos fortes doses de bromureto sem resultado apreciável, deixaram de ter os ataques logo que adotaram o regime lácteo."

Subtraído do mímico, que age como um padre *défroqué*, subtraído do escritor que vacila diante da folha de papel em branco, Machado de Assis existe como simples ser humano, cidadão carioca da gema, morador do chalé de número 18 da rua Cosme Velho, chalé que aluga dos seus velhos padrinhos, os condes de São Mamede, cujo imponente solar fica na mesma rua, um pouco acima, no número 22. Em casa, o carioca vive viúvo e sozinho, acompanhado por duas criadas. A ação do drama que vive se concentra e se esgota entre quatro paredes, na intimidade do lar. No quarto de dormir, deita-se na modesta cama de casal. Só um dos abajures que guarnecem as duas mesinhas de cabeceira está aceso. As janelas fechadas acentuam a penumbra interior. Ele quer se compreender e se entender em diálogo consigo mesmo. Isola-se de todos e do mundo e pede para ser considerado como um organismo único, distinguível dos demais. Ele é único — e cada um de nós também o é — se abstraído o conjunto a que pertence.

À noite, antes que o velho escritor pegue no sono, Jovita Maria traz o copo de leite morno e faz o líquido lhe escoar pela garganta como se dado por mamadeira.

Os goles de leite morno transitam pelo tubo digestivo há muito em frangalhos e não o transpõem pela sucção interna que o reclama, mas pela força da gravidade. Gota a gota, o leite morno vai pingando no estômago, cujas membranas das mucosas gástricas foram corroídas pelos anos de ingestão do xarope de brometo de potássio, e o apazigua. Assim deveria acontecer. Assim não se passa mais. O leite morno não faz o bom efeito anunciado pelo médico. Continua a escorrer.

O líquido sai liquefeito do corpo onde tinha entrado.

Ano após ano, mês após mês, dia após dia, a boa digestão dos alimentos vai sendo negada ao corpo depauperado e frágil de Machado de Assis. Tendo sido ele enfraquecido pelas constantes sangrias na idade da razão, chegou a hora de o tubo digestivo, sujeito aos variados anticonvulsivos tóxicos, apresentar sinal de desgaste crônico. Seu estômago vinha sendo estraçalhado desde os anos 1880, quando começou a tomar o xarope de laranjas-amargas com bromureto de potássio fabricado por Eduardo Janvrot, dono de farmácia na rua da Quitanda. A cada instante do dia e da noite, a má digestão o atraiçoa, obrigando-o a caminhadas aflitas até o lavatório da casa, onde estão dependuradas as toalhas que foram bordadas com devoção por Carolina.

Com uma delas, a menos encardida pelo uso, enxuga as partes íntimas do corpo ensaboadas e lavadas no bidê. Não é de agora que o ex-mímico desempenha seu papel a dois dedos da morte anunciada pelos dias infindáveis. Desempenha-o, dando

> Nux vom., contra: spasmos clonicos e tonicos, epilepsia, dansa de S. Guydo, &c., e sobretudo quando ha : gritos, quéda da cabeça, tremor ou estremecimentos convulsivos dos membros ou dos musculos, renovação dos accessos, depois de uma contrariedade ou uma emoção desagradavel; evacuação involuntaria, emissão involuntaria das ourinas, sensação de torpôr e entorpecimento nos membros, vomitos, suores abundantes, oppressão do peito, constipação, máo humor e genio iracundo.
>
> *"Nux vomica"*, Medicina doméstica homeopática, *1851*.

as costas à vida, figurando-a como se à espreita do punhal assassino de Brutus.

Seu discípulo predileto, o jovem escritor e jornalista Mário de Alencar, neto de médico homeopata, passa por cima do receituário do dr. Miguel Couto, que os atende na rua dos Ourives. Recomenda-lhe a ingestão das favas-de-santo-inácio, nome popular da *Nux vomica*.

"Fazem efeito com meu filho Haroldo, sempre adoentado", justifica-se junto ao mestre, insistindo nas receitas que foram transmitidas à família Alencar pelo avô Cochrane. "Devidamente mastigadas e lentamente, as favas são brandamente laxativas", Mário acrescenta. Mas a *Nux vomica* receitada pelo homeopata amador não opera o milagre anunciado no estômago do velho escritor. Recomenda-lhe então um sucedâneo mais eficiente, a *Calcarea carbonica*, um pó extraído da concha de ostra. Contém ferro, manganês e alumínio e atua sobre os intestinos, dando-lhes força e resistência contra os estragos feitos pelos remédios que deveriam ter adiado as crises nervosas para o dia de são nunca.

Como solução alternativa, Mário presenteia Machado com um vidro de Maravilha Curativa do Dr. Humphreys, preparada a partir de folhas e casca de *Virginica hamamelis* (conhecida vulgarmente como "pistache"), alertando sobre o fato de que não prejudica o tratamento prescrito pelo dr. Miguel Couto. Reco-

Carta de Mário a Machado, 11 de julho de 1907.

menda-lhe juntar uma colher de sopa da concocção para cada litro de água, ou, no caso de banho de imersão, três colheres são suficientes. O presente chega acompanhado de curto bilhete, onde se lê: "A água quente parece ser eficaz, segundo ouvi ontem a um sofredor do mal que usa dela com resultado".

Nenhum tratamento, nenhuma droga — seja a alopática receitada pelo dr. Miguel Couto seja a homeopática recomendada pelo discípulo — leva o epiléptico a *alcançar a graça* que tranquiliza as andanças do cidadão pelo centro da cidade. Nenhuma droga favorece a rotina dos dias de trabalho na repartição pública sediada na praça Quinze de Novembro. Aviva o bate-papo dos fins de tarde na Livraria Garnier. Protege as noites brancas no Cosme Velho.

Na verdade, tudo o que é ingerido apenas revigora a gastroenterite e a expande como se a inflar um balão de gás já pronto a explodir. Se saciadas, fome e sede transformam-se no inimigo número dois do viúvo enfraquecido também pela profunda dor da perda.

Os homens que não são sérios e graves são exatamente os homens graves e sérios — Machado de Assis pensa por paradoxos e se reconhece na sua falsidade original de mímico.

Mudo, Machado de Assis guarda as aparências de quem vive com intensidade um presente falso. Os seletos espectadores do mímico fazem uma leitura intimista da fome não saciada, apoiando-se nos padecimentos do grande escritor em seus últimos e difíceis anos de vida.

Se não é possível saciar a fome e a sede do enfermo, já outra fome, a de ouro, e outra sede, a de poder, são satisfeitas desde o final do século XIX nos corredores da ganância dos conselheiros da jovem República. Vultosos recursos estatais são alocados para intermediários que surgem do nada e se transformam em aventureiros e especuladores de última hora. Na capital federal, o arrivismo é sôfrego e incontido. Cada um por si e os sucessivos governos republicanos a favor dos privilegiados. Distribuem-se à farta nomeações, indenizações, concessões, garantias, subvenções, favores e proteções. Ao se iluminar a generosidade do governo nacional, aclara-se a sofreguidão do luxo, da posse, do desperdício, da ostentação e do triunfo republicano. Não há amanhãs, há o já e já. É tempo de cavação. Precisamos de comendadores, pais da pátria. Que tratamento dar a um homem respeitável que não é doutor nem honorário; chamá-lo de cidadão é compará-lo a qualquer malandro.

Os belos e procurados cartões-postais releem na memória recente da cidade tanto o ritmo das demolições quanto o crescimento da especulação imobiliária. Um e o outro se traduzem mais e mais em jogos financeiros que trazem a discórdia entre os cidadãos das classes remediadas que foram livrados da mancha negra da escravidão e da centralização do poder pelo sistema monárquico. Destaque para os concorridos leilões dos terrenos desapropriados no centro da capital federal, leilões que têm lugar entre as ruínas dos prédios. É ali, antes da remoção do entulho pelos carroceiros, que se faz a partilha e que se define a ocupação dos novos terrenos. A mera observação da especulação imobiliária serve para reler os fatos históricos recentes, ao mesmo tempo em que ajuda o espectador a ler, na pele mulata recoberta por camadas de pó de arroz, o brilho de cobiça nos olhos dos que vivem de rendas e se pretendem autênticos — já que os costumes se tornam franceses — *chevaliers rentiers*.

Serão todos *chevaliers rentiers*?

Machado de Assis recebe carta do conde Dinis Cordeiro datada do dia 24 de julho de 1906. Ele administra os bens legados pela condessa de São Mamede aos descendentes. Informa-lhe que é com muito acanhamento e constrangimento que lhe escreve a respeito do aumento de aluguel da casa em que mora o escritor. Ainda que a condessa em vida tenha advertido os herdeiros — "Com o sr. Machado de Assis não faça alterações no aluguel" —, não podem mais seguir ao pé da letra as palavras da ilustre senhora. Sentem-se na obrigação de aumentar o valor do aluguel em virtude do incêndio que destruiu a casa dos São Mamede na rua Direita. "Deu prejuízo de mais de um conto de réis por mês à família", informa o conde Dinis

O Seixas, desenho de Raul.

Cordeiro. E argumenta em seguida: "Não seria relativamente penoso ao inquilino o aumento do aluguel a 200$ e, dadas as circunstâncias, a majoração era relativamente insignificante e muito razoável".

No dia 3 de agosto, Machado de Assis responde em longuíssima e única frase a carta assinada pelo conde Dinis Cordeiro: "Ciente do que me comunica em sua carta de 24 do mês passado e agradecendo-lhe as suas expressões de amizade pessoal, respondo a Vossa Excelência que aceito o aumento do aluguel da casa em que moro, Cosme Velho, 18, para 200$000, segundo exigem de Vossa Excelência alguns dos herdeiros da Condessa de São Mamede".

Nem todos os inquilinos cariocas têm a situação financeira de Machado de Assis. O cobrador das dívidas de aluguel nos cortiços e nos bairros periféricos vira tipo popular e é apelidado de Seixas. Na linguagem colorida de grande cronista da época, o cínico e cruel Seixas "era um animal feroz, lobo faminto que devorava os infelizes por conta dos felizes. Emprestava os dentes agudos e mordia, mordia, ferrava os caninos, lacerava, não largava a presa sem lhe levar retalhos de carne tremente e gotejando sangue vivo". A atitude selvagem e a forma desumana do cobrador de aluguel não apenas o animalizam, mas servem para representar, metonimicamente, o poder do novo capital que devora a carne viva dos inquilinos despossuídos.

De uma feita, relata uma revista de 1906, o Seixas se apresenta em certa casa modesta onde, aos arrancos de uma lesão cardíaca, agoniza a velha senhora, chefe de família. Em nome do senhorio, bate à porta da casa para cobrar uma conta de aluguéis atrasados. Esquálida e lacrimosa, uma das filhas da moribunda veio referir-lhe a situação e rogar-lhe uma pequena espera. "A mãe está a morrer... Não tem dinheiro algum..." Mas o Seixas a nada atende e abre a berrar. "Ou pagam, ou saem dali em vinte e quatro horas! Dinheiro ou rua!"

O mímico ganha definitivamente o aspecto de Machado de Assis e de posse de um pincel grafita com uma frase a imensa imagem da avenida Central que passa a guarnecer a parede de fundo do palco. Rabisca: "Mudaram-me a cidade, ou mudaram-me para outra. Já não desapareço na colônia portuguesa em que nasci e envelheci, e sim de outra parte do mundo para onde me desterram".

Pela associação da morte do escritor viúvo ao fracasso da velha imperial cidade colonial o mímico dá sentido ao espetáculo que representa. Nunca tinha precisado de tão poucas palavras para dizer tanto. Lento desaparecimento.

O escritor continua a grafitar com frases o gigantesco cartão-postal que reproduz a moderna capital federal. Quer traduzir a impressão de desterro que experimenta aquele que, ao deixar o mundo, sai duma região que passa a lhe ser estranha, já que está sendo arquitetada pelo espírito retilíneo dos engenheiros que, ao canto ritmado e alegre das picaretas e das marretas regeneradoras, traslada a Europa para os trópicos recém-libertos da escravidão negra e apressadamente republicanizados.

As poucas palavras escritas — superpostas em negro ao esplendor iluminado da bela imagem de cartão-postal — soarão tão desnorteadas quanto as gigantescas pedras que se espatifam em queda livre no terreno ou o barro das paredes dos casarões que se esfarela em densa poeira. Soarão como prédios seculares desmoronados. Gemem. Soarão tão ineficazes quanto o corpo enfermo do escritor a transitar — apoiado em bengala, vestido de sobrecasaca negra, com a cabeça recoberta por cartola negra e os olhos protegidos por pincenê — pela cidade tomada por carroças, tílburis, bondes, carros e mais carros modernos, e a escutar a zoeira tornada insuportável para ouvidos ainda sensíveis. No entanto, a frase escrita em seguida à primeira não perde o sentido do ritmo da vida e a expressão clara e desapiedada do pensamento: "Justo é que os filhos da cidade vão desaparecendo, quando ela vai remoçando".

Como em filme mudo, a precedência da imagem e o significado a ser explicitado no quadro seguinte pela legenda são a mensagem dada ao espectador. Ao se ler a atuação em cena do protagonista, relê-se a história da cidade, do mesmo modo como o espectador de cinema lê, na tela escurecida de filme mudo, o texto escrito em branco que as bocas dos personagens tinham aparentado falar mas não diziam. Ou diziam depois de executada a ação, quando a cena dramática já tinha passado e a presença dos personagens é apenas uma luz que está para se apagar e de repente se reacende pelas palavras grafitadas em negro sobre o cartão-postal colorido da cidade. O filme é tão mudo quanto as imagens da cidade que se projetam nas paredes laterais do palco. Não se dirigem aos ouvidos do espectador.

Em cena, corpo ereto e firme, Machado de Assis volta a ganhar o aspecto do mímico. Seu braço direito se adianta como o do guarda de trânsito pronto a sinalizar. Estica o dedo indicador como se estivesse a chamar a atenção de todos por sopro de apito. Aponta para o gigantesco cartão-postal que recobre a parede de fundo do palco de alto a baixo. Dada a ordem ao contrarregra, a imagem se ilumina.

A magnífica avenida Central. Em construção desde o dia 8 de março de 1904, com trinta e três metros de largura e mil e oitocentos de comprimento, ela se estende pelo centro da capital federal qual gigante adormecido, deitado em berço esplêndido. Ela sai da avenida Beira-Mar, passa logo em seguida pelo majestoso Palácio São Luís, edifício coroado com uma cúpula monumental, emoldurado por trinta e seis colunas e vigiado, diante das duas portas de entrada, por um par de imensos leões talhados em mármore de Carrara, e continua por três magníficos prédios afrancesados, os da Biblioteca Nacional, do Teatro Municipal e da Escola Nacional de Belas Artes, e prossegue em linha reta, abrigando primeiro as construções referentes aos estabelecimentos públicos e, em seguida, os armazéns da moda, confeitarias, grandes jornais e bancos, e finalmente o comércio de grande porte referente à importação e à exportação, até terminar no largo da Prainha, que se abre para o Trapiche Mauá.

A longa avenida Central se abre e se fecha por dois obeliscos plantados nos extremos, assim como a praça da Concórdia, em Paris, se abre aos olhos do turista e os leva a convergir para o obelisco único, no centro, que tinha guarnecido o palácio do rei Ramsés II em Tebas e fora doado pelo vice-rei do Egito, Mehmet Ali, à capital da França.

"Esse obelisco que hoje se ergue à beira-mar da cidade do Rio de Janeiro, no término da mais formosa obra do governo Rodrigues Alves", escreve a revista *Kosmos*,

> não tem esses antecedentes gloriosos, não veio do solo africano, não o cobrem estranhos hieróglifos misteriosos, não o produziu o braço escravo, não foi regado com as lágrimas do oprimido. É um bloco inteiriço, arrancado às entranhas da natureza sem rival da terra brasileira, talhou-o o artista entre hinos ao trabalho, destinado ele mesmo a glorificar um esforço, a comemorar uma iniciativa, a documentar um progresso, a perpetuar uma lembrança — a exaltar enfim um renascimento.

Pereira Passos manda demolir o Rio colonial

03/01 — Com a posse do prefeito Pereira Passos, ficou claro que o Rio de Janeiro deixará de ser uma cidade fétida e assolada pelas doenças. No lugar de *cemitério de europeus*, apelido nada lisonjeiro que a capital da República ganhou, a cidade renascerá como o mais grandioso exemplo da *belle époque tropical*. Em vez das imundas vielas coloniais e dos cortiços, onde se acumulam doenças, a prefeitura planeja ruas e avenidas largas, onde serão construídas edificações dignas da mais fina arquitetura européia. No lugar de terrenos, que só servem de depósito de lixo, praças arborizadas. Para tornar realidade o sonho de uma capital da República civilizada, a prefeitura já começa, literalmente, a botar abaixo todos os obstáculos. Os imóveis no caminho planejado para a obra já foram ou serão demolidos. Aos proprietários que amanhecerem com um aviso de desapropriação pendurado na porta principal de seu imóvel, só resta sair o mais rapidamente possível de casa, pois a prefeitura dá apenas alguns dias para que a mudança seja feita. Ao todo, 1.800 operários estão encarregados de demolir 640 imóveis. Pobres, os moradores dos cortiços só têm como opção de moradia juntar-se aos soldados vindos de Canudos, que se fixaram em barracos no Morro da Favela, antigo Morro da Providência.

As ruas estreitas do Centro estão com os dias contados para dar lugar às avenidas

Proibido cuspir nos bondes

03/01 — Para que a cidade seja civilizada, o povo também precisa se civilizar. Por isso, Pereira Passos decretou uma série de novas leis que prometem mudar os hábitos dos cariocas. Por determinação do prefeito, fica proibido cuspir dentro dos bondes e todas as repartições públicas terão de ter escarradeiras disponíveis ao público. Também não será mais possível ordenhar vacas leiteiras nas ruas, vender loterias nos quiosques, mendigar e atirar polvilho no Carnaval. A prefeitura também promete fazer a sua parte, instalando mictórios públicos em pontos estratégicos da cidade, para que a população não faça suas necessidades próximo aos quiosques.

Montagem de notícias do ano de 1903.

Em linhas paralelas, se sucedem ao obelisco os palácios de mármore e cristal, desenhados no estilo art nouveau por arquitetos brasileiros e decorados com estátuas importadas da Europa. Alguns já estão construídos e prontos para ser habitados; muitos outros em processo de construção. O suntuoso conjunto arquitetônico leva a capital federal a renascer como o mais glorioso exemplo da belle époque nos trópicos, só comparável à sua vizinha ao sul, Buenos Aires, cuja Avenida de Mayo, inaugurada em 1894, é três metros menos estreita que a avenida Central. Tudo se transforma e se moderniza: ao centro da cidade chegaram o gás e a água canalizados, a luz elétrica, o fonógrafo, o cinematógrafo e os grandes magazines afrancesados que servem a nova burguesia nacional.

No "Projeto da avenida Central e obras complementares", de responsabilidade da Comissão Construtora liderada por Paulo de Frontin e composta por engenheiros civis e arquitetos com sólida formação na Escola Politécnica, todos sócios do Clube de Engenharia, os novos e amplos espaços desapropriados — representados nas velhas plantas da cidade por vielas coloniais, ocupadas, de um lado e do outro, por palacetes de feição afidalgada, talvez residência de nobres nos tempos da Colônia ou do Império, desenhadas por mestres de obras, que se transformavam em cortiços no século XIX — passam a ser preenchidos pelo traçado de ampla e comprida avenida, cortada por ruas mais largas, que se guarnecem todas de edificações dignas das metrópoles europeias.

Nos altos escalões do governo federal, negocia-se com os banqueiros N. M. Rothschild & Sons, em Londres, o empréstimo de oito milhões e meio de libras esterlinas, com juros de cinco por cento ao ano. Parte da quantia serviria para cobrir os gastos com as obras da avenida Central.

A velha cidade, feia e suja — construída no correr dos séculos por mestres de obras, profissionais "boçais" e "ignorantes", para retomar os adjetivos preconceituosos postos em uso na imprensa e na fala dos burgueses pela *Revista do Clube de Engenharia* —, tem os seus dias contados. Terrenos baldios, na verdade depósitos de lixo, metamorfoseiam-se em praças arborizadas.

> Se você, morador de um desses imensos
> edifícios coloniais onde mora a população pobre
> da cidade, recebeu um aviso de desapropriação
> afixado à porta de entrada, só lhe resta
> abandonar imediatamente a residência porque
> a prefeitura lhe está avisando que em poucos
> dias começa o bota-abaixo.

As obras de responsabilidade da Comissão Construtora iniciaram-se em março de 1904. Mil e oitocentos operários (trabalhadores livres, muitos dos quais imigrantes portugueses, embora existissem alguns ex-cativos entre eles) são encarregados de demolir com marretas e picaretas seiscentas e quarenta e uma casas, em sua maior parte sólidos prédios de dois andares e de fachada estreita. As demolições desalojam, segundo alguns, três mil e novecentas pessoas, e segundo outros, treze mil moradores.

Após seis meses de trabalho insano, o espaço a ser ocupado pela avenida Central e adjacências é terra batida e nuvens de poeira a céu aberto. Na capital federal que se civiliza, já não se cospe dentro dos bondes, embora ainda se cuspa na rua. O uso do paletó é obrigatório no centro da cidade. Nada de camisa de meia rota, suja e suada. Por que descalços os pés, se há tamancos a todos os preços? Ninguém na Europa sai à rua em pés no chão e vestido em mangas de camisa.

Os salários dos operários da construção têm valores mais fixos que as ações na Bolsa de Valores. Pedreiro ganha uma diária de sete a nove mil-réis; carpinteiro, de oito a dez mil-réis; um canteiro, de nove a doze mil-réis; um calceteiro, de quatro a cinco mil-réis; um servente, de três a quatro mil-réis.

Em casa de cômodos, o preço do aluguel mensal do quarto é de vinte mil-réis.

Os operários inquilinos de cortiço, desalojados pelo Seixas, mudam para o subúrbio, ou então constroem suas casinhas na encosta do morro da Providência. Feitas com o lixo das demolições, elas são revestidas de estuque, pequenas janelas e portas estreitas. Protege-as o telhado de zinco ou de folha de latas, geralmente latas de querosene. Muitos preferem construí-las na subida do morro da Favela, que fica perto do centro da cidade, local de trabalho.

Em 1908, o escritor Coelho Neto chama a capital federal de Cidade Maravilhosa, assim como os italianos tinham apelidado Roma de Cidade Eterna e os franceses, Paris de Cidade Luz.

III.
Os vitoriosos

A ciência sou eu.
Imperador Pedro II, "Discurso no Instituto Histórico e Geográfico Brasileiro"

O acontecimento que mais tem preocupado e preocupa ainda a atenção pública é o da canalização d'água em seis dias. Todos admiram a temeridade do Dr. Paulo de Frontin, e ninguém acredita, nem mesmo os seus amigos mais íntimos, que ele seja capaz de abastecer esta cidade com mais de quinze milhões de litros d'água, em tão estreito lapso de tempo.
"Água em seis dias!", Revista Ilustrada, 23 de março de 1889

No dia 21 de janeiro de 1906, o jornal *Gazeta de Notícias*, sediado no Rio de Janeiro, publica mais uma das inúmeras crônicas de Olavo Bilac. Com paciência de monge beneditino, o professor Antonio Dimas recolheu nos jornais e revistas da época todas as que foram escritas pelo poeta parnasiano, e as transcreveu. Estão reunidas em dois grossos volumes. Resolvo avivar a memória, consultando-os. Diante de mim está o obeso primeiro tomo. Página 773.

Neste momento em que me acerco da manhã de 23 de fevereiro de 1906, dia em que Mário de Alencar, já eleito imortal, toma o tílburi na enseada de Botafogo e vai consultar o dr. Miguel Couto na rua dos Ourives, teria sido impossível adivinhar que eu estaria procurando a crônica de Bilac e atrasando de um mês a cronologia dos eventos. Gosto de citar as palavras alheias, sem torcê-las. Avivo a memória da leitura. O cronista fala dos grandes inconvenientes que a seca prolongada traz para o cotidiano do carioca no verão, tornando insuportável essa estação do ano. Processo inverso se passa no mês de fevereiro, que se lhe segue. Terminado o calorão que vem de novembro de 1905 e entra pelo ano de 1906, as chuvas torrenciais não dão trégua aos moradores do Rio de Janeiro, inundando as praças, avenidas e ruas da cidade.

Calor e chuva, o direito e o avesso incontestável e vitorioso do verão carioca.

Depois da polêmica vitória na Academia Brasileira de Letras, Mário se julga gravemente enfermo e Machado de Assis lhe recomenda que não se contente com os remédios homeopáticos prescritos pelo finado avô. Que procure o dr. Miguel Couto, médico assistente de Carolina e atualmente seu médico clínico.

Ao querer focar Mário em fins de fevereiro e divisá-lo a se proteger do chuvisco matinal que alivia passageiramente as sucessivas tempestades que assolam o mês de fevereiro, vejo Mário a caminhar debaixo das nuvens brancas dos imensos toldos estendidos pelas lojas sobre as calçadas da avenida Central. O aguaceiro está para avançar mês de março adentro e já tinha cumprido a principal função: varrido as ondas e mais ondas de poeira sopradas das demolições e das obras em torno da futura avenida Central que, durante os meses secos dos fins de 1905, se acumulavam por toda superfície plana, por todo vão de porta ou de janela, por todo canto da cidade. Deixo por algum tempo o novo imortal, prometendo reencontrá-lo daqui a pouco.

Não é por acaso que, logo depois de lida, eu tenha armazenado a crônica de Bilac na cachola. Em termos da já longa história do cotidiano carioca, ela é pau pra toda obra. Tem tudo a ver com a função múltipla da banheira nas residências da pequena burguesia carioca. As muitas torneiras das pias, se abertas em plena estiagem, engasgam, tossem, gargarejam, ronronam e esguicham ar quente. Precavida, a dona de casa aproveita a manhã em que a água cai por milagre na caixa e estoca o precioso líquido na banheira tapada. Inútil para a função a que é destinada, a banheira torna-se absolutamente indispensável — com a ajuda dum balde salvador — para as atividades diárias dos moradores e das criadas. Serve de caixa-d'água improvisada à disposição da cozinheira, da faxineira, da lavadeira e de toda a família na hora da higiene pessoal. A banheira carioca semelha à cisterna nos arrabaldes ou no campo.

Sabendo-se pau para toda obra, a crônica de Bilac está sempre ansiosa à porta de saída da imaginação. Quer dar sua mãozinha suplementar ao narrador. Se eu a tivesse usado no capítulo anterior, como cheguei a querer, teria sido por motivo tão evidente quanto o da passagem da seca do fim do ano para as chuvas de fevereiro, que agora me ocupa. Motivo semelhante, mas função diferente. O objetivo não seria tão realista. Tinha, sim, algo a ver com as agruras do calor e com a falta d'água, mas indiretamente. Tomava-a da perspectiva de revolucionário espetáculo de pantomima aquática que, ao ocupar as dependências internas do tradicional Teatro São Pedro, encantava os cariocas das várias idades. Selecionei, então, a passagem em questão da crônica e a fisguei com a ajuda da máquina xerox da papelaria que fica ao se dobrar a esquina. Livrava-me do catatau onde estava impressa e podia concentrar-me sem maiores dificuldades nos detalhes da prosa diária de Bilac.

Interessavam-me alguns poucos parágrafos em que o cronista descreve a pantomima aquática *São Pedro debaixo de água*, representada pelos conhecidos palhaços do Circo Sul-Americano no respeitabilíssimo Teatro São Pedro de Alcântara, localizado na praça Tiradentes.

Convém que me explique, ainda que fora do lugar e da hora. Alongo-me, inevitavelmente. É da minha natureza.

Enquanto redigia o capítulo anterior, imaginei que seria legal contrastar dois palcos cariocas, um real e o outro imaginário, e dois espetáculos distintos e semelhantes, para, em seguida, contrastá-los reaproximando uma proposta de arte erudita a uma de arte popular. No palco imaginário desta narrativa, Machado de Assis se apresenta na pele de mímico que jamais completa a ação dramática que, no entanto, está sendo representada para o espectador. No palco do Teatro São Pedro, revolucionado pelo brilhante empresário e diretor Anchyses Pery, está a trupe de mímicos populares, composta pelos muitos palhaços do Circo Sul-Americano. O espetáculo satiriza a ineficiência dos administradores cariocas durante os calamitosos verões.

Por que não poderia eu, ou melhor, por que Machado de Assis — conhecido amante do espetáculo teatral, autor de peças e frequentador assíduo do tradicional Teatro São Pedro — não poderia ter modelado seu comportamento social e artístico e sua persona estética, tidos como excêntricos pelos padrões da burguesia carioca, com a ajuda dos jogos silenciosos da pantomima popular, quase acrobática, que desde os tempos coloniais esteve em voga tanto nos modestos palcos parcamente iluminados da cidade quanto, em feroz disputa dos aplausos com os domadores de feras, nos picadeiros dos circos populares, protegidos da tormenta apenas pela lona esburacada?

Os palhaços do Circo Sul-Americano são os primeiros atores populares que deixam o palco das casas de espetáculo mambembe para tomarem de assalto toda a parte interior do teatro aristocrático e burguês da antiga praça da Constituição. A pantomima dos palhaços a representarem no Teatro São Pedro é considerada espetáculo repreensível e verdadeiro escândalo por Artur de Azevedo, autor de peças festejadas e (ciumentíssimo) dublê de crítico teatral no jornal O *País*. Não teria sido o caso de Machado de Assis, cujos olhos estão sempre antenados com a novidade que se carrega de sentido pelo imprevisto previsível numa cidade como a capital federal.

Escândalo por escândalo, por que não levar nosso Machado de Assis — com o rosto embranquecido por pó de arroz e em traje esvoaçante de tule branco, a abusar do gestual simbólico de mímico para se exprimir — até o leitor contemporâneo? A *clownerie*, a pantomima aquática interpretada pelos palhaços da trupe comandada pelo empresário Anchyses Pery, é tão revolucionária quanto qualquer dos romances escritos por Machado de Assis. No teatro brasileiro, é o primeiro espetáculo teatral/circense que transgride a distinção clássica entre Ator, figura só de palco, e Espectador, figura só de plateia. Ele baralha os espaços clássicos da arquitetura geral das salas de teatro.

A pantomima *São Pedro debaixo de água* leva o palco chamado italiano a encontrar outro lugar e a se instalar no espaço do auditório. Anchyses Pery mandou retirar fileiras de poltronas da plateia para abrir um imenso círculo, onde manda montar um lago artificial. O cenário da pantomima está na plateia. O Teatro São Pedro vira um moderníssimo teatro de arena. O público toma assento em poltronas que circundam o palco onde atuam os atores.

Gravura de W. Loeillot (1835).

Ao pintar o imponente Teatro São Pedro, duas vezes destruído pelas chamas e duas vezes reconstruído pelos empresários e atores de boa vontade, Jean-Baptiste Debret, autor da *Viagem pitoresca e histórica ao Brasil*, não menospreza os detalhes esculpidos no frontão triangular. Lá está representado o busto de Apolo, tendo à esquerda a máscara da comédia e à direita, a da tragédia. O viajante francês mal teria imaginado que décadas mais tarde as duas máscaras estreitariam os laços, recobrindo o busto de Apolo durante os espetáculos circenses que revolucionam a arquitetura teatral do São Pedro.

Lida, relida e já usada uma vez, a crônica de Bilac me encaminha para segunda e nova intenção. Interessa-me a inesperada e disparatada reação que a pantomima aquática desperta no público dito sisudo e seleto do Teatro São Pedro, então às voltas com a falta de água corrente em casa para as várias atividades domésticas.

A partir duma frase exclamativa é que volto a citar a crônica de Bilac na cópia xerox que até hoje guardo: "A falta de água! Há quarenta anos que ouço dizer que não há água no Rio de

Janeiro — e há quarenta anos, que me conste, ninguém tratou de dar água ao Rio de Janeiro".

Cronista astucioso e enfático no convencimento, Olavo Bilac encontra no tópico quente do mês de janeiro de 1906 — a falta d'água na capital federal e nas residências — a ocasião para trazer à baila a pantomima *São Pedro debaixo de água*. Verão é verão e a crendice popular costuma associar a falta de chuva ao guardião das chaves que abrem as portas do céu. São Pedro tinha fechado definitivamente as torneiras das nuvens.

A pantomima aquática dramatiza o disparate que significa a descida do discípulo de Cristo ao aristocrático teatro que leva seu nome e à praça Tiradentes, antiga da Constituição, com o fim de apresentá-lo e a seu variado séquito de comparsas à população carente de água do Rio de Janeiro.

São Pedro e seus palhaços — a que se somam pescadores, lavradores, noivas, noivos, curas, padrinhos e madrinhas — navegam em canoas e lanchas em pleno auditório. Fazem diabruras e se lambuzam mutuamente num espetáculo inédito em sala de teatro pequeno-burguesa e se esbaldam no lago que é uma imensa bacia de borracha colocada no espaço central da plateia, desprovido temporariamente de poltronas pelos cenógrafos e transformado em picadeiro de circo onde se esbanja a água que falta. Na capital federal do Brasil, o único a consumir água em excesso e às gargalhadas é o santo que, no entanto, é parcimonioso no envio de chuva aos moradores suarentos e empoeirados da capital federal.

Antes das três pancadas que dariam início à pantomima aquática dirigida por Anchyses Pery, a parte central da plateia — sem poltronas e já convertida em picadeiro para os palhaços — estava transformada num imenso lago estival. Nos minutos que antecedem o início do espetáculo — conta-nos Olavo Bilac —, um homem sério sentado na plateia, um mero espectador vestido de casaca e cartola, ainda à moda do Segundo Reinado, se levanta, dá alguns passos entre as duas fileiras paralelas de poltronas e caminha para o picadeiro.

Debruça-se à beira do lago artificial. Saca do balde de que os palhaços se valem para se emporcalharem. Enche-o de água. Põe em seguida a cartola debaixo do braço. Equilibra o balde sobre a cabeça. Emborca-o depois, como se fosse inusitada cartola. Diante do público curioso e embasbacado, o espectador de casaca toma o melhor dos banhos de cuia da sua vida. Ao interpretar antes da peça a minipeça de sua autoria, o espectador resgata a indignação do povo perante o descaso das autoridades municipais. E é aplaudido por todos. Tendo feito o que é urgente fazer e que, pela disposição arquitetônica tradicional do teatro, não se pode fazer, o homem do balde quer abandonar o recinto, mas os espectadores suspendem as palmas e começam a vaiá-lo. Não seria ele o melhor dos palhaços da trupe? Não seria sua minipeça mais realista que a pantomima a ser representada? Os aplausos viram gritos, xingamentos e brigas.

A polícia é chamada.

Buster Keaton não teria interpretado melhor o papel do cidadão vestido de casaca e cartola. Nem Machado de Assis no palco desta prosa. Nem nós, meros e silenciosos espectadores perdidos no espaço e no tempo desta narrativa.

Já na delegacia, sempre com a distinta cartola na cabeça mas de casaca encharcada e de cabelos molhados, o atrevido espectador se explica ao delegado. Copio da crônica suas palavras:

> Senhores, há um mês eu não tenho água em casa! Em vão reclamei, em vão fui à imprensa, em vão recorri a todos os poderes... Hoje, lendo o jornal, vi o anúncio desta representação teatral; e, como o anúncio dizia que a sala do S. Pedro em trinta segundos ficaria inundada de cem mil litros de água, deliberei vir aqui en-

cher o meu balde, — porque afinal não é justo que os palhaços do Circo Sul-americano tenham tanta água em trinta segundos, quando eu, que sou um homem sério, casado e pai de filhos, não tenho em casa uma só gota há trinta dias!

Divirto-me ao desnortear a cronologia retilínea do relato. Repiso. Gosto também de associar anarquicamente fatos que são semelhantes pela aparência. Complemento a pantomima aquática com a marchinha carnavalesca que, em 1954, no cinquentenário do bota-abaixo do Rio colonial era tocada em frente ao mesmo teatro da praça Tiradentes por alguma bandinha extraviada do subúrbio. Nas apinhadas matinês e soirées carnavalescas e nos elegantes e endiabrados bailes de máscara realizados no antigo Teatro São Pedro, denominado João Caetano nos anos 1950, a marchinha "Vaga-lume" era cantada a plena voz pelos foliões:

Rio de Janeiro
Cidade que nos seduz
De dia falta água
De noite falta luz.

Abro o chuveiro
Não cai nem um pingo
Desde segunda
até domingo.

Em evidente provocação à cronologia, continuo a associar fatos semelhantes pela aparência, é do meu gosto, repito uma vez mais para que não haja dúvida; gosto também de postergar — em homenagem às sucessivas mortes que significam a redação duma longa narrativa — o acontecimento que desejo focar. Adio por mais alguns parágrafos a consulta médica a que deve se submeter o novo imortal Mário de Alencar e continuo a tecer fusões entre acontecimentos distintos e semelhantes, o que não só é meu modo pessoal de adiar a conclusão deste relato, como também a maneira de autorrepresentar a lenta destruição do corpo deste que escreve.

O mês de março de 1904, quando se começa o trabalho das picaretas e das marretas regeneradoras sincronizadas pelo engenheiro Paulo de Frontin, tem na verdade seu início em pleno verão do ano de 1889. Quinze anos antes, mas o protagonista é o mesmo Frontin. O escaldante verão de 1889, que tira do sério o imperador Pedro II às vésperas da Proclamação da República, é tim-tim por tim-tim semelhante à grande seca que vem de novembro de 1905 e entra por 1906 e é, ainda, semelhante ao verão sem água que toma conta do Carnaval carioca de 1954. Nesta ocasião é que a marchinha "Vaga-lume", de Vitor Simon e Fernando Martins, se torna uma das mais populares. Ao ar livre das avenidas e ruas cariocas e nos salões de baile e nos recintos adaptados dos teatros e dos cinemas, "Vaga-lume" se destaca como a música de Carnaval que melhor exprime a crítica social. "De dia falta água/ De noite falta luz".

A aproximação das quatro datas (pela ordem cronológica: 1889, 1904, 1906 e 1954) não tem o fim de montar um quebra-cabeça para o leitor. Longe de mim. Tem finalidade objetiva e clara. Na mescla em nada sutil do modo como o império todo-poderoso e intratável da natureza acentua a falta de boa governança da cidade pelos políticos, mostra-se como se montam as grandes crises comunitárias nos trópicos e como essas crises pipocam por toda a história da antiga corte da capital federal republicana, e também desta às vésperas de ser transferida para Brasília.

Calor e chuva, o direito e o avesso incontestável e vitorioso do verão carioca.

A aproximação das quatro datas se mostra ainda e principalmente o modo como se abrem as portas de entrada do poder nacional, estadual ou municipal, para os engenheiros e médicos. Têm bom conhecimento técnico. Não têm experiência política. Rapidamente, eles ascendem ao poder executivo e, com o beneplácito dos militares no poder, administram autoritariamente a carência submissa da população. Para governar a cidade ou a região, exigem decretos draconianos do governo central imperial ou republicano.

Em contrapartida, manifestações artísticas populares e passageiras, como os espetáculos de caráter circense ou as marchinhas de Carnaval, caem no gosto do grande público e trazem nelas embutida a melhor e mais cáustica crítica às graves e despreparadas autoridades administrativas. Do lado de fora da estrutura binária do poder — técnicos e povo — os partidos políticos, como os houve e ainda os há, ficam destinados à inoperância, meras representações anódinas da população. Na época de Machado de Assis, os partidos estão nas mãos atrasadas dos fazendeiros, que se aristocratizam pelos títulos de nobreza e pelas viagens à Europa, e prosperam sob o jugo dos comerciantes importadores e exportadores, que controlam a sociedade pelo peso e pela força do dinheiro vivo.

No verão de 1889, no interregno entre a Abolição da Escravidão e a Proclamação da República, um colapso no abastecimento deixa a população do Rio de Janeiro novamente sem água. Em nada acidental, já que é tão intermitente quanto a sucessão da estação da seca e a estação das chuvas, o fato vai colocar em destaque os engenheiros formados pela Escola Politécnica, nascida em berço militar no início daquele século, e responsáveis pelo Clube de Engenharia, fundado em 1880. O acontecimento que destaco se tornou conhecido como o Milagre da Água em Seis Dias e, na boca da *petite histoire* carioca, se transformou no chute inicial, ainda na corte imperial, da carreira do engenheiro Paulo de Frontin, que será aclamado definitivamente pela população da capital federal em 1904.

Naquele verão de 1889, a administração municipal, por ordem expressa do imperador d. Pedro II, abre concorrência pública com o intuito de resolver o grave problema de abastecimento de água da corte. Sai vencedora a firma que propõe fornecer ao Rio de Janeiro quarenta milhões de litros de água no prazo de um mês. Já então seria inútil, pois já teriam chegado as chuvas de março. O engenheiro Paulo de Frontin, jovem e ousado professor da Escola Politécnica, decide intervir na negociação com projeto próprio. Nos jornais, recebe o apoio e o aplauso do jurista e político Rui Barbosa.

O jovem engenheiro propõe um projeto julgado de antemão absurdo. Fazer jorrar em seis dias quinze milhões de litros de água no reservatório da cidade. As águas das cachoeiras do rio Tinguá, que caem na serra do Comércio, localizada na Baixada Fluminense, correriam canalizadas em tubulação de ferro, assentada à margem da linha da Estrada de Ferro Rio do Ouro, e chegariam até a Caixa do Barrelão, localizada na cidade do Rio de Janeiro.

O ministro do Império Rodrigo Silva, que sustenta nos ombros dois ministérios — o do Comércio e da Agricultura e o das Obras Públicas e das Relações Exteriores —, apoia o audacioso projeto hidráulico do jovem professor. Aceita o desafio e entrega os recursos oficiais solicitados por ele e seus dois parceiros na empreitada, os também engenheiros Carlos de Sampaio e Júlio Paranaguá.

O pequeno grupo empresarial teria o direito de contratar operários e usar o telégrafo para se comunicar. Contaria ainda com dois trens especiais da Estrada de Ferro Rio do Ouro para transportar todo o material hidráulico até o local das operações.

Os longos e pesados tubos de ferro seriam levados em carroças puxadas a burro até a Estação da Ponta do Caju e transferidos para os vagões dos trens especiais. O material indispensável à boa realização do projeto seria depositado na Estação do Tinguá. São contratados cinco mil trabalhadores assalariados e comprados cinco mil machados e dez mil enxadas.

Em seis dias, as águas das cachoeiras do rio Tinguá chegam à Caixa do Barrelão. Está resolvido o problema do fornecimento d'água à população da corte.

O engenheiro Paulo de Frontin é carregado em festa pelo povo. O cortejo caminha do terminal da Estrada de Ferro Rio

Revista Ilustrada, *30 de março de 1889*, charge de Angelo Agostini, destaque para o engenheiro Paulo de Frontin.

Detalhe.

Medalha "Água em seis dias, março - 1889". Comemora a importante obra com trabalho não escravo.

do Ouro, no bairro de São Cristóvão, até a rua do Ouvidor, no centro da cidade. A corte é tomada por festas, bailes, marchas e muitas demonstrações comemorativas do Milagre da Água em Seis Dias. O jornal *Diário de Notícias* abre uma subscrição popular, alimentada por donativos de quinhentos réis. Custearia a cunhagem de medalhas comemorativas em que estão registrados os nomes dos engenheiros Paulo de Frontin, Carlos de Sampaio e Júlio Paranaguá. Numa das faces, a inscrição "Trabalho livre"; na outra, "Confiança na ciência e no trabalho nacional". A segunda inscrição se tornou o lema do engenheiro Paulo de Frontin.

Em 21 de novembro de 1903, Paulo de Frontin é nomeado engenheiro-chefe da Comissão Construtora da avenida Central por decreto do quinto presidente da República, Rodrigues Alves. Ganha plenos poderes não só para levar a cabo os projetos urbanísticos concernentes à criação da avenida Central, como também para negociar desapropriações, vendas e permutas de terrenos, e ainda para comprar e vender materiais de demolição e de construção, para fixar salários dos operários, dirigir as obras feitas por administração direta ou fiscalizá-las quando realizadas por administração ou empreitada de terceiros.

Se na capital do Império as atividades dos engenheiros e dos médicos, ousados e esperançosos capitães dos projetos de modernização da cidade e da nação, diminuem o peso da escravidão negra no mercado de trabalho — e a transformação se torna evidente no exame dos canteiros de obra urbanos e rurais que se sucedem durante a Primeira República —, elas na verdade jogam para escanteio do poder nacional o fazendeiro e o comerciante de secos e molhados. Como flores coloridas no grande charco que é a capital federal no início do século XX, desabrocham grandes empresas industriais que pouco a pouco serão cobiçadas pelo capital estrangeiro.

Estamos em março de 1904.

Quase dois anos mais tarde, em pleno mês de fevereiro de 1906, São Pedro se cansa de repente de atuar no papel invocado pela crônica de Bilac e deixa o lago estival construído na plateia do Teatro São Pedro. Viaja de volta aos céus. De lá observa a humanidade. Perde o sorriso matreiro de palhaço e, tomado por ódio do espectador de casaca e cartola que ousara roubar com balde a água do seu lago artificial para tomar banho de cuia, abre todas as torneiras dos céus e inunda a cidade do Rio de Janeiro. A índole vingativa de São Pedro leva por água abaixo os primeiros anos da transformação da capital federal numa cidade ordenada e civilizada, segundo os padrões projetados pelo barão Haussmann para Paris.

As donas de casa precavidas podem dar férias às banheiras arrolhadas. Depois de longa estiagem, as chuvas de verão chegam com ímpeto destrutivo. Mergulham no pesadelo das antigas enchentes a capital federal que se moderniza. As águas alimentam as nascentes dos muitos rios que normalmente vivem escondidos, encorajando-os a transbordar a caminho do mar. Escorrem das montanhas que cercam a cidade e a alagam. Ou a abastecem. Casas e casebres desabam. Pedras enormes deslizam montanha abaixo. Ruínas e escombros de cortiços se amontoam pelas ruas pobres. Os moradores transitam nos arredores dos destroços e tentam escorar o que resta de muro e de teto. As chuvas dos verões passados em nada se assemelham à chuva de grossos pingos que cai em pancadas da gorda nuvem negra que cresce no horizonte de repente, se agiganta, cobre todo o céu, rasga-se em relâmpagos e se abre numa única e pesada carga-d'água. Cinco minutos depois, parece que nada tinha acontecido.

O céu fica de novo todo azul e o sol resplandece, refletindo-se em mínimos e intensos faróis nas pedras portuguesas recém-lavadas da poeira vermelha, acumulada durante os dias de seca. Leio o merecido elogio do sol num cronista carioca da época: "O sol é a alegria do pobre, é o gerador das ilusões que consolam. A mais miserável choupana, quando banhada de sol, resplandece como um palácio; de um casebre arruinado o sol faz um templo rutilante de ouro e prata, e de uma poça de lama faz um escrínio de topázios e rubis".

O que dizer da chuva insana? De que adiantam os novos bulevares previstos pela "Planta da avenida Central" e a serem abertos e pavimentados pela Comissão Construtora, se as chuvas torrenciais, que despencam das nuvens e afugentam as ondas de calor, transformam as ruas em rios, as praças em lagoas, os bondes em gôndolas venezianas? Na nova praça da Bandeira, antigo largo do Matadouro, o coreto recém-inaugurado pela municipalidade vira ilha. Homens e cachorros nadam como peixes. Burros de carga resfólegam e empacam. O transporte urbano e a luz elétrica estão comprometidos. Chargistas ironizam a impotência do prefeito Pereira Passos. Com bom humor, eles sugerem mudanças no serviço. Pedem que os bondes, que anos atrás deixaram os burros na estrebaria e ganharam a força da eletricidade, se metamorfoseiem em bondes submarinos ou em bondes aéreos, únicos meios de locomoção possíveis nos dias de enchente.

— Ah! meu velho! Quem diria que havíamos de ficar no meio da rua e na chuva?
— Tu é que és culpada... Quizeste por força ir ao theatro... Boa romaria faz quem em sua casa fica em paz! Agora, aguenta!

De que adianta o trabalho insano dos sanitaristas, se as doenças assassinas voltam ao ritmo de antigamente e os moradores pobres não sobrevivem?

Na elegante enseada de Botafogo, amanhece o dia 23 de fevereiro de 1906, uma sexta-feira. O escritor e novo membro perpétuo da Academia Brasileira de Letras Mário de Alencar abre as duas janelas à francesa do quarto de dormir. Elas dão para a varanda do primeiro andar. Tão logo põe a cabeça para fora, recebe um tremendo jab de esquerda de pugilista fantasma. Sente que uma força nova e estranha joga cabeça/lábios/olhos, de uma só vez, para o lado esquerdo. Tenso, o pescoço perde o plumo e desequilibra levemente todo o corpo. Teria sido nocauteado pela vida? Mário vem se acostumando com tal docilidade a essas viradas súbitas da cabeça que prefere não mais oferecer resistência à força súbita e covarde que o agride.

    Ao voltarem à posição normal, cabeça/lábios/olhos distendem o pescoço que, por sua vez, endireita o corpo. Mário reganha o plumo. Dá dois passos e se aproxima da amurada da varanda. Espreita a rua Marquês de Olinda. É um canal de Veneza que corre entre as residências e deságua na praia de Botafogo. Observa, mais à esquerda, a torre gótica da igreja da Imaculada Conceição do Sagrado Coração de Jesus, que se alonga por uma cruz voltada para os céus. Ao fundo, as tranquilas e hoje escuras águas da baía. Mais ao fundo, visto pelas costas, o Pão de Açúcar. Nas primeiras horas da sexta-feira toda a paisagem está tomada pelas nuvens negras e cinzentas. Mário respira fundo. O ar já é sufocante. Pesa dentro dos pulmões, como se fosse de chumbo.

    À frente da casa, o jardim está alagado e não se vê a relva. Contrasta com o conjunto de coqueiros-jerivá que, tendo padecido a seca nos últimos meses, traz as palmas ressecadas e amarelecidas, vergadas agora ao peso da água e a se despencarem dos troncos. As chuvas prolongadas de fevereiro, que sucedem ao tórrido e seco mês de janeiro, têm castigado o novo e elegante bairro da cidade, que ainda não dispõe de rede de esgotos. Os rios Banana Podre e Berquó, ao transbordarem, agravam a situação dos moradores ilhados em suas casas. As águas descidas dos morros vizinhos inundam a rua Marquês de Olinda. Acumuladas nos últimos dias, elas convertem a região em charco semelhante ao pântano que, não muito distante, circunda a lagoa de Sacopã, hoje Rodrigo de Freitas. A carroça puxada a burro tem sido negligente na coleta do lixo doméstico. Tudo se amontoa nos fundos da casa e serve de pasto para mosquitos, baratas e ratos. Na rua, as galochas protegem os pés e o guarda-chuva, a cabeça. Não são suficientes.

    "Boa romaria faz quem em sua casa fica em paz!", diz a caricatura.

Enseada de Botafogo. À esq., à beira-mar, a torre gótica da igreja da Imaculada Conceição.

Mário de Alencar está cismarento. Tomado de preguiça, o cérebro não soma coisa com coisa. A ansiedade obriga o coração a trabalhar mais depressa. Precipita suas pulsações. E, diante do céu cinzento e feio que não se desmancha de uma só vez em chuva benéfica para a cidade, uma grande tristeza amortalha a alma telúrica do escritor já eleito imortal, cuja posse está marcada para o dia 14 de agosto. Será recebido pelo acadêmico Coelho Neto.

Escritor imortal, embora pouco louvado pelos pares, funcionário público de confiança do senhor ministro da Justiça e elogiado pelos colegas, Mário de Alencar desperta mais cedo que de hábito. Tem consulta marcada às dez horas da manhã com o dr. Miguel Couto, na rua dos Ourives. Mora em confortável casa da rua Marquês de Olinda, em companhia da esposa Baby, sua prima, e dos cinco filhos. O número 74 fica à direita de quem sobe da beira-mar, entre as ruas Muniz Barreto e Assunção. Mário, pelo lado materno, é neto de ambicioso industrial e prolífico médico homeopata de origem escocesa, Tomás Cochrane, e filho de refinado romancista e jurista, José de Alencar, por sua vez descendente de família de políticos natural do estado do Ceará.

Como bom mazombo, Mário acredita no poder civilizatório da língua e da literatura grega e na veracidade dos mitos clássicos. Os sonhos que pululam na sua mente taciturna — julga ele — não são meros e vãos fantasmas. Às vezes, o corpo de natural melancólico se descuida das sensações externas e, no esquecimento dos fatos reais, destrutores e constrangedores, alvoroça a alma que se torna liberta das exigências vis da matéria e livre das importunações do meio. Então, sua alma tira proveito do silêncio concedido a ela pelo corpo e, já bem instalada no salão do crânio, começa a conversar com as almas irmãs. A vivência da alma em recolhimento, leitura e reflexão se reproduz — para ele — numa perfeita e tranquila cena de família, em tudo por tudo igual à que se encontra representada à exaustão e realisticamente na pintura pequeno-burguesa europeia e nacional do século XIX.

Mário formou-se em direito e é oficial concursado da Secretaria da Câmara dos Deputados. Em 1904, é convidado pelo ministro da Justiça e Negócios Interiores, J. J. Seabra, a assumir o posto de secretário. O escritor traz também os pés no chão, o corpo espigado e expansivo e os olhos no futuro. Por ter fobia quando caminha sozinho pelas ruas da cidade, ambiciona a vivência em outra e perfeita cena de família. Cobiça uma casa nobre no bairro de Botafogo. Iluminado o salão da residência, abrem-se as portas e as janelas, e a dona de casa, solícita e amável, vai até o alpendre receber as habituais visitas de cortesia e amizade. E já, desde a soleira, é um apressado e afanoso trocar de ideias. Cada visita traz a sua porção mais variada. Compostos os grupos ao acaso, a conversa com pouco se enlaça na pequena sala confortável. Acalora-se, se alteia no vozerio barulhento que é tão peculiar aos salões da inquieta família fluminense.

Sua entrada para a Academia Brasileira de Letras se deu em eleição realizada no dia 31 de outubro de 1905. A vitória foi um sucesso funesto.

Com a candidatura patrocinada por Machado de Assis, Mário de Alencar veio a ocupar a vaga aberta pela morte de José do Patrocínio, derrotando por dezessete votos contra nove o romancista e jornalista Domingos Olímpio, autor do aclamado romance *Luzia-Homem* e conterrâneo do seu pai. Toda a imprensa carioca julga a vitória injusta e deplorável.

No dia seguinte ao da eleição, 1º de novembro, o colunista do jornal O *País* não só condena a Academia de Letras pela má decisão, como também reprova o vencedor. Copio: "O Sr. Mário de Alencar é um moço de talento, sem dúvida, mas que está muito longe de se poder comparar em merecimento, em instrução, em capacidade, em serviços e em trabalho ao velho jornalista, ao cronista fulgurante, ao romancista nacional por excelência que Domingos Olímpio é". E lavra o veredicto: "o jovem escritor mereceria sem dúvida o prêmio de animação". Em apoio à própria argumentação, relembra a velha frase de João Ribeiro: "Presume-se que a Academia é uma consagração pelos trabalhos feitos. Aqui não é o lugar dos que principiam".

O comentário do jornal vem assinado por Pangloss, pseudônimo sugerido pelo célebre personagem do conto *Cândido*, de Voltaire, um otimista a toda prova. "Tudo vai pelo melhor no melhor dos mundos possíveis" — assim pensa o personagem que lá de Paris inspira pelo viés da ironia o texto brutal e maledicente do colunista de O *País*. O comentário de Pangloss desconforta Mário.

Enquanto lê a matéria, sente uma fisgada forte nos braços que

"Academia do ABC", O Malho, n. 165, novembro de 1905.

Mario de Alencar: — Ora até que afinal vou poder aprender o meu A B C em discurso.
Papai Rio Branco arranjou-me a mammadeira de graça.
Tambem quem é que mandou o Domingos Olympio errar tão crassamente, escrevendo Luzia-Homem ? Luzia sempre foi mulher...

se estenderam para abrir o jornal na página 2 e que, em seguida, se dobraram em V, a fim de mantê-la aberta para a leitura. A fisgada vira tremor no braço direito que ganha as axilas e desce pelo corpo, ecoando na perna direita. Ainda na secretaria do ministério, deixa o jornal na mesa de trabalho e faz rápidas massagens nos braços e na perna direita, como que para livrá-los da cãibra. Órfão de José de Alencar em 1877, será que ele perderia em 1905, depois da vitória funesta nas eleições para a Academia Brasileira de Letras, o padrinho Machado de Assis? Depois de ler apressadamente a coluna de Pangloss na página 2, Mário fecha o jornal, dobra-o em quatro e o guarda na pasta. Iria lê-lo melhor em casa.

Sentado na poltrona do papai, como dizem os filhos, o mais novo acadêmico, ferido pela artilharia ardilosa do colunista a se esconder debaixo do pseudônimo de Pangloss, volta à leitura

O País, 1º
de novembro
de 1905.

NEVROSE DA MORTE

O suicidio de uma moça--Por que?

A nevrose do suicidio, que neste momento parece empolgar o Rio de Janeiro, nos offerece, por vezes, casos inexplicaveis que um psychologo só poderia filiar a essa mesma doença collectiva, feita de fraqueza e de contagio, que vai semeando de cadaveres todos os lares.

Por que se mataria essa moça que hontem poz termo a vida na rua de S. Januario, com tal energia na morte que contrasta com a ausencia dessa qualidade na resistencia ao seu proprio desvario?

Bella, alegre, rodeada de attenções e de cuidados, a senhorita Aldemira Augusta de Queiroz não parecia ter motivos para desertar violentamente da vida, quando esta ri ria para ella nos seus formosos 17 annos. Nunca demonstrou preoccupações, não lhe sabiam de desgosto algum: havia apenas na existencia dessa moça, como na de todas dessa idade, a sombra de um enamorado; mas essa, só podia ser uma sombra cor de rosa. Mal de amor? Esse não deve dar para morrer.

da coluna do jornal e não consegue não se deter no artigo que segue ao do colunista.

"Nevrose da morte" — eis o título da notícia policial que se segue à coluna assinada por Pangloss e é precedido de curto e apaixonado lide: "O suicídio de uma moça — por quê?". Depois de tecer considerações gerais sobre a onda de suicídios na cidade que empolga os cidadãos e os leitores, o articulista responsável pela cobertura dos faits divers na área policial clama por explicação lógica. Pergunta-se: "Por que se mataria essa moça que ontem pôs termo à vida na rua de São Januário, com tal energia na morte que contrasta com a ausência dessa qualidade na resistência ao seu próprio desvario?". Quer compreender a energia íntima que leva ao ato extremo e que falha ao não interrompê-lo a tempo.

Teria sido mero ato gratuito? Assim lhe parece: "Bela, alegre, rodeada de atenções e de cuidados, a srta. Aldemira Augusta de Queiroz não parecia ter motivos para desertar violentamente da vida quando esta ria para ela nos seus formosos dezessete anos".

Em estado de choque, Mário sai do ar. Olha fixamente para

o quadro dependurado à sua frente, sem vê-lo, e não escuta a voz de Baby avisando que a cozinheira já está tirando o jantar. Perdida no espaço, a mente deve ter retido apenas a palavra "jantar". O desconforto na barriga sobe até a garganta e ele começa, à semelhança do mímico do chalé do Cosme Velho, a mastigar o alimento inexistente e a lamber os lábios. Quer atender ao novo e insistente chamado da esposa. Subitamente enrijecido, seu corpo tem dificuldade em se levantar da poltrona. Mário estica o braço para apagar o abajur e o descobre como que engessado. "*Sois sage, ô ma Douleur*" — lembra o verso de Charles Baudelaire e o traduz mentalmente: "Fica boazinha, minha dor".

Ainda sentado na poltrona do papai, ele se tranquiliza.

Ao se despertar da crise de ausência, Mário começa a acreditar que existe uma figura sobrenatural — a que ele chamaria de Deus nas horas de alegria e de Satã no desespero mais agudo — que, à semelhança do marionetista no Parc du Luxembourg parisiense, justapõe bondosa ou maliciosamente os opostos da vida, até mesmo em página de jornal que na manhã seguinte será jogado no lixo, se não servir antes, depois de ter suas folhas amassadas em bolas, de esponja à empregada que limpa as vidraças das janelas recobertas pela poeira enlameada pela água da chuva.

Ao quebrar em duas partes a coluna vertical e uniforme do jornal, seus olhos de leitor reproduzem um efeito inédito de espelhamento, a que Mário, bom leitor da mitologia clássica e da Bíblia sagrada, fica atento. A curta notícia sobre o suicídio da moça se reflete de volta na longa coluna escrita contra ele por Pangloss.

O suicídio da moça de dezessete anos se espelha na punhalada traiçoeira dada por Pangloss. A punhalada traiçoeira dada por Pangloss se espelha no suicídio da moça de dezessete anos. Mário desvenda o motivo para o suicídio da jovem, que permanece enigma para o colunista anônimo de *O País*: "Por que se mataria essa moça que ontem pôs termo à vida na rua de São

Januário?". A glória em vida da falsa imortalidade literária se espelha na morte física e inútil do corpo adolescente.

Não é por casualidade que a Academia Brasileira de Letras — como assinalou João Ribeiro, sem perceber a extensão mórbida do seu comentário — não acolhe o autor que principia. O pescoço do escritor mais experiente já está no começo da fila, à espera da foice assassina. É para acabar de morrer que você é admitido como membro da Academia.

Estampado por O País no dia 1º de novembro de 1905, o jogo entre imagem e contraimagem é revelador de um estágio oracular da existência humana, a que só almas delicadas e sensíveis como a do seu amigo e mentor Machado de Assis têm acesso.

Não quero dizer que o fundador e presidente da Academia tenha tido acesso prévio à versão corriqueira e concreta dos fatos em pauta no dia 31 de outubro, dia da eleição de Mário de Alencar. Quero dizer que ele sabe das coisas porque está cansado de lidar com a sordidez do jogo social, político e financeiro que cerca toda nova eleição, e não desconhece o fato de que Pangloss é pseudônimo do deputado federal Alcindo Guanabara, membro fundador da Academia e atual redator-chefe do jornal O País. Ele tinha outro candidato à mão.

Personagem um tanto sinistro da história recente da nação brasileira, sempre a optar por assinar com pseudônimo os sueltos mais audaciosos, Alcindo não esconde dos pares que é contra a eleição do filho de José de Alencar e a favor da vitória do colega e romancista Domingos Olímpio. "Cearense por cearense", repete nas rodas literárias, "é sempre aconselhável ficar com o original, e não com a cópia." José de Alencar e Domingos Olímpio, na cabeça. Na verdade, a campanha liderada por Alcindo Guanabara a favor de Domingos Olímpio tem alicerce em velhas e sólidas relações de compadrio.

A coluna assinada por Pangloss não visa tanto ao escritor

Mário de Alencar. Visa antes ao zeloso secretário do político baiano J. J. Seabra, ministro da Justiça e Negócios Interiores. Desde que demitiu o cearense Enes de Souza da direção da Casa da Moeda, o ministro Seabra vem sendo caricaturado nos principais jornais da capital federal.

Mário de Alencar entrou no bangue-bangue acadêmico-político como o escudo que ricocheteia a bala atirada contra o coração do senhor ministro.

Em torno do funcionário demitido da direção da Casa da Moeda, formou-se um grupinho de jornalistas cearenses liderado pelo poeta Antônio Sales, fundador da famosa Padaria Espiritual de Fortaleza. Sales tomou as dores do conterrâneo Enes e passou a difundi-las em gotas satíricas na seção "Pingos e respingos", publicada no jornal *Correio da Manhã*. Escreve e publica uma série de quadrinhas contra o ministro da Justiça que logo ganham a rua e terão direito de entrada em várias marchinhas do Carnaval carioca. O refrão — "Só tu, Seabra, não sais!" — vira pau pra toda obra nas páginas dos jornais cariocas:

> *Sai do poleiro a galinha*
> *E o galo festas lhe faz*
> *Faz o mesmo com a vizinha...*
> *Só tu, Seabra, não sais!*

Machado sabe que o ser humano — em particular o homem profissional — é sempre movido por egoísmo mesquinho e, em qualquer análise dos fatos, não o descarta como mosca-morta. Tem certeza de que a intriga armada pela justaposição, na página 2 de *O País*, das duas notícias — a nota social sobre a vitória imerecida de Mário e a reportagem policial sobre o suicídio da moça — foi arquitetada na sala de redação, para se tornar o comentário público mais zombeteiro sobre Mário de

Alencar, mais zombeteiro que a caricatura de Mário vestido com uniforme de aluno de grupo escolar a soletrar o abc da cartilha literária.

Mas essa trama sórdida — pensa Machado — não é o principal fundamento da redescoberta e explicação dos dois fatos paralelos do cotidiano pelo efeito de espelhamento de um no outro, e vice-versa.

Alcindo Guanabara é marionetista apenas mais medíocre e mais debochado que os dois invocados por Mário de Alencar — Deus e Satã. Os três não se diferenciam tanto no modo como organizam o percurso dos humanos na terra, sendo o primeiro apenas o instrumento evidente e eficaz dos dois últimos. Machado menospreza aos três como a meros coadjuvantes, jogando-os ao segundo plano da longa e insidiosa intriga dramática representada pela humanidade.

Na verdade, é o Acaso que tudo explica. Ele viaja no dorso do hipopótamo — assim Machado o imagina e imagina a si a cavalgar o animal selvagem e em perfeita simbiose com ele. O viajante da máquina do tempo chamada hipopótamo enxerga como se tornam paralelos os fatos divergentes da vida. Como se esbarram um no outro, um contra o outro, explicam um ao outro, ou por força da maldade ou por força do bom senso, gerando efeitos imprevisíveis que, por sua vez, geram relações de afeto, de ódio ou de dependência.

Machado menospreza Alcindo, Deus e Satã para admitir o Acaso tal como se estampa na intriga dramática idealizada na sala de redação de O País divulgada na página 2 do jornal. O Acaso força o otimismo rastaquera de Pangloss a se chocar primeiro contra o corpo da jovem suicida da rua de São Januário e, em seguida, contra o organismo já enfermo de Mário de Alencar e contra seu espírito desde sempre instável. A partir do choque entre o otimismo rastaquera de Pangloss e a enorme dor sofrida pela jovem Aldemira, o Acaso abre para o jovem imortal um novo percurso — o da doença crônica, ou da morte sempre anunciada, ou ainda da possível sobrevivência pela cura.

Esses desencontros encontrados sempre sensibilizaram o espírito agudo e perspicaz de Machado de Assis e se transformaram, a partir do romance *Memórias póstumas de Brás Cubas*, no motor original que motiva o narrador a manobrar o relato e a choferá-lo apenas, acatando os personagens tal como eles se lhe apresentam.

Lembro esta passagem daquele romance: "Dá-se movimento a uma bola, por exemplo; rola esta, encontra outra bola, transmite-lhe o impulso, e eis a segunda bola a rolar como a primeira rolou. Suponhamos que a primeira bola se chama... Marcela — é uma simples suposição; a segunda, Brás Cubas, — a terceira Virgília".

Suponhamos que a primeira bola se chama Aldemira Augusta de Queiroz, a segunda, M. de A., e a terceira, também M. de A. O efeito de espelhamento já se encontra nas iniciais dos dois principais personagens envolvidos, Machado e Mário. Para trazer à cena o personagem morto-vivo, o Acaso busca um nome que se oferece pela segunda inicial, A., de Assis e de Alencar. O A. de Aldemira impulsiona a bola suicida de São Januário e a leva a rolar até a enseada de Botafogo, onde passa a impulsionar a segunda bola a rolar até o chalé do Cosme Velho. Ou impulsiona uma imprevisível quarta bola, a de inicial M., de Miguel Couto, que sem se dar conta já fazia parte da trama e aguarda a todos na rua dos Ourives.

Diante do descalabro aprontado pela imprensa carioca, Machado de Assis se apressa a enviar palavras de encorajamento e de amizade ao jovem amigo Mário de Alencar. Não é apenas a situação concreta e atual do pai de família e escritor que se torna mais periclitante no rolar das três, quatro bolas. Com as muitas iniciais que ainda faltam, ele quer lhe dizer que há sempre contrapartida nos efeitos nefastos do Acaso. A situação concreta tem como contraponto o efeito estabilizador duma sonata que, bem executada pelo pianista, surripia a atenção do ouvinte para conseguir mover — no interior do oco aberto pelo deleite causado pela obra de arte — o espírito contemplador da vida humana em direção ao tempo fora do tempo e ao espaço fora do espaço.

Só lá, no lado de fora da realidade, é que, para aquele que tem papel ativo no acontecimento, se evidencia o prazer da alegria ou do sofrimento, indistintamente.

Ao terminar a carta, Machado pede permissão a Mário para lembrar trecho duma velha carta que o pai dele, José de Alencar, lhe tinha escrito na década de 1860 lá no mesmo Alto da Tijuca, onde se recolhe o filho Mário nos momentos de tristeza. É lá, na Chácara do Castelo, herança do sogro Cochrane e seu refúgio nos meses ardentes do verão, que José de Alencar escreve a Machado: "Só nos ermos em que não caíram as fezes da civilização, a terra conserva ainda essa divindade de berço. Aqui tudo é puro e são. O corpo banha-se em águas cristalinas, como o espírito na limpidez desse céu azul".

Mário de Alencar responde imediatamente à sentida carta de Machado de Assis.

Diz-lhe que está desalentado com a vitória alcançada na Academia Brasileira de Letras. Afirma em seguida que não lhe abate tanto a hostilidade dos repórteres (não consegue chamar Alcindo Guanabara de crítico literário), já anunciada pelos *mots d'esprit* que, segundo o caixeiro Jacinto Silva, pululam ao lado das estantes de livros na Livraria Garnier e se ouvem sussurrados até dentro do bonde que leva os dois amigos da cidade até o largo do Machado, onde o mais velho toma o ramal que o conduz até a Bica da Rainha, no Cosme Velho, e o mais novo, o ramal da Gávea, que o leva até a esquina da rua Marquês de Olinda. Abate-lhe o temor da morte iminente que, logo depois dos dezessete votos contra nove, passa a perambular às suas costas como um morto-vivo.

No tomo v da *Correspondência de Machado de Assis*, leio a resposta que Mário de Alencar envia ao querido amigo e presidente da ABL. Copio: "previa o efeito da eleição sobre o meu espírito vacilante; o efeito foi tremendo; cheguei a desejar vagamente a morte e não sei que mais. Nesse estado de alma é que me chegou a sua carta; li-a, reli-a e readquiri o ânimo para o trabalho. Quando voltar o desalento, estou certo que acharei remédio...".

O remédio que cura é a nova bola a rolar.

A residência da rua Marquês de Olinda, onde já moram Mário, a esposa Baby e os cinco filhos, acolhe uma agregada que tem o aspecto de morto-vivo — a jovem suicida Aldemira, moradora de São Januário. Ela passa a pertencer à família por decreto do Acaso. Companheira silenciosa e inconveniente, ela se acopla pelas costas ao patriarca da família como se reproduzisse o rótulo do remédio fortificante indicado por um discípulo do avô Cochrane e sempre receitado às crianças de natureza raquítica. Nele, se estampa a figura dum pescador que traz às costas o pesado bacalhau fisgado por corda de estopa. Com os olhos voltados para o dia da posse na Academia Brasileira de Letras, Mário tem de continuar a dobrar o pescoço e virar o corpo para trás a fim de enxergar o fardo semelhante ao que o negro ex-cativo tem de carregar de uma freguesia a outra da capital federal.

Mário tenta esconder a agregada na despensa da cozinha, emparedando-a. Quer retirá-la do escritório e, à mesa de refeições, do convívio com a família. Transfere a morta-viva para a própria imaginação e não se cansa de realimentá-la para que continue a relembrar — com lucro para a neurose de morte que também o toma de assalto — as circunstâncias em que a moça fora encontrada pelos familiares na manhã de domingo. A corda de estopa.

Retira o jornal O País do dia 1º de novembro da gaveta da escrivaninha, onde há meses permanece guardado. Relê o nome de Pangloss e, descendo os olhos, a notícia fúnebre.

Às dez horas da manhã de domingo, Aldemira recolhe-se como de costume ao seu quarto para tomar banho. Tranca-se por dentro e, como demora na ablução, a viúva sua mãe, dona Matilde, se inquieta e bate à porta. A filha não responde. Chama o filho mais velho, Álvaro, então empregado na Companhia Edificadora administrada por Paulo de Frontin. É domingo, tem folga no trabalho. É ele quem traz uma cadeira da cozinha para colocar em frente à porta trancada. Sobe na cadeira como se em degrau de escada. Espia o quarto pela bandeira da porta. Aldemira está ajoelhada no assoalho, ao lado da cama, morta.

Aldemira não se retirou para se lavar na pia do quarto. Está de pé, em cima da cama, e, com a força dos braços, se estrangula com uma corda de estopa. Enrolada ao pescoço, dado o nó, a corda é esticada num assomo de força e firmeza, incríveis numa rapariga de dezessete anos. O corpo salta da cama e se enforca no ar e se ajoelha no assoalho do quarto.

É enterrada no Cemitério de São Francisco Xavier, no bairro do Caju, antigo campo-santo dos escravos e agora dos moradores pobres da cidade.

Com Aldemira às costas, Mário de Alencar sai de casa na manhã do dia 23 de fevereiro e caminha capengando da perna direita até a esquina da rua Marquês de Olinda com a praia de Botafogo, onde há um ponto de estacionamento de tílburis. Estão em fila.

Os chicotes estão fincados nas boleias abandonadas. Ao lado dos tílburis, os cocheiros se colocam à espera do passageiro. Trajam indumentária que corresponde à presunção ou à modéstia do veículo que conduzem. Vestem paletó de alpaca ou de sarja grossa, que entremostra a camisa vermelha de poeira e a gravata enodoada de azeite de oliva. Muitos recobrem a cabeça com chapéu de palha, pintado a verniz japonês. Nos cocheiros, o apuro só está nos bigodes, sempre muito crescidos, muito bem encaracolados, rebrilhantes de vaselina. Eles nunca jogam fora o toco de charuto barato. Mascam o fumo como o rapaz americanizado, o chiclete Adams importado.

Mário toma assento no tílburi e dá ordem ao cocheiro. Avenida Central, esquina com a rua do Ouvidor. Quer caminhar um quarteirão a pé, até a rua dos Ourives. Pede ao cocheiro para trafegar pela avenida Beira-Mar. O cocheiro responde que podem topar com obra no meio do caminho.

"Se encontrarmos", ordena Mário, "você fará o desvio por dentro."

IV.
23 de fevereiro de 1906, dez horas da manhã

Sim, você às vezes está que não ouve nada, olhando para ontem; disfarce, Santiago.

Machado de Assis, *Dom Casmurro*, capítulo 78,
"Segredo por segredo"

Meu querido amigo, hoje à tarde reli uma página da biografia do Flaubert; achei a mesma solidão e tristeza e até o mesmo mal, como sabe, o outro...

Machado de Assis, Carta a Mário de Alencar,
29 de agosto de 1908

Víamo-nos diariamente...

Mário de Alencar, "Páginas de saudade"
[sobre Machado de Assis], 1908

Depois da morte de Carolina, cai o número de escritores e de velhos casais amigos que visitam à noite o chalé do Cosme Velho. A residência passa a abrigar o patrão e as duas criadas, e evidentemente o filho de José de Alencar. A conversa de Machado com o jovem Mário é diária e se torna muitas vezes íntima demais para se fixar definitivamente no corpo duma carta, ou para ganhar a condição de matéria passível de ser expressa por letra escrita em diário ou em artigo jornalístico. Quando os dois amigos estão próximos dos pares ou se encontram nas dependências da Livraria Garnier, eles evitam também a fala que evoca detalhes da vida pessoal. Têm pavor dos olhos acesos, das orelhas ligadas e da língua de trapo do atencioso e malicioso Jacintinho, principal caixeiro da loja e tão adestrado nas artes do mexerico quanto colunista de tabloide inglês.

Durante os quatro meses que sucedem à conturbada e polêmica eleição de Mário de Alencar à Academia Brasileira de Letras, o velho e o jovem se agasalham mútua e sentimentalmente, como nunca antes. São dois sobreviventes, cada um à sua maneira, e solidários nas mazelas comuns, que infernizam as respectivas vidas. Assim suportam os meses calorentos e secos de novembro até janeiro. Assim enfrentam as semanas chuvosas e sufocantes do mês de fevereiro e março. Silenciosos, loquazes ou cúmplices, mas sempre fraternos, os dois transformam em conversa reconfortante tanto os antigos dissabores literários quanto as recentes divergências provincianas, divulgadas pelos jornais. O bate-papo camarada também acoberta veladamente os comentários recorrentes sobre os sérios distúrbios na saúde física e mental que há muito os assaltam. A conversa constrói novos tópicos íntimos e secretos, razão de ser para uma instrutiva e fraterna troca de ideias.

Sou preciso. Desde o dia 13 de novembro de 1905, Machado e Mário são como unha com carne — tornam-se camaradas, confidentes e dependentes. Espelho um do outro. Dois corpos, uma única imagem. Naquele dia, Machado recebe e lê a carta escrita na véspera por Mário e dirigida a ele. O mais novo acadêmico lhe confessa ter desejado vagamente a morte ao ser eleito por dezessete votos contra nove para a cadeira de número 21 da Academia Brasileira de Letras, até então ocupada por José do Patrocínio.

Machado é também sensível aos efeitos negativos da recente eleição na Academia. Em carta ao velho amigo Oliveira Lima, naquela época professor na Universidade Católica da América, em Washington, datada do dia 20 de novembro, comenta o clima de amargura entre os pares acadêmicos, avivado pelo resultado da eleição para a cadeira ocupada por Patrocínio. Se trocada em miúdos, escreve-lhe, a funesta polêmica na imprensa carioca se traduz em desgosto e em angústia existencial, que tomam de assalto o escritor filho do mestre Alencar. Copio trecho da carta de Machado a Oliveira Lima: "Se leu os jornais viu tudo isso. E terá visto mais, porque o resultado da eleição não agradou a todos, e a manifestação de desagrado durou alguns dias na imprensa".

Em pronta resposta, Oliveira Lima pressente nuvens pesadas a sombrear o relacionamento até então afetuoso do mestre e do discípulo e promove, acertadamente, Machado a grau superior. Copio: "o senhor é o seu pai espiritual, foi seu mentor literário". Decretada pelo monarquista exilado em Washington, a promoção de mentor literário a pai espiritual autentica a decisão crescente no espírito do velho Machado. Junto ao mais jovem, menos ajuizado, mais dado a rompante de tristeza e mais temperamental, assume definitivamente a condição de pai dedicado e delicado, de mestre nas artes dolorosas e festejadas da vida e do espírito.

Machado perde o antigo e questionado recato de cavaleiro do Império e a cada momento se trai nas conversas com Mário de Alencar. Pela primeira vez em vida, expõe à luz da própria fala a desde sempre inominável e indevassável miséria física e mental que padece, agravada pela velhice. Sem motivo aparente a justificar atitude tão autodestrutiva e regeneradora, o pai espiritual de repente se descompõe e se desfigura no palco íntimo da vida. Pelas sucessivas e espantosas confidências a Mário, descem ribanceira abaixo não só a reserva no comportamento de homem reticente, autoconsciente e cauteloso, como também a carreira zelosa, recatada e responsavelmente conduzida pelo profissional da palavra literária. Nesses raros momentos da manhã, da tarde ou da noite, Machado perde momentaneamente a condição de escravo do olhar alheio.

Volto ao mímico. Ainda sob a forte luz direcionada do spot, semicego, ele prevê que as cortinas do palco estão para se fechar. O espetáculo chegará ao fim. Ele abocanha o minuto possível da verdade. Atabalhoadamente, limpa com flocos de algodão banhado em creme de limpeza a camada de pó de arroz que recobre as faces e a testa. Faz o gestual de quem ensaboa todo o rosto para que não sobre traço da maquiagem discreta que acentua a suavidade neutra do olhar. A cena final da pantomima é representada para Mário de Alencar. O rosto do mímico resplende limpo, mulato e nu, como quando ele era ainda criança no morro do Livramento.

"Espírito vacilante" — é por essa expressão insubstituível que Mário de Alencar se autocaracteriza na carta já citada. Glorificado e castigado pelos fados, o acadêmico eleito apresenta inesperados sintomas de caráter neurológico no dia a dia. Eles se repetem em ritmo acelerado e, por essa razão, se tornam preocupantes e premonitórios para o presidente cabo eleitoral, já naufragado na lamúria dos confrades descontentes. Com frequência, Mário sente fortes dores de cabeça. Ao se olhar no espelho, descobre que as pupilas se dilataram. Perde o controle das horas. Refugia-se na poltrona do papai. Já sentado, pescoço, braços e pernas se contraem em reações paralisantes, espécie de cãibras múltiplas a tensionar os músculos e tendões de todo o corpo.

De nada valem os banhos mornos em cuja água ele dissolve os cristais de Sulfurina do dr. Langlebert.

Dores de cabeça, pupilas dilatadas, ausências, contrações e distensões não são sintomas difíceis de ser descodificados por Machado de Assis, leitor contumaz dos manuais e dicionários de medicina da época e, mais recentemente, da revista *O Brasil Médico*, semanário publicado no Rio de Janeiro por especialistas brasileiros. Corpo e saúde, entregues a rápidos ataques e convulsões, se dobram à experiência aflitiva por que passa o espírito vacilante e se fragilizam ainda mais, respondendo de forma alarmante à polêmica provocada pela recente eleição. O quadro sensibiliza o pai espiritual e autor do conto "A causa secreta", tido como perverso pelos leitores do livro *Várias histórias*.

"Hautontiroumenos" — é a palavra que o poeta Charles Baudelaire desencaixota do léxico grego para expressar a angústia do homem que se transforma em "carrasco de si mesmo". Traduzo os versos sublimes do poeta francês: "Eu sou a faca e o talho atroz!/ Eu sou o rosto e a bofetada!/ Eu sou a roda e a mão crispada,/ Eu sou a vítima e o algoz!".

Não sei que palavra buscar e em que dicionário encontrá-la para explicar o desejo oposto ao de Charles Baudelaire, o antídoto certo para combater o *hautontiroumenos*.

Encontro-a em português mesmo.

Já abatido pela enfermidade crônica, Mário de Alencar quer se transformar no "médico de si mesmo" para se reerguer e voltar a conviver sadiamente com os familiares, os amigos e os colegas funcionários.

Tendo sido a faca e o talho atroz, o rosto e a bofetada, a roda e a mão crispada, a vítima e o algoz, quer ser o doente e o remédio.

Autocurar-se.

Em contraponto às crises do mais jovem, o velho escritor, dia após dia, às vezes em tom cúmplice, na maioria das vezes de modo doutrinário, tenta dissuadir Mário de se automedicar com os remédios sugeridos pelos ensinamentos transmitidos pela tradição doméstica, ensinamentos que se apoiam no saber desenvolvido pelo avô homeopata nos seus tratados. Machado é mímico e suas artes do convencimento são curtas e, ao mesmo tempo, longas. São tortuosas. Não encontra argumento arrogante e de fácil consumo que possa convencer Mário a mudar de ideia a respeito da homeopatia difundida pelo avô. Ele não só o respeita, como também lhe dedica amor profundo. Suas viagens até a Chácara do Castelo são visitas a santuário, onde encontra a paz de espírito necessária.

Frases persuasivas requerem palavras pontiagudas e ásperas, sabe Machado. Não as conhece. Nunca seria o caso de inventá-las para conversar com Mário. Sabe também que, quando está em jogo a sinceridade dos sentimentos, de nada valem os recursos retóricos eficientes. Eles apenas tornam dubitativas as razões conclusivas que, na mesa da conversa afetuosa entre pai espiritual e discípulo, teriam de ser expostas como imperiosas e inadiáveis. Quando ditas em tom imperativo pelo mais velho ao mais novo, as frases pouco precisas e em nada ásperas têm, ainda, de abdicar dos excessos mínimos do mando. Que elas tampouco esperem a obediência como resposta do amigo a ser persuadido.

Não há mais como evitar o conselho que Machado tem de dar a Mário. Vem sendo camuflado a sete chaves e não há mais como não deixá-lo se expor à luz da conversa franca e direta. "Você, Mário, não pode, não deve mais recorrer às páginas do *Dicionário de medicina popular,* do Pedro Chernoviz ou do seu querido avô. Deve urgentemente marcar consulta com o dr. Miguel Couto, que já é meu médico."

Pelo nome aportuguesado do polonês Piotr Czerniewicz, autor dos dois alentados tomos do *Dicionário de medicina popular*, obra consultada desde meados do século XIX por especialistas e por leigos, é que Machado pretende distanciar o espírito vacilante de Mário das consultas e mais consultas que faz aos livros herdados do avô e preservados com carinho pela família Alencar no escritório da Chácara do Castelo.

Quando Machado evidencia em palavras o conselho que avançava até a ponta da língua e se recolhia ao coração, o diálogo com Mário se distende finalmente. Machado não sente mais necessidade de recorrer ao fórceps do cirurgião para extrair as frases lá de dentro. Encoraja-se e resolve assumir a postura didática que se reclama de pai espiritual.

Sua fala ganha o tom educativo. Machado entremeia, no entanto, os ensinamentos com digressões bem-humoradas. Não quer transgredir a fronteira que a personalidade adulta traça, ainda que inconscientemente, para proteger a subjetividade a caminho da sujeição ao outro. O relato meticuloso e frio das muitas informações sobre o tratamento e a cura da epilepsia recebidas de médicos de reconhecido prestígio e das observações clínicas acumuladas durante a leitura dos compêndios de medicina é aliviado do peso por anedotas. Num dos muitos encontros dominicais no chalé do Cosme Velho os dois se divertem como rapazinhos no internato de liceu e soltam risadas espontâneas.

O romancista lembra o modo como, no romance *Dom Casmurro*, ele descreve o aparecimento de José Dias na fazenda em Itaguaí do pai de Bentinho, Pedro de Albuquerque Santiago. O futuro agregado carrega uma botica doméstica portátil e ainda um *Manual de medicina*. Vende-se à família do fazendeiro Santiago por médico homeopata. José Dias *cura* — em aparte Machado informa a Mário que o verbo foi escolhido a dedo para emprestar as primeiras pinceladas irônicas ao narrador casmurro —, José Dias cura, ele repete, um feitor e uma escrava de umas febres da corte que foram levadas pelos maus ventos que ali sopram para a fazenda de Itaguaí. Dona Glória, mãe de Bentinho, decide abrigar para sempre a boa alma caridosa. Passam-se os meses, o fazendeiro e seus familiares se transferem para a corte. As febres tomam o caminho inverso e voltam à fazenda de Itaguaí. O fazendeiro Pedro de Albuquerque pede ao agregado José Dias para ir até a fazenda para tratar os escravos doentes.

José Dias se cala. Busca os superlativos que agradam ao brasileiro e divertem o ouvido apurado dos protetores. Não os encontra ou não os há para a esparrela em que se tinha metido. Suspira. Profundamente. E confessa ao fazendeiro que não é médico. "A consciência não me permite aceitar mais doentes", conclui, e ilumina o rosto com sorriso desbotado.

Em outros encontros, ao ser imprensado contra o relato das crises que maltratam a vida familiar e que desbaratam o cotidiano profissional do discípulo, Machado destrincha os melhores tempos que lhes tocou viver. O médico estudioso e experiente não é mais uma pérola rara no Rio de Janeiro, informa, e passa a relembrar os velhos tratamentos clínicos recomendados nos tempos do Império. Machado perde os truques retóricos de narrador de romance e se exprime por fala aberta em terceira pessoa. Insensivelmente, se direciona para o solilóquio.

Tal é a força com que os velhos tratamentos se gravaram no corpo e na sensibilidade, que são hoje parte integrante do corpo e da sensibilidade. Então, era costume surpreender com um grande susto o doente em crise epiléptica. O médico dava um tiro perto do ouvido do enfermo. Assustava-o. O estampido inesperado e brutal ressoava nos ouvidos. O tiro poderia atingi-lo ainda que por ricochete. Jogava-se o enfermo nu num rio, ou em lago. Agasalhavam-no depois, deixando-o a dormir num quarto

BOTICA DOMESTICA

Botica portatil, aberta. (O decimo do tamanho natural.) Veia-se Vol. I pag. 352.
Esta *Botica portatil* custa em Pariz **320 francos**
Botica portatel para as chacaras mais pequena que á precedente **75 francos**.
Em casa de A. Roger & F. Chernoviz
7, RUA DES GRANDS AUGUSTINS, PARIZ

superaquecido. Quanto mais necessitado de companhia, mais se recomendava a reclusão ao epiléptico.

Hoje, os métodos de tratamento não são tão cruéis.

Machado decide preparar o espírito já amedrontado do jovem amigo. Suas palavras se tornam menos assustadoras. Passam a evocar as novas conquistas farmacêuticas importadas de Paris e os recentes tratamentos médicos, mais eficientes no controle da convulsão. Vale-se de palavras diretas, precisas e, às vezes, repetitivas. Mário deve abandonar o quanto antes o autoatendimento segundo o receituário preconizado tanto pelo *Formulário e guia médico*, do polonês Pedro Chernoviz, quanto pelo *Dicionário de plantas medicinais brasileiras*, de Nicolau Joaquim Maria. Receituário e remédios — ele se justifica — estão atrasados no tempo e no espaço. São meros paliativos.

Machado quer ganhar coragem para ir além (será que algum dia a conquistará?). Quer questionar os receituários obtusos que vêm expostos nos dois volumes da *Arte de curar homeopaticamente*, do avô Tomás Cochrane. Ainda não consegue.

Durante a convulsão — Machado busca entremear o co-

> **CAPITULO III**
> **DO PESSOAL DOCENTE**
> **TITULO I**
> *Do magisterio primario*
>
> Art. 13. O professor primario em escolas tanto urbanas como suburbanas será nomeado por concurso, cuja inscripção ficará limitada exclusivamente aos diplomados pela Escola Normal. A Directoria, ouvido o Conselho Superior, organisará as instrucções para o concurso, submettendo-as á approvação do prefeito.
> Essas instrucções, publicadas até 15 de novembro de cada anno, não poderão, até á data do concurso, ser alteradas.
> § 1.º A inscripção considera-se *ipso facto* aberta desde o dia em que a vaga occorrer. Em caso algum poderá ella ser adiada, suspensa ou encerrada antes ou depois do prazo legal. Creará immediatamente direitos imprescriptiveis aos candidatos que a houverem requerido, tendo os requisitos legaes: diploma da Escola Normal e prova de impeccavel moralidade, a livre juizo do Conselho Superior.
> § 2.º Na primeira quinzena de janeiro os candidatos se submetterão a exame de sanidade perante a junta medica de hygiene municipal, que poderá exigir a apresentação de attestados de especialistas por ella designados. Entre as molestias que as instrucções do Conselho Superior, de accordo com a Directoria de Hygiene, entenderem ser a causa bastante de exclusão do magisterio, figurarão a tuberculose, a hysteria, a epilepsia e a morphéa.

Regulamento Geral, Ensino primário do Distrito Federal, 19 de dezembro de 1901.

nhecimento científico com as mezinhas e pondera — não pode fazer mal aplicar na testa panos molhados em água fria e vinagre. Dar a respirar ao indivíduo em crise água-de-colônia, vinagre ou álcool. Estender-lhe os membros e os dedos, ou aplicar nas pernas cataplasmas emolientes de linhaça. Os de fécula e de farinha de mandioca são menos irritantes, adverte. Machado encara com os olhos sempre dóceis de mulato aprisionado em jaula o profissional formado em direito. Será que esse tratamento traria a cura ou pelo menos a dilação dos períodos sem crise? O mestre transforma a dúvida em pergunta e a lança ao discípulo.

Aguarda uma réplica de Mário. Ela não chega. Mário guarda o silêncio.

Machado continua a preleção. No intervalo entre os ataques, tampouco pode fazer mal evitar as emoções fortes, os excessos sexuais e as contrariedades. Exercício moderado, banho frio em lago ou em rio relaxa o corpo, sem dúvida, também o banho morno em banheira, quando se vive na capital. A água de flores de laranjeira é excelente antiespasmódico e calmante e as infusões de valeriana desintoxicam o organismo, amansando-o. O consumo de carnes brancas e de peixe é recomendado. Deve-se evitar o consumo de carnes de pato e de porco e, principalmente, o de carnes salgadas. Nem pensar em se alimentar com crustáceos. Camarão, lagosta e caranguejo devem ser banidos para sempre da mesa. Beber apenas água. Nada de bebida alcoólica.

Já não sei — fraqueja Machado ao perder definitivamente o tom assertivo e assumir o dubitativo que na verdade convém ao leigo que acaba de recomendar a consulta ao dr. Miguel Couto — se é necessário tomar os Confeitos Vermífugos de Royer. Cada caso é um caso, quem lhe pode dizer é o médico. Há nuanças no diagnóstico. Pergunta-se qual seria o xarope de brometo de potássio aconselhável. Sabe-se que a solução recomendada deve ser tomada pela manhã e à noite, quer numa xícara de infusão de raiz de valeriana, quer na água adoçada com xarope de casca de laranja. Mas os médicos franceses afirmam que o melhor meio de tomar o brometo de potássio é ingeri-lo em xarope, como preparado por Henry Mure.

Seriam recomendáveis os narcóticos e antiespasmódicos, preparados segundo a fórmula desse médico ou daquele, em farmácia da cidade? O uso da beladona...

Machado quer se levantar. Pousa as mãos livres e espalmadas nos braços da poltrona. Elas se enrijecem e servem como base de sustentação para as duas alavancas impotentes que se desdobram a duras penas e empinam pouco a pouco o corpo. As juntas já não estão azeitadas e estalam. Levanta-se por fases até o corpo, de pé, ganhar o equilíbrio. Caminha passo a passo até a estante de livros. Para. Escolhe um compêndio de capa vermelha e o retira da prateleira. Procura a página em que o autor

> BELLADONNA, contra: tetanos, trismus, spasmos hystericos, convulsões das crianças, eclampsia, dansa de S. Guydo, epilepsia, &c., quando ha : principio das convulsões nas extremidades superiores com sensação de formicação e torpôr n'essas partes; estremecimento de alguns membros, mórmente dos braços, movimentos convulsivos da boca, dos musculos da face e dos olhos; congestão na cabeça com vertigens, rosto vermelho carregado, quente e inchado ou pallido, e frio com arripíos; photophobia; olhos convulsos ou fixos, meninas dos olhos dilatadas; caimbras no larynx e na garganta, com deglutição embaraçada e perigo de suffocação; espuma na boca, emissão involuntaria das evacuações (e das ourinas), ou evacuações diarrheicas não digeridas; oppressão do peito, e respiração anciosa; renovação dos accessos pelo menor contacto, ou a menor contrariedade; vertigem ou perda completa dos sentidos, insomnia entre os accessos com agitação, ou somno profundo e comatoso, com sorriso e tregeitos, acordar sobre-saltado com gritos; obstinação, pranto, maldade, ou vontade de morder e despedaçar, ou grande anxiedade, susto e visões pavorosas. (Comparai *Cham.*, *Hyos.*, *Ign.*, *Opium* e *Stram.*)

Cochrane, *Medicina doméstica homeopática*.

trata de questão levantada pouco antes por Mário — o uso da beladona — e a abre. Sua fala se torna franca e alude de modo concreto à droga que Mário, subsequentemente a diagnóstico enganoso sobre os seus sofrimentos físicos, receita para si mesmo, beladona. Usa-a e talvez abuse.

"Veja, Mário", diz Machado, "como o próprio Chernoviz é cuidadoso no tocante ao uso imoderado da beladona. Dependendo da dose, ele a julga um veneno, mas mesmo assim a recomenda." Lê em seguida: "Em alta dose a beladona é um veneno narcótico acre. Causa vertigens, secura e constrição da garganta, perturbação da vista, dilatação enorme das pupilas, delírio; além do mais, se a substância for dada em dose tóxica, segue-se agitação, fraqueza extrema, arrefecimento do corpo, e a morte".

Muitas vezes um remédio não cura, apenas intoxica o organismo.

Em sequência, ele passa à página em que Chernoviz fala da medicação por bromureto de potássio. Comenta-a em voz alta. As circunstâncias o tornaram perito no assunto. "A formulação do remédio", comenta, "é precisa e a dosagem está correta. Deve ser tomado em doses decrescentes." "Mas que período de tratamento é esse que recomenda?", pergunta retoricamente a Mário. E, ao voltar à leitura silenciosa, dá continuidade em voz alta à interrogação: "Continuar o medicamento durante muito tempo".

Que significa *muito tempo*? — Machado repete e rumina.

Mário cede finalmente. Permite a Machado que fale com a secretária da Academia Brasileira de Letras. Pede-lhe para marcar consulta com o dr. Miguel Couto. Na tarde seguinte, Machado lhe informa pelo correio: 23 de fevereiro, sexta-feira, dez horas da manhã.

Durante o café da manhã, em companhia da esposa e dos filhos, e ao se despedir de todos, Mário não dissimula a ansiedade. Não diz à esposa que vai consultar o dr. Miguel Couto. Diz-lhe apenas que não o espere para o almoço. Pretende passar uns dias na chácara do Alto da Tijuca. Tampouco dissimula a ansiedade quando toma assento no tílburi que o transporta até a avenida Central.

O cocheiro traduz a ansiedade do freguês por urgência em chegar ao destino, e dá umas chicotadas rápidas e ríspidas na mula. Recentemente calçadas com pedras regulares, as ruas largas e paralelas à baía ainda estão ensopadas, mas não tanto quanto as ruas que lhes são perpendiculares, que descem da encosta das montanhas. Estas estão transformadas em verdadeiros charcos. As rodas do tílburi passam por poças sucessivas e sempre espirram água para todos os lados. A mula resfólega. O cocheiro a repreende com chicotadas, como se a acordá-la para o trabalho.

Sopra forte a brisa matinal de verão, embora menos calorenta. O rosto do passageiro a ressente. Para evitar o pisca-pisca das pálpebras, ele volta a cabeça à direita, como girassol. Os olhos rodopiam para o mar e para o céu. Ora se perdem na paisagem marinha tomada pelas ondas que batem rendadas contra as areias da praia do Flamengo. Ora ganham o céu recoberto por nuvens menos densas, quase vaporosas, mas ainda escuras. Prenunciam o prolongamento das chuvas na parte da tarde. O desassossego do passageiro se manifesta pelo olhar dubitativo que, não sendo a favor do mar nem contra o céu, se alonga horizontalmente e perde em busca do infinito.

As nuvens contornam o Pão de Açúcar para vesti-lo com os sete véus de Salomé.

Não quer nem pode fixar os olhos no cocheiro sentado na boleia, tampouco na cabeça da mula ou no caminho à frente. Olhos abertos e contemplativos têm dificuldade em enfrentar como iminente o que se lhes apresenta como o destino da vida. Deixa-se levar pelas patas indolentes da mula, já exaustas de puxar as duas rodas que levam o pesado veículo a avançar. Dirige-se ao cocheiro e pergunta se ele não pode moderar o uso do chicote. Acrescenta que saiu mais cedo de casa e não há pressa.

O cocheiro vira o rosto e entreabre os lábios: *Não parece*. Da boleia olha para a poltrona e enquadra o rosto do passageiro. Sem retirar o toco de charuto da boca e com voz rouca e debochada, replica num forte sotaque lusitano: "Posso moderar, sim, senhor", e fustiga a mula que empaca diante dum canal aberto pela enxurrada que desce o morro da Viúva a caminho do mar.

Sentado confortavelmente na poltrona, o corpo de Mário, balouçado ao ritmo das rodas que saltitam entre as pedras da rua, é uma tentativa de se ausentar.

O futuro que o aguarda no consultório da rua dos Ourives é ameaça de morte. Só pode assumi-lo de maneira indireta. Confronta-o alusiva e orgulhosamente, aliando ao coração a memória. Sobreviver é pura sensação de já ter vivido.

Deixa-se aquecer pelo passado, que manufatura as obras públicas feitas em 1903 pelo governo republicano no Alto da Boa Vista, e pelo palpitar apressado do sangue, que as enovela em sonhos. Revigora-se em reconforto, organicamente. Minuto após minuto, reganha postura e segurança. Ausenta-se de vez do tílburi que o leva à avenida Central ao tomar o bonde no largo de São Francisco no dia 12 de outubro de 1903, às nove e vinte da manhã. Viaja até o bairro onde está plantado o "ninho para as almas cansadas de pousar os pés no chão", como seu pai descreve a chácara no Alto da Tijuca para o então jovem Machado de Assis. O comboio oficial sobe a serra para reinaugurar o largo da Boa Vista. O primeiro bonde do comboio transporta o presidente Rodrigues Alves, o prefeito Pereira Passos, o engenheiro Paulo de Frontin e também muitíssimas outras autoridades, como ministros, senadores e deputados.

Os bondes Stephenson, agora pintados de amarelo, saem do largo de São Francisco, no centro da cidade, trafegam primeiro até a Usina e de lá os respectivos motorneiros, em ordem unida, se preparam para enfrentar — ao ganhar a avenida Tijuca e percorrer a Estrada Velha da Tijuca — uma longa e espetacular subida. De tirar o fôlego. A paisagem é-lhe familiar desde a meninice na chácara do avô Cochrane, sob a proteção dos pais e dos irmãos mais velhos. Do banco do bonde, onde tem assento, descortina-se a majestosa paisagem tropical que, ano após ano, vem sendo controlada e dominada pelo homem. Ao fundo, a capital federal se esgarça em consonância com a disposição autoritária do oceano e das montanhas. Ela se esgueira entre água e morros e serpenteia sob a forma de passarela verde matizada do branco das casas e prédios e do cinza das vias públicas. Pela passarela caminham os moradores da cidade.

> A Tijuca, infelizmente, não é mais que um vislumbre de seu antigo esplendor, pois que tudo encontrámos ao abandono, restando-lhe apenas as mattas virgens, que não sabemos por que ainda não lhe lançaram fogo, para completar sua destruição total! Desde o sopé da serra, subindo pela antiga estrada de rodagem, o que nos fez uma pessima impressão, porque a vimos ladeada de um trilho onde passam os carros electricos, o que só aqui se permittiria, até ao Alto da Boa Vista, que a nossa indignação foi augmentando. Chegando a este logar fomos de decepção em decepção.
> O largo da Boa Vista não é mais que um vasto capinzal onde os burros andam pastando; e, tomando a estrada da Cascatinha a encontrámos cheia de fendas e buracos, quasi completamente intransitavel!

Gazeta de Notícias, 31 de março de 1902.

Os bondes do comboio oficial diminuem a velocidade e se adentram perigosamente por sucessivas curvas em S. Lá no alto, os trilhos alcançam o topo das serras cariocas e o ponto final da viagem.

Organizada em outubro de 1903 pela Presidência da República e pela prefeitura do Distrito Federal, a grande festa cívica atendia a um reclamo popular que se acentua no verão de 1902, quando os jornais descrevem sem dó nem piedade o estado de abandono em que se encontra a bela região. Em nova, merecida e vistosa roupagem, os dignitários da República reabrem ao público o largo da Boa Vista.

Recém-plantadas, as magnólias, camélias, cravinas e roseiras ornamentam o jardim que ocupa o retângulo verde cercado pelo casario colonial. No centro do largo, em cima dum rochedo, ergue-se o exótico pavilhão rústico que, em dias de Carnaval ou de festividade popular, servirá de coreto para as bandas de música. Desenhado em estilo norueguês pelo engenheiro Gastão Bahiana, o pequeno restaurante se casa com o ponto final dos bondes. Na carruagem, a caminho da Vista Chinesa, a imaginação de Mário de Alencar passeia pelas chácaras do conde de Bonfim, do conselheiro Mayrink e do visconde Alves Souto.

Na Vista Chinesa, a comitiva oficial se reúne em torno do presidente da República. De lá, todos contemplam, bem ao fundo, a enseada de Botafogo. As autoridades e convidados tomam café em louça inglesa e comem biscoitos de *pâtissier* francês. O mundo das formas verdes e selvagens torna-se feérico e cosmopolita. É frequentado pelas grandes autoridades nacionais. Em ambiente tão refinado, Mário se assusta quando ouve seu nome dito em voz alta. Em discurso solene, o senhor presidente da República aponta a discreta figura do secretário do senhor ministro Seabra, aqui presente, e personifica em largos e generosos traços o perfil da heroica figura do avô materno e médico homeopata, tecendo elogios ao antigo agenciador de negócios ferroviários, Tomás Cochrane. Foi ele, continua o senhor presidente, o principal responsável pela estrada e pelos trilhos que trouxeram a todos até a Vista Chinesa, confortavelmente.

Em seguida, a comitiva toma o caminho de volta e se dirige para o Grande Hotel White, antigo Hotel Bennett, que fica próximo ao largo da Boa Vista. Em pessoa, o atual proprietário coordena o corpo de garçons que serve o almoço às autoridades, ao ar livre. Recria-se o ambiente alvoroçado e alegre de piquenique familiar em fim de semana. É outono, a temperatura está amena. Ela é sempre temperada nas regiões da Mata Atlântica que não foram tomadas pela cobiça dos plantadores de café. *Aqui tudo é puro e são* — Mário lembra de novo das palavras do pai. À tarde, as autoridades e convidados fazem um passeio em carruagem pela floresta, local de refúgio situado entre as nuvens e o pântano. Seguem pela estrada da Cascatinha até a queda-d'água...

O corpo ausente de Mário retrocede ao tílburi. Sua sensibilidade é aguçada pela algazarra dos trabalhadores braçais nas obras que seguem em dupla fila indiana pela avenida Central. O olhar cismarento é tomado de pânico pelo vaivém enlouquecido dos veículos em plena manhã de sexta-feira. Os ouvidos se fecham em represália ao burburinho das conversas nas calçadas. Tudo lhe faz mal aos nervos. Repete ao cocheiro. Que o deixe na esquina da avenida Central com a rua do Ouvidor. E frisa: na calçada do lado esquerdo, em frente à agência dos Correios. Alonga o braço direito até a boleia e paga a corrida. Apeia. Consulta o relógio de bolso. Tem de fazer hora por quinze minutos. Estica os olhos pela avenida Central como se soltam cães de caça no mato. Não tropeçam em pessoa conhecida nem abocanham a presa. As boas lojas do centro da cidade estendem o toldo que suaviza a umidade, protege o corpo de Mário do tempo nebuloso e, como telhado de casa, abriga sua fobia de andar sozinho na rua, tranquilizando-a. As belas vitrinas atraem sua atenção, dissipando a angústia que o assalta quando se perde entre desconhecidos.

Entra finalmente à esquerda, na rua dos Ourives. Ela não corta em perpendicular a avenida Central. Recebe o nome de Rodrigo Silva quando é cortada à direita pela avenida. Continua na calçada da esquerda com o nome de rua dos Ourives e se prolonga de modo oblíquo, cortando a rua do Rosário e as seguintes. Mário se aproxima do bem cuidado prédio onde se encontra o consultório do dr. Miguel Couto. O sobrado se destaca na calçada que corre paralela à da igreja de Nossa Senhora da Boa Morte. O conjunto impressiona.

Mário repara o sólido prédio colonial que contrasta com os sofisticados edifícios já construídos em estilo belle époque ao longo da avenida Central. Predominam nestes as excêntricas e sedutoras formas curvilíneas da nova Paris. Examina o velho sobrado. A soleira é imponente: alta e de cantaria lavrada ao cinzel. Grades de ferro batido protegem as compridas janelas de vidraças encardidas pela poeira que, ao se misturar com a água da chuva, nelas se engessa definitivamente. O interior dos prédios é sempre escuro. O centro da cidade está conturbado e o delegado de polícia recomenda aos moradores muita precaução à noite contra os amigos do alheio. Ao fundo da área de entrada, os degraus de mármore jaspeado levam ao segundo andar. Mário se apluma e, com passadas firmes, sobe a elegante escada e está à porta da antessala, aberta para o corredor.

A enfermeira o recebe. Abre-lhe a porta que dá acesso ao consultório. Entra ela depois dele, e logo se retira.

O dr. Miguel Couto o espera, sentado em poltrona por detrás duma mesinha e à frente duma estante de livros com grossos volumes encadernados. Em cores fortes e variadas, as lombadas dispostas em fila nas prateleiras só se assemelham pela folha de ouro usada para imprimir os títulos das diferentes obras e dos respectivos autores. Mário se sente importunado pelo jaleco branco do médico. Ele contraria a cútis acobreada do dr. Miguel Couto e, principalmente, o negro carregado dos cabelos e dos bigodes. O branco do jaleco contraria e acentua. Acentua os pelos de filho de imigrante português transplantado para a pele glabra da população autóctone. O branco está também na parede e no mobiliário escolhido a dedo para compor imaculadamente o ambiente. O dr. Miguel se levanta, cumprimenta efusivamente o novo cliente e lhe pede para tomar assento na cadeira em frente à dele.

O olhar.

Toda a ampla sala se reduz ao olhar cirúrgico do médico que a domina e faz todo o ambiente convergir de modo retilíneo e ameaçador para o rosto do cliente. Desde a entrada na sala, Mário se sente escrutado pelos mil olhos do dr. Miguel, como o enfermo em camisola pelo estetoscópio, ou o paciente, na mesa de operação, pela lâmina do bisturi. O olhar cirúrgico vê, ouve, observa e lanceta. Os mil olhos escrutam o cliente, para tirar-lhe a máscara. Para desnudá-lo mais rapidamente. Quer conhecê-lo por fora e ir para além da pele, apalpar as vísceras, observá-las e poder atingi-las em cheio. Mário sente vergonha. Tem vergonha de ser quem é; quer se esconder ou fugir. A porta às costas está trancada à chave.

Sentado na poltrona, solitário, reina o médico. Ele monitora o molho de chaves e a fechadura, as dobradiças da porta e os passos do novo cliente. Depois de se ter adentrado pelo consultório, o cliente só ganha o direito de se retirar se estiver com a receita à mão. Ela é o cupom que garante o *shake hands* à moda inglesa e a porta aberta para o corredor.

O médico abiscoita a realidade num modo que Mário nunca conseguirá apreendê-la, a não ser por palavras dispostas numa folha de papel com vistas a futuro livro. O médico é detentor de formidável e perigosa autoridade, concedida pelo olhar cirúrgico. Diante da força envolvente que o examina — só pelo lado de fora, por enquanto —, se apequena todo o subsídio de vida e de literatura que lhe doou o pai e lhe doa Machado de Assis. Tudo que retém como seu é pouco ou quase nada. Migalhas, fragmentos, chinesices, pacotilhas, ninharia. Não se julga mais herdeiro dos dois mestres que — no exercício da prosa literária rica e complexa, já acatada e respeitada pelas histórias da literatura de Sílvio Romero e de José Veríssimo — apenas se vingam do olhar cirúrgico que só o médico tem o direito de deitar sobre a realidade da nação a fim de captá-la no exercício diário dos corpos humanos enfermos, imersos na comunidade empobrecida e embriagados por ela.

Instabilidade emocional e insegurança social e política não são só os traços dominantes do caráter de cidadãos, no entanto, privilegiados. São também os traços dominantes das personalidades públicas dos dois pais — o biológico, falecido, e o espiritual, vivo — de quem, naquele momento, apenas herda o roubo do real pelo olhar literário. Escritores roubam o significado da vida material para oferecer — em troca humilhante e humilhada — o sentido do absoluto na criação literária.

Que vale mais: o olho do médico clínico que ratifica a epilepsia no homem ou o olhar dos pares que atesta a mediocridade do escritor?

Dado por Machado de Assis, o conselho para que se candidate à vaga da Academia talvez visasse a redimir Mário de Alencar da culpa que sofre por ser autor medíocre e não estar à altura do pai José de Alencar. Por ter acatado as palavras sábias do mentor e por se expor no presente ao olhar do médico, Mário não estaria dando os primeiros passos em direção à punição direcionada pela tortura como recompensa pelo malfeito? Castigo moral e físico não seria o diploma que atesta, pela incapacidade de viver sadiamente a vida, o rendimento de ter conseguido ascender ao Parnaso literário e não apenas à Academia Brasileira de Letras? Ou será o oposto?

Não é melhor continuar a vida em casa, ao lado da esposa Baby e dos filhos, remoendo a condição de homem avesso às exigências sociais, que alcunha a si de *l'hautontiroumenos* baudelairiano? Não é melhor esquecer a doença para com mais coragem e afinco se adentrar pela notável literatura francesa nos momentos de lazer? Tolice buscar a cura nos remédios. Perda de tempo. O restabelecimento da saúde está no processo de autossuficiência que só se torna vitorioso se estreitar os laços com a instabilidade emocional, aliando-a à perseverança e ao estudo na arte literária.

É melhor não reconhecer vitória, qualquer que seja ela.

Reconhecer, isto sim, a derrota junto à inteligência letrada da capital federal e aos acadêmicos. Pedir demissão do posto rendoso e influente de secretário do ministro Seabra. Voltar a ser pura e simplesmente o oficial da Secretaria da Câmara dos Deputados. Um mero amanuense. Medíocre — para repetir o adjetivo de que se serve a opinião pública para qualificá-lo na vitória. A verdadeira vida honrada é a do amante da esposa, do pai extremado e do funcionário público concursado. Impostor é o artista que procura o consultório médico. Não faz sentido um padre deixar de consultar Deus para consultar o médico. Também não faz sentido um escritor iniciante interromper o diálogo com o melhor da literatura universal para se submeter à autoridade do olhar cirúrgico.

Mário de Alencar sente com tal ferocidade o olhar do dr. Miguel Couto que sua atenção põe de lado as mãos imaculadas e expressivas dele. Como é que uma delas pôde ter se adentrado algum dia pela garganta dum tísico para examiná-la?

Pela primeira vez, repara o contraste entre as costas das mãos do médico e o impecável jaleco de linho branco que se sobrepõe ao terno preto. Na pele das mãos, o branco reaparece como ausência do discreto artifício de maquiagem que se evidencia no rosto, ou seja, a cor branca natural sobressai sob a forma de pequenas manchas descoloridas e arredondadas que foram surripiadas da ampla testa pela esponja de pó de arroz e das maçãs do rosto por discreta aplicação de ruge.

Antes de dormir, para impedir o avanço do vitiligo, o médico unta as costas das mãos com glicerina, manteiga de cacau ou unguento. Calça luvas de seda. Entrega-se ao sono. Na manhã seguinte, a pia, a água e o sabão sempre reanimam — e põem à mostra — as pequenas manchas esbranquiçadas que se espalham, poucas, pelo acobreado das costas das mãos. A higiene matinal castiga no espelho. Sublinha a em nada perceptível doença incurável que fustiga a vaidade. No consultório, recobre as mãos com luvas de látex, que neutralizam o contato direto, franco e sincero de sua pele contra a pele do cliente. Com o correr dos anos as minúsculas manchas descoloridas e arredondadas ganharão mais e mais a pele do rosto e das mãos. Tomarão posse da pele acobreada do corpo inteiro. Transformarão o filho gerado de pais lusitanos com antepassados indígenas num falso ariano.

O médico é tão humano quanto o paciente. No seu aspecto de ariano é tão impostor quanto o enfermo que bate à sua porta em busca de cura.

Instado pelo médico clínico a precisar o momento em que julga terem começado os sintomas que já lhe tinha descrito com detalhes, o novo paciente informa data e momento exatos para a primeira crise nervosa e, à semelhança do moto-contínuo, insiste em reafirmá-los.

Dia 1º de novembro, durante a madrugada. Repete. Repete-se. Dia 1º de novembro.

Está ansioso em sua casa de Botafogo, cercado pela esposa, pelos filhos e por poucos parentes e amigos. Finalmente, chega-lhe por bilhete assinado por compadre a comunicação oficiosa da vitória nas eleições para a vaga de José do Patrocínio na Academia Brasileira de Letras. A boa-nova é lida aos presentes e se faz seguir — em atmosfera mais e mais festiva, a que não faltam o espocar de *bouteilles* de champanhe e os sucessivos brindes ao eleito — pelos comentários desairosos que lhe chegam aos ouvidos, transmitidos por amigos jornalistas. Detecto os primeiros sintomas da crise nervosa na madrugada do dia 1º de novembro. Passo mal. Padeço do desconforto abdominal. Vou vezes seguidas ao banheiro. Defeco e vomito ao mesmo tempo. De volta à cama, tenho alucinações repentinas e de curta duração. Baixa-me dor de cabeça inédita e insuportável. Na região occipital. A caminho do banheiro sinto um fedor estranho, desagradabilíssimo. Fico emotivo. Choro às escondidas, sem razão aparente. De início penso que tinha abusado do álcool e que o mal-estar era consequência inevitável da carraspana. Acho em seguida que a cefaleia nasce no meu esforço por camuflar a contrariedade com rompantes de alegria, no fundo, artificiais. Julgo finalmente que o descontrole nervoso tem índole mais profunda.

Mário confessa à esposa que não pode suportar a ideia de ser mal recebido na Casa que o elege. Nunca lhe tinha acontecido afronta semelhante. Não seria agora que iria se submeter a ela, suportando-a em silêncio. Prefere faltar ao compromisso assumido pela assinatura aposta à carta de inscrição à vaga. Poucos dias depois, escreve carta definitiva a Machado de Assis. Leio: "Contei-lhe já o meu arrependimento de me haver apresentado e a razão por que não retirei a candidatura. Previa o efeito da eleição sobre meu espírito vacilante; o efeito foi tremendo: cheguei a desejar vagamente a morte e não sei que mais". E continua: "Não lhe peço, não lhe pediria agora que justifique junto aos pares acadêmicos minha lucidez tardia ou minha mais recente insensatez".

A atenção flutuante do dr. Miguel o leva a isolar e a recortar no relato feito pelo cliente a menção ao nome de antigo paciente e amigo, Machado de Assis. Recorda a informação confidencial que lhe fora passada pelo viúvo de dona Carolina. "Seu futuro cliente", escreveu-lhe em curta mensagem, "é neto de homeopata famoso e herdeiro da biblioteca médica preservada pela família dos pais na chácara do Alto da Tijuca. Cultiva com respeito os ensinamentos clínicos antiquados e, com o apoio de farmacêuticos amigos, tem se automedicado com certa regularidade."

Lembrada no momento oportuno, a advertência de Machado leva o dr. Miguel a querer atar a ponta da possível doença de Mário, tal como ele a relata autobiográfica e minuciosamente, à outra ponta — a da descrição técnica dos sintomas, tal como expostos em dicionários especializados em saúde, sendo o mais consultado pelos leigos o de Pedro Chernoviz. O Doutor Mágico, como será apelidado por famoso poeta nascido em Itabira. O alerta dado pelo antigo cliente vem esclarecer e autenticar o diagnóstico clínico do novo cliente, que se caminha a passos lentos e misteriosos.

O dr. Miguel ata a ponta do relato pessoal de Mário à das leituras dos dicionários médicos. Desconfia do modo como o paciente descreve as crises de que padece desde novembro de 1905. Descreve-as com correção e precisão de detalhes, não há dúvida.

Descreve-as, no entanto, de maneira instruída e repetitiva, como se em consonância com algum modelo escondido e, por isso, secreto. Não as descreve de maneira espontânea. Descreve-as de maneira memorizada. Percebe que o paciente não toma atalho para evitar todo e qualquer acidente de percurso nem corre livre e desembestado até a reta final. Relata, ponderando sobre o já dito, e prossegue o relato de maneira calma e pensativa.

Mário não abre o coração assustado com interrogações ou exclamações direcionadas ao ouvinte. Em momento algum da consulta. Sua fala é um rio corrente, sem entulhos e sem quedas-d'água. Recita uma página de livro aprendida de cor e salteada. Um poema. Algo destoa. Entremeia a fala escorreita com rápidas *ausências*, que se revelam ao médico como sintomas, ou como sinalizações dadas pela doença e previstas no próprio verbete de dicionário médico, que memorizara. Ou as *ausências* não seriam silêncios enigmáticos até para o paciente?

O dr. Miguel detecta uma segunda ponta para atar à ponta primitiva do relato pessoal. Nota que a fala do paciente vem carregada de nuanças de caráter psicológico. Estas poderiam ser provenientes não só das boas leituras literárias, como também da consulta às análises e aos tratamentos modernos da epilepsia, como divulgados pela revista *O Brasil Médico*. Os melhores psiquiatras brasileiros vêm defendendo nas páginas do semanário as novas teorias de Cesare Lombroso. O influente médico italiano aplica à medicina — e em particular ao diagnóstico da epilepsia — conhecimentos específicos derivados da disciplina em moda na Europa. Ainda e finalmente, as nuanças de caráter psicológico poderiam ser provenientes das conversas do jovem com o velho Machado, escritor dado a delicadezas ao armar a trama de romance e a sutilezas na análise psicológica dos personagens que inventa.

Ao repensar e somar as várias e contraditórias observações, o dr. Miguel passa a julgar a influência do cliente do Cosme

Velho junto ao novo paciente como matriz instigante. Não é apenas seu mentor literário, é também a celebridade enferma e poderosa que modela a mente desassossegada do acadêmico recém-eleito. Reconsidera a presença de Machado de Assis no processo de enriquecimento intelectual por que passa a imaginação sensível do escritor destituído de personalidade própria, o filho de José de Alencar. Reconsidera o peso esmagador da velhice em apuros e da brilhante inteligência do presidente da Academia. Não é fácil suportá-lo.

À sua frente, sentado, em total controle da fala, aparentemente tranquilo, Mário na verdade não se expõe. Apenas relata. Não expõe os sintomas da doença de que na realidade padece. Não fala como ser de carne e osso a sofrer terríveis crises nervosas e a perder o norte da vida familiar e profissional. Já encontrou um rótulo para o que sente. Fala como personagem em revolta contra os colegas de ofício e contra a sociedade que, tendo assumido em vida o papel solitário de jovem escritor vitorioso, quer se aprimorar nas artes da narrativa em prosa e da tradução.

De chofre o dr. Miguel pergunta ao paciente o que ele pensa da imitação.

A pergunta especulativa não visa ainda a apreender a influência nociva do mentor literário sobre o discípulo. Visa antes a uma primeira visita ao complexo universo doentio do jovem. Mário não se veste com roupa cortada e confeccionada por alfaiate, de acordo com as medidas do seu corpo tomadas por fita métrica. Há uma saliência no seu caráter que lembra a costureira que, na falta de imaginação singular, corta o vestido da senhora da alta segundo o molde que lhe é dado de presente pela revista da moda e o costura acompanhando os detalhes no croqui impresso. Pela convivência diária e respeitosa com o mestre, Mário deixa seu comportamento diário se modelar pelo ambiente mórbido que, desde a morte de dona Carolina, reina no chalé do Cosme Velho. A saliência é sintoma de profunda depressão.

Mário não entende o porquê da pergunta sobre *imitação*. Alvoroça-se. Irrita-se. Raivoso, decide embrutecer o diálogo com o médico. Tem um mestre confessado, não há dúvida, mas daí a dizer que só se candidatou à Academia para imitá-lo vão léguas.

O dr. Miguel interrompe o paciente e desfaz o mal-entendido. Não é sua intenção levar a consulta para o campo da literatura. Gosta de ler, mas o tempo é escasso para quem se dedica ao consultório e ensina na Faculdade de Medicina. Gosta também de escrever, mas livros científicos. Lembra ao cliente — e não esconde seu orgulho — que a Tipografia Laemmert editou em formato de livro sua tese de concurso, *Dos espasmos nas afecções dos centros nervosos*. Abre o jogo. A imitação de que fala não se refere nem à escrita literária nem à leitura de romances ou poemas. Refere-se a comportamento. Refere-se ao comportamento do ator no palco. Explica-se para desmontar o equívoco.

Ao criar um personagem, o ator se deixa levar muitas vezes pela observação do comportamento de pessoa do seu círculo de amizades. Imita-a nos mínimos detalhes para compor a pessoa fictícia que lhe é entregue prontinha mas só em palavras. "Muitas vezes também", prossegue o dr. Miguel, "uma pessoa se recria a si no dia a dia. Imita o personagem que viu no palco ou que conheceu através da leitura de obra literária ou de peça de teatro." Vê que Mário se tranquiliza. "Dessa imitação é que falo", conclui o médico, esclarecendo definitivamente o mal-entendido.

Envergonhado por ter se dado a conhecer de modo ostensivamente inapropriado, Mário se recolhe à cadeira e ao mesmo tempo decide ser menos defensivo. Escuta o médico e simultaneamente rememora seu relacionamento fraterno com Machado de Assis. Não há dúvida de que nos últimos meses muitas dores minhas alheias me vêm pesando nos ombros. São eles que suportam o mundo. Mário alude não só à reação negativa à sua vitória na Academia, como também à sensação de asfixia e ao sentimento de opressão que sente ao se adentrar pela atmosfera doméstica do chalé, onde Machado de Assis dá os últimos passos em vida. Baby nota que o marido vem perdendo o gosto pela vida. Você só fala de trabalho e de documentos oficiais, quando não está a olhar para o infinito, perdendo horas e horas de boa convivência doméstica. Fica aí, sentado como morto-vivo na poltrona da biblioteca. Já não o vejo tão alegre e tão próximo e amigo dos filhos.

Uma baforada de ar fresco entra consultório adentro e anima o gestual, a fala e o rosto do paciente.

O médico tem poucas dúvidas, ou já não as tem. É para esse e para outros diagnósticos complexos que lhe serve o estudo constante da boa e clássica bibliografia em língua francesa, especializada em medicina. Os livros foram bons companheiros na época dos estudos e nos anos que passou pesquisando e redigindo a tese de concurso. Nos dias de hoje, volta a consultá-los quando prepara as aulas. Gosta de sedimentar os ensinamentos com a opinião das autoridades. No consultório, às suas costas, os velhos compêndios servem de alento e de alimento nas poucas horas que se intercalam entre os atendimentos aos clientes. Relembra os títulos dos livros, como se estivesse a escrevê-los com giz no quadro-negro em aula expositiva. A duras penas, cedo órfão de pai e sustentado pela mãe costureira no Arsenal da Marinha em Niterói, conseguiu adquirir muitos volumes preciosos, alguns guardados em casa, hoje no escritório do palacete da rua Marquês de Abrantes, outros na pequena estante do consultório, na rua dos Ourives. Muitos outros só foram lidos ou consultados na biblioteca da Faculdade de Medicina.

Nas horas vagas, como se a dizer versos de poema, enumera os títulos dos compêndios mais sólidos e mais abrangentes. Sem eles, não poderia ter chegado a clínico respeitado. *Encyclopédie*

Méthodique: Médecine, par une société de médecins (Paris: Panckoucke), *Dictionnaire des Sciences médicales* (idem), *Dictionnaire de Médecine* (Paris: Béchet jeune), *Dictionnaire de Médecine et de chirurgie pratiques* (idem), *Dictionnaire de Médecine ou Répertoire Général des Sciences médicales considérées sous le rapport théorique et pratique* (idem).

Agora, os grossos volumes servem para que ele mentalmente passe em revista várias ideias e as associe. Recapitula o verbete "Epilepsia" como se encontra no volume 12 do *Dictionnaire des Sciences médicales*, publicado em Paris. Recapitula-o na memória e destaca um tópico que em princípios do século XX ainda é uma das teses mais ousadas da pesquisa em epilepsia no século XIX. Na versão original se apresentava e hoje ainda se apresenta como crítica velada, embora corrente, aos médicos que defendem o caráter genético da doença, ou ainda aos que sustentam sua transmissibilidade pelo mero contato físico com o doente em crise (por exemplo, o contato dos dedos caridosos com a espuma esbranquiçada da saliva). O diagnóstico defendido pelo dicionário francês relega esses fatos à crendice popular, mero preconceito contra a doença, contra todo e qualquer doente.

Com admirável simplicidade expositiva, a tese revolucionária diz que os sintomas da doença às vezes nada têm a ver com o organismo humano que os manifesta; são independentes do próprio mecanismo do corpo, já que podem ser provocados de fora, ou seja, pelo mero e amedrontador espetáculo proporcionado por uma convulsão epiléptica.

Levada pelo acaso a presenciar uma violenta crise epiléptica na rua, a pessoa reage à sensação opressiva do medo que lhe ganha o espírito simulando o gestual sofrido que desequilibra e governa o corpo em convulsão. Pela imitação, o espectador se sente em independência e controle total não só da cena dramática que presencia, como também do funcionamento estranho do próprio organismo. Posto por acaso e de repente contra a parede da doença desconhecida, enfrenta o sofrimento alheio e a humilhação pública, movimentando engrenagens íntimas do corpo e do espírito que lhe eram desconhecidas.

Em casa, no quarto de dormir ou no banheiro, a repetição mimética da cena pode se transformar em vontade de o espectador se expressar em show encenado para o espelho e chegar ao êxtase do autossacrifício — bálsamo para o medo e ao mesmo tempo hábito de sobrevivência. Em tudo por tudo semelhante ao bentinho do Carmo, de que se vale o devoto para externar afeto e devoção à Virgem e invocar sua ajuda no momento de perigo.

Domina a indistinção entre os sintomas reais e o teatrinho doméstico e imaginário onde o corpo sadio representa.

Em antigo caderno de notas, o dr. Miguel guarda informações sobre o médico holandês Herman Boerhaave, julgado fundador do hospital acadêmico moderno e do ensino clínico. Desde o século XVIII, ele havia observado que a imaginação pode influir na origem das doenças espasmódicas. Os futuros estudiosos da doença passaram a dar por estabelecida a possibilidade de afirmar com segurança que há casos — e não são poucos — em que o homem ou a mulher passam a ter por hábito simular durante anos seguidos o ataque epiléptico. Por tê-lo simulado com constância, sinceridade e à perfeição, os sintomas se mostram verdadeiros e cada vez mais reais.

Sentado à sua frente e à espera da palavra salvadora, Mário de Alencar na verdade instiga o saber livresco do médico, adestrando-o para o diagnóstico. Ele continua a repassar a bibliografia. Relembra um caso concreto, narrado no *Dicionário das ciências médicas*. O de uma mulher do povo. É-lhe dada a alcunha de Proteu, o deus das mil faces e das mil e uma astúcias. Durante seis anos, a mulher vai de prisão a prisão. Em todas se revela detento ardiloso, dona que é de imaginação rica, livre e selvagem. Arma as mais endiabradas intrigas no meio judiciário e carcerário. Cada vez que se apresenta ao juiz e este lhe faz uma pergunta que a pode incriminar e a incriminará, finge ataque de epilepsia. O mesmo se passa quando já encarcerada não gosta de obedecer à ordem de limpar as celas, dada pela guardiã de plantão. O truque de Proteu se torna pouco a pouco de conhecimento da chefia de polícia e da corte. Com receio de represália por parte das companheiras de cárcere, Proteu se vangloria de ser uma espertalhona e não mulher a padecer de doença incurável e transmissível. Cai-lhe a máscara. É malandra, conhecida dos serviços de polícia. Os juízes suspendem os interrogatórios e os delegados, as punições. Os acessos de epilepsia se tornam mais e mais reais. Espantam os médicos e surpreendem a própria prisioneira. Surpreendem-na mais do que ela gostaria.

Súbito, a lembrança do suicídio dum marinheiro perturba decisivamente a imaginação do médico e enriquece de vez o diagnóstico. Meses atrás, os jornais noticiaram o caso do moço de convés do navio francês *Aquitaine* que desejava se suicidar. Ainda a bordo, simula epilepsia para escapar da vigilância dos companheiros e dos superiores. Encontra a liberdade necessária para se enforcar em ambiente fechado e fiscalizado. Lembra-se de ter lido o fait divers na *Gazeta de Notícias*. Deixou-se impressionar pelo acontecimento e o recorta no jornal. Não lembra por quê, mas o certo é que guardou o recorte na pasta de Machado de Assis. Pede licença a Mário. Levanta-se. Busca a pasta no arquivo.

Retira o recorte da pasta onde estava arquivado e o transfere para a pasta vazia que está em cima da mesa de trabalho. Ao reler o recorte, o dr. Miguel fica assustado com a trama psicológica que o próprio repórter resume em poucas linhas: perseguição/simulação de epilepsia/liberdade/suicídio. Há um detalhe que lhe parece mais estranho. Para não se salvar, o moço de convés se vale do que não existe, a epilepsia, e do que existe para salvar, a corda de estopa que guarnece o colete de salvação. Puxa a corda para morrer. O médico interrompe o silêncio. Deixa escapar um murmúrio, *corda de estopa*, a ecoar uma expressão do relato que lhe fez Mário de Alencar.

Mário lhe pergunta o que ele tinha dito. "Nada a ver", responde-lhe o dr. Miguel.

Sem diagnóstico preciso, Mário de Alencar, com a receita dobrada e guardada no bolso do paletó, é conduzido pelo dr. Miguel até a porta que dá acesso à antessala. Despedem-se. Com dois passos ele ganha a escada, desce os dois lances e transpõe a porta de entrada do prédio. Caminha de volta à avenida Central. Na esquina da rua do Ouvidor, toma um tílburi que o leva até a Estrada Nova da Tijuca. A chuva estiou. Vai passar uns dias na antiga Chácara do Castelo. Tinha dito em casa que não voltaria para o almoço. Iria pôr a correspondência em dia e, à noite, sozinho no casarão, espairecer a mente.

Só no consultório, o dr. Miguel abre a gaveta da mesa de trabalho e retira a placa de metal prateado em que mandou inscrever o lema que repete em aula e a que se referirá publicamente até o final da vida: "Se toda medicina não está na bondade, menos vale dela separada". Não se exerce a profissão de médico sem enfrentar obstáculos. Sempre que tive de fazer uma pergunta roçando assunto muito pessoal, jamais, mas jamais mesmo, encontrei paciente que fosse capaz de responder com pleno conhecimento ao que eu precisava saber. Boas respostas não me são entregues pelo paciente. Escuto a todas, envoltas no mistério que desafia minha argúcia, como a escrita de carta enigmática que, para ser lida, requisita a perspicácia criadora que é também indispensável ao bom tradutor de língua estrangeira.

Tarefa não menos fácil é a da comunicação, ao enfermo, da palavra final. Do diagnóstico. Aqui está a receita e seria bom que fosse aviada o quanto antes possível. O paciente nunca pode

> Gazeta de Notícias, 8 de julho de 1905.
>
> **SUICIDIO A BORDO**
>
> **Em pleno mar**
>
> Em meio da viagem do paquete francez *Aquitaine*, entrado hontem no nosso porto procedente de Marselha, deu-se uma scena triste que muito impressionou os passageiros.
>
> Um homem da tripulação—moço do convez—que apresentava symptomas de estar atacado da mania da perseguição, simulando um ataque de epilepsia, foi recolhido á enfermaria e ahi, illudindo a vigilancia dos encarregados de sua guarda, se enforcou.
>
> O infeliz serviu-se, para pôr termo aos seus dias, da corda de um collete de salvação.
>
> O facto deu-se em pleno mar, entre Tenerife e o nosso porto, sendo o corpo do suicida atirado ao mar, com as formalidades usadas em casos taes.

imaginar que não é o médico clínico quem faz o diagnóstico definitivo da doença pela leitura dos sintomas. Alheio a dor humana, é o médico-legista quem, depois de abrir o corpo e devassá-lo com instrumentos cortantes e ferozes, se responsabiliza pelo veredicto final. Tarde demais.

Faz parte do anedotário do dr. Miguel o caso do acadêmico de medicina que é o único a atinar com o diagnóstico certeiro que, na verdade, só é revelado semanas depois pela autópsia. *Tumor maligno da retrocavidade dos epíploons* — aventurou-se o acadêmico. O discípulo dá quinau nos muitos mestres que se debruçam noite e dia sobre o leito do paciente já à beira da morte. Há carência de sintomas: dor epigástrica invencível, emagrecimento progressivo, febrícula irregular, anemia crescente... Chefe e assistentes, professor e alunos permanecem debruçados sobre o quebra-cabeça, empenhando diariamente os cinco sentidos sobre a barriga enigmática. E o homem a piorar, a piorar, até chegar à caquexia, à anemia grave, aos edemas discrásicos e à antevéspera da morte. Nada de diagnóstico seguro e eficiente.

Aberto o corpo, o médico-legista ratifica o diagnóstico dado em primeira mão pelo acadêmico. Tumor maligno da retrocavidade dos epíploons.

Confrontado pelo acadêmico orgulhoso à saída da Faculdade, o professor Miguel Couto fixa-lhe durante algum tempo os olhos mansos e penetrantes e lhe faz apenas uma pergunta: "Meu filho, diga-me uma coisa: por que você não faz todos os dias uma fezinha no jogo do bicho? Sorte não lhe falta...".

Rua dos Ourives, manhã de sexta-feira. Terminada a consulta, o dr. Miguel dispensa a enfermeira. Mário de Alencar é o único cliente da manhã. Sua ausência se transforma em presença insuportável. O médico não quer acatar de imediato a bibliografia consultada mentalmente, tampouco quer dar por terminada a análise dos sintomas. O caso é instigante e intrigante demais para ser jogado na lata de lixo do cérebro. Quer retomar o diálogo com o paciente. Revê-lo sentado do outro lado da mesa, tão seguro de suas observações sobre os sintomas que sente.

Do lado de cá da mesa, o dr. Miguel está inseguro. Está só, em sua própria companhia e em companhia das ideias repentinas que lhe surgiram e o impediram de se expressar, no final da consulta, de maneira clara e sucinta ao paciente. Receitou-lhe alguns remédios. Tinha de receitá-los. Faz parte do ritual. Não são remédios específicos e fortes. São tão pouco eficientes e vagos quanto uma estrela da manhã ou a previsão do dia em horóscopo. Não farão mal à saúde. Faltou-lhe a certeza que apoia o caminhar sereno da pena pela folha do receituário.

Faltou-lhe a crença nas palavras dos mestres queridos e consagrados, ou falta-lhe o sentido da experiência a partir de ideias outras, em nada convencionais?

Faltou-lhe coragem para enunciar a causa ou a razão para a doença, ou falta-lhe a ousadia de desbravador?

Faltou-lhe o gosto pela polêmica, ou falta-lhe familiaridade com a doença?

Faltou-lhe acreditar no próprio discernimento ou falta-lhe o pulso que demonstra firmeza?

O chão médico em que pisa tem de ser ad aeternum tão mais atrasado do que o chão em que pisa o médico europeu? Relembra os ensinamentos dos professores de sua predileção. A ciência nos ensina a recalcar os sentimentos pessoais no lugar mais recôndito da sensibilidade. Passamos a controlar o gestual de modo a que nenhum alçar de mão signifique algo além de reforço retórico ao que a palavra "clínica" já diz. Passamos a dominar nossa mímica de modo a que nenhum músculo da face nos traia na hora da santa e piedosa mentira médica. Vem-lhe à mente o *ergo sum* de outro *cogito* cartesiano, que impera nas clínicas e hospitais franceses. *Je suis médecin. Je soulage. Je console. Peut-on consoler et soulager sans mentir?*

Como o dr. Miguel Couto poderia liberar com um sorriso nos lábios Mário de Alencar para a vida? Como poderia lhe garantir que seus males seriam curados em futuro próximo e que os sintomas desapareceriam no correr do ano?

A memória do médico nunca o trai. Quando ela ameaça traí-lo, recorre à escrita. Anota o que anuncia a sua perda, ou pede ao paciente para anotá-la. De súbito, vem a certeza absoluta. O diagnóstico não está errado. *Imitação.*

No arquivo, a pasta de Machado de Assis não o desmente. Eu, leigo, reforço o diagnóstico do médico. Retiro uma folha escrita por Machado de próprio punho e entregue ao dr. Miguel Couto no mês de setembro de 1906. Releio os sintomas de um pensando nos sintomas detectados no outro:

> A ausência em casa do Garnier, onde bebi água e Lansac me deu sais a cheirar. Era de tarde. Fizeram-me sentar. E eu respondi em português, ao que ele me dizia em francês. Saí, vim a casa, jantei e saí para a estrada de ferro, onde me despedi de Lauro Müller, que ia a Minas.

Três dias depois da consulta, no dia 26 de fevereiro, Mário de Alencar escreve e envia carta a Machado de Assis. Não adivinho suas palavras. Leio-as ipsis litteris:

> Não fui outro dia ao Garnier, depois da consulta ao médico, porque achei no consultório a convicção que eu receava e me fez triste e incapaz de conversa nenhuma. *O médico procurou iludir-me, mas a fisionomia dele e a indicação dos remédios disseram a verdade.* Vim para a Tijuca com grande desalento, que ainda tenho hoje e agora terei sempre até o último dia.

Estão na página 97 do quinto tomo da *Correspondência de Machado de Assis*, cujas frases e anotações eu aspirei com tal concentração e intensidade que se integraram à minha intuição. Surpreende-me a perspicácia clínica do dr. Miguel Couto. Seu jeito sutil e delicado de não informar ao paciente aquilo que seria aconselhável não lhe comunicar. O doente é mantido nas águas límpidas da verdade, em que acredita, e, por efeito do *cogito* médico, convive sem maiores traumas consigo mesmo. Não há dolo, não há agressão; apenas uma leve sombra escurece o Juramento de Hipócrates. Como se a garantia do restabelecimento da saúde fosse inevitável por ser dispensável, o doente é convidado a tomar assento numa cadeira da sala de espera da morte.

Como o médico poderia jogar mais uma bomba catastrófica sobre os ombros do vitorioso Mário de Alencar, se eles já mal suportam os acontecimentos que lhe pesam no dia a dia?

Não posso acreditar que o dr. Miguel Couto tenha cometido equívoco no diagnóstico. Receita remédios que têm efeito de *placebo* (recaio no desrespeito à cronologia e uso a palavra latina que só foi incorporada ao vocabulário médico em 1954). Quando se discorre sobre receita médica, só uma boa e saudável risada desopila o fígado. Para sorrir sem constrangimentos, como qualquer médico deve sorrir quando a cura do paciente é efeito da ironia pregada a ele pelo funcionamento imprevisto do organismo alheio, apoio-me na etimologia do vocábulo "placebo". Primeira pessoa do futuro do indicativo do verbo latino "placere": ser do agrado, agradar. Placebo: eu agradarei. Ao mesmo tempo, não quero acreditar que a doença denunciada pela receita tenha levado Mário de Alencar a conviver até a morte com placebos sem saber se em realidade padecia dela, ou não.

Neste ano de 2015, ainda não há como entrar na máquina do tempo e viajar de volta à manhã do dia 23 de fevereiro de 1906. Não há como recomendar ao escritor, a poucos meses da posse solene na Academia Brasileira de Letras, a hoje popular e indispensável terapia.

Recordo. Já há embutido nesta narrativa um diagnóstico semelhante ao dado pelo dr. Miguel Couto a Mário de Alencar. Volto os olhos para a primeira metade do século XIX, quando outro conhecido e elogiado clínico, o francês Achille-Cléophas, cuida do filho epiléptico, Gustave Flaubert. Ocorreu-lhe desclassificar como mera farsa do filho a crise por que ele passa no cabriolé que leva a ele e ao irmão mais velho de volta a Rouen das férias normandas em Pont-Audemer.

Consulto as anotações que fiz sobre as relações entre o dr. Achille-Cléophas e o filho já moço. Aos olhos do pai médico o gestual de Gustave parece inventado por disposição sentimental. É um dom, semelhante ao que recebe o galhofeiro ou o palhaço de circo.

Ao caricaturar os próximos e as pessoas conhecidas, o adolescente Gustave irá encantar a si e aos outros pela vida afora. Ele sabe fingir à perfeição o comportamento alheio bizarro, até o de um desconhecido. Nunca se denuncia a si como farsante, já que assume o comportamento do outro como dele e apenas dele. Ao pai médico, o gestual juvenil e aloprado parece manifestação precoce do gosto adolescente pela carreira teatral. No palco doméstico, a representação do filho é legítima invenção da curiosidade mimética, atiçada por crise comicial que presenciou em logradouro público. O diagnóstico paterno é também atestado pelo testemunho da filha Caroline. Seu irmão — escreve ela em carta — gosta de entreter os familiares, interpretando personagens famosos das peças de teatro na moda.

O pai médico não assina diagnóstico completamente errado. Nem o dr. Miguel Couto.

Lembro João do Rio e sua observação sobre o comportamento do *flâneur* carioca em *A alma encantadora das ruas*. Confessa ele: "Nós, os homens nervosos, temos de quando em vez alucinações parciais da pele, dores fulgurantes, a sensação de um contato que não existe, a certeza de que chamam por nós". Lembro também Clarice Lispector e seu conto "Amor". No bairro do Humaitá, Ana, a jovem esposa que viaja no bonde com destino no Jardim Botânico, sente "o chamado" de alguém ao ver um homem cego que masca chiclete no largo dos Leões. Abro o livro de contos e copio:

> Expulsa de seus próprios dias, parecia-lhe que as pessoas da rua eram periclitantes, que se mantinham por um mínimo equilíbrio à tona da escuridão — e por um momento a falta de sentido deixava-as tão livres que elas não sabiam para onde ir. Perceber uma ausência de lei foi tão súbito que Ana se agarrou ao banco da frente, como se pudesse cair do bonde, como se as coisas pudessem ser revertidas com a mesma calma com que não o eram.

A esse chamado, a esse apelo é que o jovem Gustave atende ao presenciar em logradouro público um mendigo em plena crise comicial. Passa por alucinações da pele, dores fulgurantes e pela sensação de contato humano que na verdade não existe. Os seres nervosos se comportam no cotidiano como a figura popular que conhecemos como Sombra. Pessoa que, sem motivo aparente, elege a um ou a uma passante e, às suas costas e às escondidas, segue a ele ou a ela por alguns minutos, imitando. Em plena rua, o Sombra, símbolo do teatro do mundo, imita meticulosa e ironicamente o gestual do outro e, em balbucio inaudível, a sua fala. Produz um espetáculo pessoal que é oferecido de graça a todo e qualquer transeunte.

O pai médico erra o diagnóstico, embora tenha profetizado um detalhe fascinante do temperamento do futuro escritor Gustave. Refiro-me à carta escrita pelo escritor à amiga Louise Colet no dia 8 de outubro de 1846.

Com anos de antecedência, o médico Achille-Cléophas descobre e revela algo de profundo na gênese da escrita literária de Gustave Flaubert e do romancista de gênio. A invenção de personagens autênticos e verossímeis tem sua formatação na simbiose entre corpo e linguagem, simbiose esta que se evidencia na personificação não tão gratuita de si mesmo e do outro (qualquer que seja ele). Todo romancista passa por um processo gradativo de amadurecimento semelhante àquele por que passa o ator ou a atriz de teatro ao encarnar um papel no palco. Não pode ser desprezada a frase que se tornou lugar-comum nos nossos dias: "*Madame Bovary, c'est moi, d'après moi*".

Acusado pela nova amante Louise Colet de ainda amar a sra. Foucaud, Flaubert não titubeia e abre o jogo. Descreve-lhe a faculdade de se deixar comover quando faz uso da pena. Copio, traduzindo, trecho da carta de Flaubert:

> Você me diz que amei seriamente essa senhora. Não é verdade. Acontece que, quando lhe escrevia, com a faculdade que tenho de me comover pela pena, levava a sério meu problema; mas *somente*

enquanto escrevia. Muitas coisas que me deixam frio — seja quando as vejo seja quando outros falam delas — me entusiasmam, irritam-me ou me ferem se delas falo e principalmente se as escrevo.

E conclui, revelando a metáfora que o pai médico auscultou e interpretou fora de contexto: "Eis aí um dos efeitos da minha natureza de saltimbanco".

O saltimbanco Gustave é o Sombra. A condição deles é inerente à eleição pelo adolescente do protagonista que se constitui com intensidade fora e dentro do ato de atuar, fora e dentro do ato de escrever.

Atuar e escrever são atos de *simpatia*. No sentido etimológico, "eu sinto com". Comunhão passageira e definitiva de

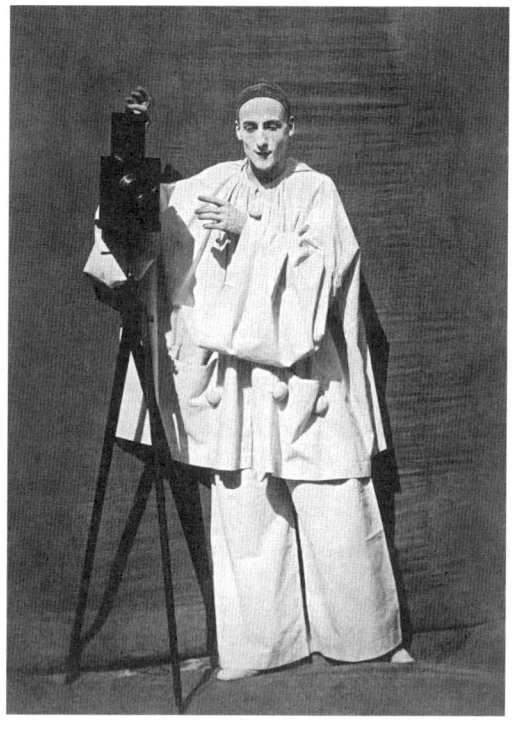

Félix Nadar, Pierrot avec un appareil photographique, *1854.*

sentimentos. O saltimbanco, um dos efeitos da Natureza sobre Flaubert, está no estágio primário da constituição física, mental e ética do escritor.

Logo em seguida na carta, o autodenominado saltimbanco traz à baila o pai médico travestido de espectador. Ao receber do pai instruções de bom comportamento, Gustave começa a caracterizar o equívoco que servirá de alicerce ao médico para o diagnóstico. Copio, traduzindo, este outro trecho da mesma carta:

> Finalmente, meu pai proibiu-me de imitar certas pessoas (estava persuadido de que eu devia sofrer muito, o que é verdade, embora eu negasse). Entre as pessoas imitadas lembro um mendigo epiléptico que eu encontrara um dia à beira-mar. Relatou-me sua história; tinha sido jornalista etc., algo de extraordinário. O certo é que, quando eu representava o tipo em casa, vestia sua pele. Naquele momento, não havia a possibilidade de algo mais horroroso que eu.

E pergunta a Louise Colet: "Você chega a compreender a satisfação que eu sentia?".

O mistério da escrita artística se revela tanto na escolha da pessoa a ser imitada quanto na decisão de representá-la como já sendo parte integrante do corpo do escritor. Revela-se tanto no protagonista eleito quanto nas artimanhas da arte teatral que se infiltra pela constituição física do próprio escriba. Ao representar o sujeito que escreve, a escrita literária sempre está a representá-lo e também a outro distinto dele. O narrador esposa o protagonista pelo seu lado interior. A eleição do objeto pode ser revelação tanto do Amor (o cego que masca chiclete no largo dos Leões, o *flâneur* carioca, a sra. Foucaud...) quanto do exercício gratuito da Subjetividade (o epiléptico encontrado por acaso à beira-mar). Entrelaçando uns e umas ao outro, recorde-se o dito célebre do autor de *Madame Bovary*: o mendigo epiléptico *c'est moi, d'après moi*.

V.
A Roda da Fortuna, a Roda dos Enjeitados

> A face côncava da Roda dos enjeitados se abre para a rua. Nela se coloca o bebê enjeitado pelos pais, na maioria das vezes à noite. Com facilidade, dá-se um pequeno impulso que faz a engenhoca girar, fazendo soar uma campainha que serve de aviso à irmã de caridade, que prontamente vai atender ao chamado, tirando da roda a criança abandonada.
>
> José Vieira Fazenda, Antiqualhas e memórias do Rio de Janeiro

> *Foi na última semana do derradeiro mês que a tia Mônica deu ao casal o conselho de levar a criança que nascesse à Roda dos enjeitados. Em verdade, não podia haver palavra mais dura de tolerar a dois jovens pais que espreitavam a criança para beijá--la, vê-la rir, crescer, engordar, pular... Enjeitar quê? Enjeitar como? [...] Lá não se mata ninguém, ninguém morre à toa, enquanto que aqui é certo morrer, se viver à míngua.*
>
> Machado de Assis, "Pai contra mãe", em *Relíquias de casa velha*, 1906

Tarô de Marselha, arcano maior X.

Ao se refestelar na almofada do tílburi que, na manhã de verão do dia 23 de fevereiro de 1906, o leva da enseada de Botafogo ao consultório do dr. Miguel Couto no centro da cidade, Mário de Alencar se ausenta. Transporta-se para a manhã do dia 12 de outubro de 1903, quando sobe de bonde até o largo da Boa Vista para participar das festividades republicanas e é imediatamente tomado pela poderosa paisagem selvagem que ainda recobre a Mata Atlântica. Lá no alto, as ventanias do outono arrancam na floresta as folhas e as flores das árvores e dos arbustos para perfumar todo o entorno. O ambiente bucólico, colorido e travesso das férias na Chácara do Castelo lhe é familiar desde os anos 1870, quando era apenas o quinto filho do casal José de Alencar e Georgiana Augusta.

A jovem República brasileira faz-se presente à reinauguração em 1903 do largo da Boa Vista. Os republicanos manifestam em alto e bom som que, com a reurbanização da Tijuca, estão devolvendo o Segundo Reinado aos velhos e decadentes monarquistas, que vivem parasitariamente no município de Petrópolis. Desde que o imperador Pedro II mandou construir o palácio de verão na serra petropolitana, onde a família real fixava residência durante os longos meses de calor, chuva e lama, as famílias aristocratas cariocas correram atrás em fila indiana. Evitavam o vento fétido do verão que, ao soprar do pântano urbano e a bafejar o Paço de São Cristóvão, residência oficial da família imperial, só esmorecia à medida que ia grimpando a serra de Petrópolis. A canícula tornava insustentável a vida dos privilegiados na cidade do Rio de Janeiro. Na falta de viagem à Europa, Petrópolis estava à mão.

Os comensais da corte estival petropolitana não se fazem presentes no largo da Boa Vista em fins de 1903. Na praça Afonso Vizeu, agiganta-se o rochedo plantado pelas mãos livres do artesão montanhês que nele incrustou a placa de bronze que, sob os aplausos dos republicanos, tem descerrado pelo senhor presidente da República o véu que a resguarda. O lazer estival do cidadão comum carioca passa a contar com a acolhedora mata da Tijuca. O largo e o coreto rústico convidam ao almoço no restaurante em estilo japonês e a uma boa caminhada até o pavilhão da Vista Chinesa, de onde se aprecia a amplidão da vasta floresta que encima a capital federal.

Por meio de transporte coletivo e barato, movido à eletricidade, durante o verão toda e qualquer família cidadã terá acesso à região campestre e saudável. O bonde sai do largo de São Francisco, em pleno centro da cidade.

Mário de Alencar agradece e se despede do médico no dia 23 de fevereiro de 1906. Paga a consulta à enfermeira e caminha de volta à avenida Central, onde contrata um tílburi para levá-lo até o Alto da Tijuca. O tílburi sobe a serra aos trancos e barrancos e, pouco depois do meio-dia, o deixa à entrada da Chácara

Largo da Boa Vista.

do Castelo, na Estrada Nova da Tijuca, 33. Na segunda-feira seguinte, dia 26, já instalado nos pincaros da serra, Mário escreve carta a Machado de Assis em que relata a mágoa e o desespero infinito que lhe causa o diagnóstico da doença expresso apenas na lista de remédios que consta da receita. No fim de semana que se prolonga em férias, ele se distancia da casa na rua Barão de Olinda e dos familiares, para se exercitar em exaustivas caminhadas matinais pelas veredas abertas na floresta. No cansaço físico do corpo busca o repouso da mente, e não o encontra. Transtornado e sem destino fixo, ele continua nos dias seguintes a caminhar léguas e mais léguas pelas picadas íngremes. Confessa ao amigo Machado: "Vim para a Tijuca com grande desalento, que ainda tenho hoje e agora terei sempre até o último dia. Momentos de prazer e de esquecimento de mim mesmo, devo-os ao seu livro *Relíquias de casa velha*, que trouxe e tenho lido com amor".

A todo-poderosa melancolia abre os braços ao escritor vitorioso. Alberga definitivamente seu corpo, abraça-o apertado e — para desorientar ainda mais seu espírito no dia a dia — se associa à solidão. Mancomunadas na perversidade, melancolia e solidão abatem o ânimo do enfermo diagnosticado com doença crônica, como se seu pescoço fosse o do peru de Natal que a cozinheira embriaga com cachaça para que não sinta o gume da faca afiada a degolá-lo no quintal. Tendo sido intoxicada com álcool à hora da morte, a carne assada da ave está tenra e macia na ceia de Natal e é elogiada por todos os familiares presentes. Mário quer traduzir em versos a súbita iluminação poética que lhe rouba os sentidos. Insiste em apreender com palavras a morte do peru e sua própria melancolia.

Anota: Na área retangular que ladeia o tanque de lavar roupa no quintal e serve de coradouro para a roupa branca da família, a bile negra do poeta espirra que nem o sangue do peru de Natal degolado pela cozinheira.

Logo em seguida, rasga a folha de papel.

Mário só se entrega ao prazer de viver quando se ausenta da casa plantada na rua Marquês de Olinda e se aconchega ou no chalé do Cosme Velho, onde desfruta a boa companhia do mestre, ou na chácara do Alto da Tijuca. O espírito está abatido e o corpo — carcomido pelo caruncho da epilepsia — lembra esqueleto decepado de tronco de ipê, semelhante ao cantado em prosa pelo pai romancista. Por mais que o enfermo procure arredar o espírito da melancolia e o corpo das sombras, por mais que tente elevá-los à luz do sol tijucano e baralhá-los ao verdor ambiente da mata tropical, por mais que queira levá-los a comungar com a natureza em efusão lírica, as sombras e a melancolia não os liberam. Elas mantêm o carrasco de si mesmo acorrentado, como se numa masmorra medieval.

É difícil voltar a bater à porta da ilusão depois que se sente a desilusão em vida.

Quando Mário e Machado de Assis voltam do trabalho para as respectivas casas, encontram-se antes na Livraria Garnier. Depois do bate-papo convencional com os amigos escritores, marcam a hora em que caminharão juntos até o largo da Carioca, onde tomarão o bonde para o largo do Machado, no Catete. Ali se dá a parada obrigatória e intermediária dos respectivos percursos. A transferência de bonde obriga os dois amigos a se despedirem. Dois trajetos distintos, dois pontos finais distantes, ambos servidos pela Companhia de Bondes do Jardim Botânico.

Há um terceiro bonde a tomar, de há muito útil a Mário de Alencar. Os recém-adquiridos bondes Stephenson são elétricos e substituem os antigos puxados a mula, todos pertencentes à tradicional Companhia de Bondes São Cristóvão. Os Stephenson correm pela antiga Zona Norte, bem longe dos novos bairros do Botafogo e do Cosme Velho. Aos trancos e barrancos, trafegam primeiro pelos subúrbios cariocas para subir depois, à beira de sucessivos precipícios e em curvas perigosas, até o alto da montanha da Tijuca.

Machado de Assis e Mário de Alencar apeiam no largo do Machado. Descem do bonde como se fossem pai e filho. Continuam a prosa animada enquanto esperam no largo o bonde para a Bica da Rainha. O primeiro bonde chega e é dispensado por eles; chega o segundo, o terceiro... Finalmente, o escritor sexagenário trepa no estribo com a ajuda do mais jovem. Acomoda-se no assento e se despede. O bonde sobe a rua das Laranjeiras e leva o passageiro até as águas ferruginosas da Bica da Rainha, lá no alto do Cosme Velho. O discípulo dá adeus ao mestre. Triste e meditativo, Mário retoma o bonde que segue pela rua Senador Vergueiro e, ao contornar o morro da Viúva, ele continua a viagem em ausência pelo bonde Stephenson, pintado em flamejante amarelo pela Companhia São Cristóvão. Ao apear na enseada de Botafogo, Mário caminha até sua casa na rua Marquês de Olinda. Mais seus passos a aproximam dela, mais sua mente se afasta e o corpo passa a caminhar livre pelas montanhas da Tijuca. Livre e vagabunda, ela nomeia a Chácara do Castelo como seu destino.

Como se a gozar longo e eterno retiro espiritual, é assim que Mário sobrevive ao cáustico e terrível verão carioca. Intrigados, alguns amigos e colegas de trabalho já não sabem se o discreto funcionário público voltou a morar na chácara do avô materno ou se permanece em casa com a mãe, a esposa e os filhos. Se ele está lá ou se está cá.

Mário demora a transpor a porta de entrada da residência na rua Marquês de Olinda, se é que nalgum momento corpo e espírito chegam a entrar simultaneamente em casa para algo mais que jantar e dormir ao lado da esposa Baby.

Equivoca-se quem pensa que é a mente industriosa e fleumática do funcionário público que planeja os percursos entrecruzados do corpo solitário pelo Rio de Janeiro. Equivoca-se mais ainda quem julga que os trajetos são tramados de maneira aleatória, como se movidos por ideal de bon-vivant boêmio que, para distribuir alegria e encantamento com a vida pelos muitos bairros da cidade, sempre se cerca de desconhecidos em diferentes bares. Os percursos entrecruzados são sobrepostos à grade viária da cidade de maneira íntima, lógica e obsessiva. Sempre os mesmos. O doente descoberto *flâneur* quer se desvincular passageira ou definitivamente dos laços com a vida doméstica, das suas obrigações profissionais e dos acovardamentos diante da doença.

Sobreposta ao mapa da cidade, a trama de encruzilhadas egoístas e narcísicas quadricula-o com percursos vantajosos e inflexíveis do andarilho e passageiro de bonde, sem abandono do lar ou do local de trabalho. Ele não consegue nem mesmo deixar de lado o que não quer mais. Veste-se ainda com o terno e a gravata de cidadão responsável. A cada novo dia, Mário redesenha o último percurso, adensando as tonalidades já sombrias do roxo com o pincel do devaneio desencantado. Só a poucos transeuntes ele franqueia a companhia do corpo e do espírito pelas ruas por onde caminha, e são suas. Franqueia a prosa só aos que — ele acredita — são os emissários das divindades que lhe trazem o conforto moral. Mário não dialoga mais. É interminável o solilóquio que mantém com os muitos amigos mortos e com os poucos vivos.

"Não fui eu." Confessa-lhes já não sabe mais o quê. "Se não fui eu o culpado, quem foi?"

> *Um homem tem muitas mortes:*
> *aquela que irá morrer porque nasce,*
> *aquela que matará o seu batismo*
> *ou o simples nome que lhe é atribuído,*
> *enfim, todas aquelas em que morrerão*
> *as máscaras sociais*
> *com que foi sendo vestida sua vida.*

Propostas pelos percursos entrecruzados, as ruas da cidade sugerem ao corpo amargurado pelo pesadelo os vários deslocamentos geográficos que se confundem com as deambulações alucinadas de fantasma infeliz. Desqualificada pela falta de interesse pela vida concreta, a imaginação do enfermo, em soluços, se revigora passageiramente pelas golfadas de ar fresco que varrem o interior do bonde abarrotado de passageiros. Elas o estimulam a enfrentar as poucas praças e largos que, sob a autoridade da rosa dos ventos, se cruzam no centro dos percursos entrecruzados. Mário rejeita a rua e o meio de transporte cujo destino não é anunciado como estímulo ao corpo e ao espírito.

Estes não chegam a ser influenciados pela beleza do céu azul, decorado de nuvens brancas, e pela alegria do sol tropical. São fugitivas e facilmente camufláveis as impressões sadias causadas pelo esplendor da natureza. Elas não bastam para levá-lo a se esquecer do *mal secreto* que traz dentro de si como ao inimigo íntimo que destrói o encanto da vida.

De maneira incansável, ele caminha e repete os versos do soneto de Raimundo Correia:

Quanta gente que ri, talvez consigo
Guarda um atroz, recôndito inimigo,
Como invisível chaga cancerosa!

Mário inveja o velho e indestrutível Machado e ambiciona — como antes cobiçava o poder e o dinheiro dos políticos — sua vida produtiva, regrada e austera. Observa-lhe com atenção o comportamento diário. Destrincha o método de trabalho que o leva ao ideal dum saber eclético, complexo e profundo. É devido a ele que consegue dar continuidade à obra literária que a olhos vistos reganha valor e aplausos.

Como o relógio de bolso a que dá corda ao despertar, o escritor já consagrado funciona vinte e quatro horas por dia, sem atrasar um segundo a meta planejada. Não há necessidade de acertar as horas. Ao fiscalizarem a curiosidade e o trabalho intelectual do dono do relógio, são as horas que — pelo ritmo do trabalho compulsório dos olhos, das mãos e das pernas do dono — acertam o caminhar dos dois ponteiros e a sucessão dos minutos. Mário anota num caderninho o *emploi du temps* do escritor, como se copiasse de livro de culinária a receita do *plat de résistance* preferido — aquele que merece o destaque do chef por fortalecer o organismo, encantar o paladar e perfumar o restaurante.

Pela manhã, bebido o copo de leite morno receitado pelo médico, Machado escreve horas seguidas. Depois do banho, lê os autores prediletos, passeando pelo gabinete de trabalho. Finda a tarefa diária do escritor, entrega-se à leitura dos jornais antes, durante e depois do almoço servido pela empregada doméstica de plantão. E ainda os lê no bonde, em direção ao trabalho. Percorre de ponta a ponta a *Gazeta de Notícias*, o *Correio da Manhã*, o *Jornal do Comércio*, *O País*, o *Diário Oficial* e, às quintas-feiras, segue o folhetim no *Jornal do Brasil*.

Depois de transcrever na caderneta de anotações a sobremesa servida pelo chef, Mário observa: "Não sei de outro leitor mais assíduo de jornais; admira-me que Machado tivesse o tempo e o gosto de aplicar a atenção a tanta coisa de somenos, sem prejudicar a leitura dos grandes autores e seu próprio trabalho literário".

A inveja ao rigoroso e indestrutível Machado ricocheteia na frustração do acadêmico eleito e às vésperas da cerimônia de posse. Fere de morte o desânimo galopante que o toma, acentuando a fobia de gente que o assalta quando só, solto e livre nalguma avenida ou rua do centro da cidade. A fobia de gente passa a persegui-lo como a cruz ao diabo se em mão de exorcista. O medo só se amansa quando se abriga sob os dois tetos que considera seus de direito. O opressivo e simbólico da chácara da Tijuca e o amistoso do chalé do Cosme Velho.

Mário se estanca diante de um único valor absoluto: o sentimento de posse de algo de concreto que se casa com a sensação de estar sendo possuído por aquilo que o joga inapelavelmente nos braços da morte. A fobia de gente se dissipa diante de um único prazer soberano. Ao estar sendo possuído pela morte, ainda sente o gozo de possuir a vida.

Suplício e autofagia.

Apaga-se definitivamente o *eu* de Mário de Alencar, que comandava a ação.

Frente a frente com os muitos funcionários que estão sob sua chefia no Ministério da Justiça e Negócios Interiores, não consegue mais coordená-los como o maestro que rege os músicos no conjunto e individualmente. *Um verdadeiro pamonha*, ele ouve a expressão soprada pelos cantos das salas da repartição. Abatido, o sujeito sem *eu* é o possesso/possessivo que se abriga sob o teto das duas casas patriarcais e se mascara com metamorfoses precárias e sensaboronas. Nenhuma das sucessivas metamorfoses do corpo e do espírito sobressai. Nenhuma se afirma definitiva. Sobreviver à melancolia requer os constrangimentos e as desonerações de filho pródigo, que ele na realidade não é e talvez nunca chegue a ser, embora tente desesperadamente.

"Se não fui eu o culpado, quem foi?"

Como o carola que carrega pendurado no pescoço o bentinho ou como o idólatra que cultua as artes da magia negra e ostenta anel no dedo indicador como talismã, Mário carrega no bolso do paletó cópia escrita a lápis da longa carta que, dali da Chácara do Castelo, seu pai, José de Alencar, tinha escrito ao amigo Machado de Assis em outro e muito distante verão. Ele a escrevera à tinta no já distante dia 18 de fevereiro de 1868, dia seguinte àquele em que recebe Castro Alves que o visita no Alto da Tijuca.

José de Alencar se deslumbra com a juventude sedutora e cativante do então desconhecido e belo poeta romântico baiano. Mário quer transformar em anel de talismã a cartilha de vida exposta pelo pai no momento em que ele depara com o milagre dos verdes anos de Castro Alves. Copio trecho da carta de 1868: "A mocidade é uma sublime impaciência. Diante dela a vida se dilata, e parece-lhe que não tem mais que um instante para vivê-la. A mocidade põe os lábios na taça da vida, cheia a transbordar de amor, de poesia, de glória, e quisera esvaziá-la de um sorvo".

Castro Alves é tão impaciente quanto a juventude que o esporeia; tão pingente da vida e da poesia quanto o passageiro de bonde que quer chegar logo ao destino. Morre aos vinte e quatro anos, em 1871. O pai de Mário, José, falece em 1877. Ao se abrirem as portas do século xx, Machado de Assis é o sobrevivente que resta a Mário de Alencar. "O bruxo africano", diz e repete Mário.

De que pacto com o Tinhoso Machado se vale para poupar corpo e alma e continuar fomentando a energia indispensável para continuar desbravando gente diversa, mundo moderno e novo século? Como é que a doença pertinaz, sob a guarda da mente diligente e aplicada, ainda libera o corpo que se mantém de pé, inteiro e enxuto? Como é que, a colher os louros da glória, o viúvo solitário do chalé do Cosme Velho materializa num belo romance a perda da esposa querida, trabalhando como sempre trabalhou no gabinete em casa, na repartição pública e na Academia Brasileira de Letras? Como é que o correr das muitas décadas não consegue desnutrir e desalentar o sangue enfermo, corromper a curiosidade intelectual e amesquinhar o ato de escrever literatura? Por que as convulsões epilépticas e as salvadoras drogas daninhas não conseguem sabotar o trabalho crítico do leitor, relegando-o a um mero parasita do alheio atirado na cesta das leituras gratuitas? Por que a droga-da-doença e a droga-das-drogas não estancam a imaginação fértil e áspera do escritor? De que forma Machado consegue transformar no metal valioso e sublime da escrita romanesca a ganga bruta extraída da rotina de leitura de autores variados e dos jornais do dia? Que pepita de ouro de vinte e quatro quilates é produzida na fibra da carne e nos nervos do espírito e neles se oculta? Da pepita ele se serve e, ao laminá-la, escreve a infelicidade de sempre, apenas mais aguda e dolorosa na viuvez e na velhice desamparada.

Na carta que enviou a Machado de Assis em 1868, o pai José também pergunta as perguntas que mortificam o filho Mário, e as responde: "A sobriedade vem com os anos; é virtude do talento viril. Entrado na vida, o homem aprende a poupar sua alma".

Ao contrário do jovem Castro Alves, que foi impaciente com os prazeres da vida e a tirania da poesia, Mário ambicionou desde sempre os bens terrestres em benefício de longa, faustosa e exuberante sobrevida.

Seria a ambição financeira a forma mais degradada da impaciência juvenil?

A sobriedade no comportamento diário nunca tinha batido à porta da sensibilidade perdulária de Mário.

Faltaria a ele o talento viril que, com o correr dos anos, poupa a alma e nunca falta, até mesmo ao viúvo Machado?

Talvez.

Mário de Alencar cria coragem e busca se beneficiar da nova e cativante generosidade paterna de Machado de Assis. Solicita-lhe um grande favor, pouco antes de se despedir dele no largo do Machado.

"Queria que o senhor me desse de presente uma cópia de carta que o senhor guarda com carinho. Uma cópia da carta que meu pai José lhe escreveu lá na Chácara do Castelo, em 1868. Está escrita à tinta pelo papai, quero a cópia escrita a lápis e do seu próprio punho."

"Você a terá em mãos, quando nos reencontrarmos amanhã na Casa do Garnier", assegura Machado ao tomar assento no bonde e se despedir.

Mário de Alencar quer a carta escrita pelo pai copiada a lápis por Machado de Assis porque quer que seja endereçado a ele e só a ele o *rascunho a lápis* da carta paterna escrita à tinta. Ele e o pai detêm os rascunhos de Machado de Assis.

Sem nada de seu, mas de posse das duas versões, Mário se metamorfoseia no possesso/possessivo que reafirma às claras e em perigoso momento da vida se irmana ao pai na condição de filho pródigo do único pai espiritual que a todos sobrevive. A cópia a lápis garante a Mário que é ele próprio quem — de posse do rascunho de 1906 que é a reprodução ipsis litteris da carta de 1868 — intervém de modo subversivo no ciclo evolutivo das gerações literárias. Mário abre um lugar para si e nele encontra abrigo seguro no momento em que é eleito para a Academia Brasileira de Letras e rechaçado por todos. Propositadamente, ele provoca o curto-circuito redentor na fiação elétrica que teceu — além e aquém do túmulo — a boa amizade entre os três e respaldou as respectivas consagrações literárias.

Fresca em 1868, a carta escrita à tinta se repete na caligrafia a lápis, cópia em 1906. E o rascunho recente e o velho original transmigram anacrônica e simultaneamente para o presente tomado pelo diagnóstico das crises que o novo acadêmico vem sofrendo e despertam páginas pouco citadas do Novo Testamento. Na Chácara do Castelo, Mário vem lendo e relendo certo episódio do Evangelho segundo São Mateus. Entremeia a leitura do texto bíblico com a entrega apaixonada aos contos de *Relíquias de casa velha*.

Rascunho por Machado e original por José de Alencar — ou vice-versa — atiçam a curiosidade do filho-do-sangue de José e do filho-do-espírito de Machado, levando-o a descobrir, no rastro abjeto deixado pela doença diagnosticada pelo dr. Miguel, o potencial infinito do seu encontro com a experiência do sublime na vida e na arte. Rascunho e original, original e rascunho, parente e discípulo, discípulo e parente se espelham na redescoberta da passagem eleita do Evangelho segundo São Mateus.

De modo cadenciado e em voz alta, Mário lê frase por frase do episódio bíblico. Quer melhor compreender e memorizar a complexidade da trama a envolver Jesus, os doze apóstolos, o rapaz epiléptico e o pai deste:

> Quando o mestre e os discípulos voltaram até o povo, um homem aproximou-se de Jesus e, de joelhos, suplicava: "Senhor, tem piedade de meu filho! Ele é epiléptico e tem aqueles ataques tão fortes que muitas vezes chega a cair no fogo ou na água. Apresentei-o a teus discípulos, mas eles não foram capazes de curá-lo". Jesus respondeu: "Ó gente incrédula e perversa! Até quando deverei ficar convosco? Até quando terei de suportar-vos? Trazei aqui o filho desse homem". Jesus esconjurou o demônio que saiu do menino e na mesma hora ele ficou curado. Então os discípulos chegaram perto de Jesus e, em particular, lhe perguntaram: "Por que nós não pudemos expulsar este demônio?". Ele respondeu: "Por causa de vossa pouca fé. Eu vos garanto: Se tivésseis uma fé do tamanho de um grão de mostarda, diríeis a este monte: 'sai daqui para ali', ele iria, e nada seria impossível".

À espera do milagre da cura da epilepsia — negado pelas mãos humanas do dr. Miguel Couto —, Mário se refugia e se revigora em reflexões alvissareiras. Refugia-se na leitura do original e do rascunho da carta e na leitura em português do Evangelho segundo São Mateus, tradução do manuscrito original em aramaico. A Bíblia sagrada, grosso e pesado volume de capa negra, fica guardada na gaveta do criado-mudo do quarto de dormir de José e Georgiana e acompanha e reconforta o pai em 1868 e volta a acompanhar e a reconfortar o filho Mário na sua escapada solitária até a Chácara do Castelo, na semana final do mês de fevereiro de 1906.

O ano de 1906 fecha em canícula seguida de tempestades o início do verão em 1905. Sob o sol inclemente e debaixo de chuva torrencial, Mário de Alencar lê e relê as várias folhas copiadas a lápis por Machado de Assis — sem nenhuma espécie de ordem numérica a lhes dar sequência — quando, para subir sozinho até o Alto da Tijuca, toma o bonde ou o tílburi, ou, se em companhia da família, a carruagem. Sobe a serra da Tijuca descarregando os olhos nas palavras a lápis que, ao se confundirem com a revoada assustada dos pássaros, se transubstanciam no ipê coroado de flores amarelas e na paineira que atapeta o caminho com pétalas róseas.

Ao fuxicar os guardados de Machado espalhados pelo seu gabinete, Mário descobre e logo apanha uma imagem solta que reproduz célebre iluminura do livro As riquíssimas horas do duque de Berry. Não se avexa e lhe pergunta, tendo já perdido os resquícios da atitude cerimoniosa que guiava seu comportamento no encontro com o mestre, se não pode roubar a imagem para ele. Machado se encanta com a peraltice que o verbo revela, e sorri. "Pode. É sua", responde-lhe.

O filho pródigo passa a trabalhar com os olhos e a imaginação não só o episódio da cura do jovem epiléptico narrado pelo evangelista Mateus, como também a carta original de José a Machado e sua cópia tardia, tendo acrescentado ao conjunto, em vias de se fechar, a imagem inédita e colorida, mental e autocentrada: a iluminura do livro das riquíssimas horas do duque de Berry. Vestido em azul como o seu discípulo, Jesus cura um epiléptico que — duplamente miserável — se veste com bata cinza e em andrajos, enquanto o Diabo foge apavorado e em tinta preta da cabeça do doente.

Cópia europeia, piedosa e divergente que, ao violar a escrita à tinta do pai defunto e o rascunho a lápis do pai sobrevivente, se afirma nas entrelinhas da alma de Mário de Alencar como algo de belo e de gratuito, como a obra de arte que, na metáfora melancólica e alvissareira que carrega, serve a hóstia na comunhão da família física e espiritual dos epilépticos, tendo como pano

Les Très Riches Heures du duc de Berry, *Museu Condé.*

de fundo angustiante o Rio de Janeiro tomado pela chuva e pela lama, que se contempla lá da Mata Atlântica. Os dignitários republicanos botam abaixo a capital federal para que ela se civilize.

Mário redireciona os olhos para a carta escrita a lápis por Machado:

> A natureza colocou a montanha encantadora da Tijuca a duas léguas da corte, como um ninho para as almas cansadas de pousar no chão. Respira-se à larga, não somente os ares finos que

vigoram o sopro da vida, porém aquele hálito celeste do Criador, que bafejou o mundo recém-nascido. Só nos ermos em que não caíram ainda as fezes da civilização, a terra conserva essa divindade do berço. A Tijuca é um escabelo entre o pântano e a nuvem, entre a terra e o céu. O coração que sobe por este genuflexório, para se prostrar aos pés do Onipotente, conta três degraus: em cada um deles, uma contrição.

Embaixo, no pântano, vive o homem ambicioso; em cima, entre as nuvens, sobrevive a alma contemplativa. Não há como o filho pródigo não ser sensível à opressão das duas escritas paternas que, em desalento e na glorificação da iluminura feita para o duque de Berry, interiorizam a ele debaixo da pele, sufocando-o como a tampa que abafa e comprime o vapor que, sob a ação do fogo, aumenta e se acumula na panela. Lembra frase de Raul Pompeia, cujo romance de suicida, *O Ateneu*, respeita e admira: "Os caracteres inteiriços são como as antigas caldeiras — não têm válvulas de segurança e, em caso de pressão desesperada: despedaçam-se". Volta os olhos para a carta escrita a lápis por Machado para nela enxergar a grandeza que até então não enxergara no pai biológico:

Chega-se enfim ao pico da Tijuca, o ponto culminante da serra. Os olhos deslumbrados veem a terra, como uma vasta ilha a submergir-se entre dois oceanos, o oceano do mar e o oceano do éter. Parece que estes dois infinitos, o abismo e o céu, abrem-se para absorver um ao outro. E no meio dessas imensidades, um átomo, mas um átomo-rei de tanta magnitude. Aí o ímpio é cristão e adora o Deus verdadeiro.

Na sexta-feira 23 de fevereiro de 1906, ao deixar o consultório na rua dos Ourives, 131, Mário de Alencar observa que o motorista do dr. Miguel Couto já tinha estacionado o automóvel estilo cupê à porta do prédio. Consulta o relógio. Passa um pouco das onze. Tendo a consulta se alongado, o motorista fica à espera do patrão. Deve transportá-lo para o almoço em família na rua Marquês de Abrantes, 55, no bairro do Flamengo. O médico e os seus moram no belo palacete recém-comprado do segundo barão de São Clemente, plantador de café fluminense que, desde a Abolição da Escravidão e a Proclamação da República, atravessa graves dificuldades financeiras. Os primeiros anos do século XX tornaram-se insustentáveis.

A nova residência do dr. Miguel fica a dois quarteirões da praça José de Alencar, antiga praça Salema. Naquela praça é que, em 1906, o cavalo e a carroça estão sempre atravancados nos trilhos do bonde que vêm do largo do Machado e seguem pela rua Senador Vergueiro até a enseada de Botafogo. Nos bondes da Companhia do Jardim Botânico se anuncia que qualquer dia destes os trilhos vão se estender por alguns quilômetros mais e atravessar o túnel Carioca, ainda em construção, levando os moradores da cidade até as salutares praias atlânticas. A rua Marquês de Abrantes se abre à direita de quem entra na praça José de Alencar vindo do largo do Machado. É rua larga de nascença e de descendência aristocrática. O bonde trafega pela rua menos nobre, a Senador Vergueiro, que se abre à esquerda da praça.

No dia 1º de maio de 1897, a antiga praça Salema muda definitivamente de nome. A ideia de levantar uma estátua à memória do escritor José de Alencar veio da cidade de Campanha, onde se publica o jornal *Monitor Sul-Mineiro*. Os redatores daquele jornal abrem uma subscrição, logo encampada na capital federal pelo jornal *Gazeta de Notícias* e por ele monitorada. A estátua seria erguida no local onde uma pequena ponte cobria o rio Carioca e permitia o trânsito da rua do Catete para a bifurcação das ruas Senador Vergueiro e Marquês de Abrantes. A ponte

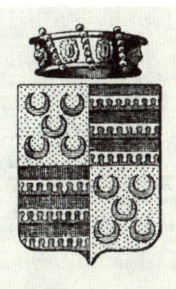

SÃO CLEMENTE. (2.º Barão de) Antonio Clemente Pinto.
Nasceu em Nova-Friburgo, na Provincia do Rio de Janeiro, em 19 de Março de 1860.
Falleceu no Rio de Janeiro, em 13 de Outubro de 1912.
Filho dos 1.ᵒˢ Barões e Condes de São Clemente.
Casou com D. Georgina Pereira de Faro, filha dos 3.ᵒˢ Barões de Rio Bonito.

BRAZÃO DE ARMAS : As de seu pae. Escudo esquartelado : no primeiro e quarto quarteis, em campo de ouro, cinco crescentes de lua de azul, póstos em aspa ; no segundo e terceiro quarteis, as armas dos Vasconcellos, que são : em campo preto tres faxas veiradas e contraveiradas de prata e góles. TIMBRE : uma aguia preta estendida. PAQUIFE : das côres e metaes do brazão. (Brazão passado em 20 de Julho de 1863. Reg. no Cartorio da Nobreza, Liv. VI, fls. 58).

CORÔA : A de Barão.

CREAÇÃO DO TITULO : Barão por decreto de 10 de Agosto de 1889.

Arquivo nobiliárquico brasileiro, *organizado pelo barão de Vasconcelos e pelo barão Smith de Vasconcelos.*

Salema desaparece. O rio Carioca se torna subterrâneo. A praça ganha o nome do romancista cearense. O dinheiro popular arrecadado propicia as festividades. Contam com uma multidão de populares e com a presença de Prudente de Morais, presidente da República, de Furquim Werneck, então prefeito da capital federal, de três bandas de música e de inúmeros escritores, entre eles o filho do homenageado, o jovem Mário de Alencar. A estátua do escritor cearense é de bronze. Foi modelada por Rodolfo Bernardelli.

 O famoso autor de *Iracema* está sentado numa poltrona que tem por peanha um bloco de mármore cinzento, lavrado em forma de círculo. No pedestal estão incrustados quatro baixos-relevos e quatro medalhões, todos esculpidos pelo mesmo artista. Representam cenas das obras literárias do romancista compro-

Praça José de Alencar, antiga Salema; à dir. abre-se a rua Marquês de Abrantes, 1906.

metidas com a formação da nação brasileira: O *guarani*, O *sertanejo*, *Iracema* e O *gaúcho*. O monumento é iluminado pelos quatro lampiões que o cercam.

    O médico dr. Miguel Couto e sua família são vizinhos recentes da praça José de Alencar. Lá não moravam no dia 1º de maio de 1897. Tinham casa no centro da cidade. Na rua Senador Dantas, 27-E, casa vizinha do Quartel da Brigada Policial. Órfão de pai e cuidado pela mãe que era costureira no Arsenal da Marinha em Niterói, sua primeira residência e consultório fora na rua da Prainha, 27, localizada na freguesia da Saúde. Muito trabalhosa e pouco lucrativa é a sua estreia na medicina. O jovem diplomado sobe os morros da Conceição, do Livramento e da Providência, visita os casebres e atende dia e noite à população da freguesia que vive à beira da miséria. É incansável e generoso. Essa primeira experiência anônima e dura é que lhe dá o conhecimento prático que, com o correr dos anos, o qualificará como o melhor clínico geral da cidade.

À noite e na alta madrugada, o centro do Rio de Janeiro vive às moscas. Guarda ainda o aspecto desolador dos velhos tempos dos vice-reis, dos governadores e do rei. As ruas são estreitas, as vielas, sujíssimas e nelas se avoluma o lixo em pequenos montes. Nenhum cidadão de juízo pensa em ir passear em beco escuro e mal calçado que, no entanto, leva o nome de rua. Dentro dos sobrados centenários, as senzalas do rés do chão ganham nova utilidade. Abrigam bares, lojas diversas e oficinas artesanais. Embora festeira, a família carioca é caseira e retraída. Cultiva os parentes próximos e distantes. Também o clã, quando ele existe, e a sociedade, quando sobra muito dinheiro. Vez ou outra, os pais vão ao teatro. Quando saem da sala de espetáculo, voltam correndo para casa. Ou, menos amiúde, os casais dão um pulo até alguma confeitaria da rua Gonçalves Dias para não voltar com o estômago vazio. Casal que sai de casa para se divertir e se atrasa, na volta não encontra o que comer em toda a zona central da cidade. Acaba por morrer definitivamente de fome.

Isso antes de o prefeito Pereira Passos dar ordem ao engenheiro Paulo de Frontin para rasgar em cima dos escombros dos casarões coloniais a avenida Central. A correr de uma ponta à outra do centro da cidade, ela logo ganha ares de bulevar parisiense, com seus elegantes cafés na calçada. Isso antes de o prefeito Pereira Passos, sempre associado ao engenheiro Paulo de Frontin, mandar alargar também as ruas transversais à avenida Central. A Carioca, a Sete de Setembro, a Assembleia e a Uruguaiana. Em poucos anos, toda a parte central da capital federal ganha festas e jorra alegria. Os cariocas boêmios viram de pernas pro ar o elegante e bem-comportado ambiente comercial diurno.

Em carta de 1906 ao amigo Heitor de Bento Cordeiro, cujo

palacete em Laranjeiras fora elegante e concorrido ponto de reunião da sociedade carioca durante o Segundo Reinado, Machado de Assis, com a memória voltada para o esplendor da vida doméstica no passado, informa ao amigo que se cura de doença incurável na Europa: "A avenida Central continua a encher-se de gente, e há já muito quem tome refrescos nas calçadas. Veja se isto é o nosso Rio".

Na passagem do século, antes do bota-abaixo de 1904, compensa e muito a comodidade de morar perto dos vários locais de trabalho e a possibilidade de se socializar com parentes, amigos, colegas profissionais e clientes sem perder muito tempo nos ineficientes meios de transporte urbano.

São muitos e variados os afazeres semanais e profissionais do dr. Miguel Couto. É professor-substituto na Faculdade de Medicina do Rio de Janeiro, localizada na rua Santa Luzia, ao lado da Santa Casa da Misericórdia. Mantém consultório particular na rua dos Ourives. É então primeiro secretário da Academia Nacional de Medicina (antiga Imperial), cuja sede provisória fica na rua do Passeio, no mesmo prédio em que funciona — graças à restauração propiciada pelo ministro J. J. Seabra, cujo ministério arcou com todas as despesas de reconstrução — a Academia Brasileira de Letras. É também colaborador efetivo do prestigioso e único semanário de medicina e cirurgia, *O Brasil Médico*, publicado sob a orientação do polêmico professor Azevedo Sodré, agora em nova sede na rua do Ouvidor, 78. Outros dos colaboradores da revista e amigos seus são os médicos Nina Rodrigues, da Faculdade da Bahia, Oswaldo Cruz, do Instituto soroterápico de Manguinhos, e Juliano Moreira e Afrânio Peixoto, ambos do Hospital Nacional de Alienados. Todos defensores e comprometidos com a modernização que o Distrito Federal reclama e o prefeito Pereira Passos lidera com a ajuda dos profissionais do Clube de Engenharia.

Se o conforto de morar no centro da cidade compensa, arrisca-se a bolsa e a vida a qualquer hora da noite ou do dia. Punguistas e gazuas não faltam e andam à solta. As instituições políticas pouco a pouco se adaptam ao regime republicano e a vida social das novas famílias, privilegiadas pela profissão liberal do patriarca e pela especulação imobiliária, dá continuidade ao modelo gregário e doméstico europeu aclimatado pelo Ancien Régime. Batizados, casamentos e velórios são comemorados de maneira festiva na presença da parentela e do imenso círculo de amigos. Saraus se somam a serões musicais nas residências. Concertos se somam a reuniões familiares e comemorações festivas, a bailes. Lautos banquetes nos restaurantes da moda são de responsabilidade única das novas autoridades no poder. Roupas elegantes para as senhoras, ramalhete nas mãos das damas, charuto para os homens.

Durante a reunião festiva, o palacete ou a casa se abre à curiosidade alheia e os salões da residência, aos convidados. As janelas que dão para a rua são abertas discretamente. As cortinas alvas e rendadas, importadas da ilha da Madeira, avivam a curiosidade e a tentação nos passantes, enquanto, à noite, os salões acolhem familiares, amigos e colegas para os comes e bebes que festejam as várias datas domésticas. O nouveau riche ostenta louça inglesa, prataria portuguesa e taças de cristal boêmio. A elas se somam os vários bens comprados em leilões na praça do Rio de Janeiro ou na Europa, que guarnecem as paredes dos salões de recepção e enfeitam os móveis da sala de jantar. A atmosfera luxuosa reinante passa a ser conhecida de todos e os bens, cobiçados, indistintamente.

A cada dia 1º de maio, os jornais dão notícia do aniversário festejado na rua Senador Dantas, 27-E pelo dr. Miguel Couto. Não é diferente no ano de 1900.

A zona residencial em que moram as famílias de posses é

perigosa à noite. Torna-se mais perigosa e atraente quando não há rondadores ou quando uma das casas da vizinhança se esvazia porque a família foi passar dias de férias ou semanas de veraneio na serra petropolitana ou na fazenda. A pequena burguesia passou a ter por garantido que casa desocupada, ainda que passageiramente, é convite aberto aos moradores do morro da Favela, das ruelas próximas ao quartel-general, dos becos que deságuam no largo da Lapa, das ruas da Conceição, São Jorge e Núncio. Que se tomasse cuidado também com os gatunos nas ruas Dona Luiza, da América, Visconde de Sapucaí e São Francisco Xavier. Que se evitasse ainda a ladeira de Santa Teresa, o Campo de São Cristóvão e o Campo de Marte.

A capital federal assistiu à chegada de sucessivas correntes migratórias na última década do século. Seus novos moradores vinham do interior do próprio estado do Rio de Janeiro e de Minas Gerais e também da Bahia. A primeira das correntes migratórias é consequência da Abolição da Escravidão. Os interioranos trocam suas ocupações na roça pelas ocupações de operário na cidade imperial em reconstrução republicana. A segunda das correntes migratórias, do final da Guerra de Canudos. Ao voltarem da famosa campanha militar, os soldados da tropa não encontram à espera o emprego no estado natal. O número de migrantes é acrescido pelo grande número de imigrantes estrangeiros. São estes que, em 1902, ganharão destaque e agradecimento no discurso de posse do presidente Rodrigues Alves: "Confio grandemente na ação do trabalhador estrangeiro, que nos tem trazido a energia de sua atividade, e em várias zonas da República é conhecida e louvada a influência do seu concurso fecundo para o desenvolvimento de nossas variadas produções".

Casa desocupada é convite aos gatunos, até mesmo quando ela está situada — como é o caso da antiga residência do dr. Miguel Couto — perto do Quartel da Brigada Policial, que tem por

O País, 18 de maio de 1900, residência assaltada.

> Outra proeza dos gatunos deu-se na residencia do Dr. Miguel Couto, á rua Senador Dantas n. 27 E, onde roubaram ante-hontem pela manhã objectos da familia.
> Muitas vezes por ali se tem dado tambem o caso de correrias nocturnas de gatunos em varias casas.
> Apezar da vizinhança do quartel da brigada policial, a alludida rua não tem policiamento e os amigos do alheio invadem audazmente as casas, roubando e lançando o terror nas familias.
> Trazendo o facto ao conhecimento do Dr. Enéas Galvão, pedimos providencias, e a que mais de prompto se impõe é a distribuição de policiaes, que percorram a rua e evitem o funccionamento das gazuas, tão em voga nesta invicta capital da Republica.

anexo a capela da Arquiepiscopal Irmandade Imperial de Nossa Senhora das Dores. O prédio do Quartel não assusta apesar de ocupar todo o quarteirão onde a rua Evaristo da Veiga conflui com a rua Senador Dantas e de ostentar três imponentes andares. O corre-corre dos policiais a sair e a entrar no Quartel — lê-se no jornal O País — "não evita o funcionamento das gazuas tão em voga nesta invicta capital da República".

Não falta policial nem sobra ladrão. Falta é policial que percorra as ruas, patrulhando a cidade.

Os parentes, amigos e clientes do dr. Miguel Couto não se espantam nem se assustam quando informados pelo jornal O País. É assaltada sua residência na rua Senador Dantas. São roubados valiosos objetos de família. O furto não é parte apenas das correrias noturnas dos malfeitores, pode ocorrer a qualquer hora do dia. Pode se dar pela manhã, quando os vários membros da família se ausentam momentaneamente. No entanto, poucos parentes, amigos e clientes do dr. Miguel Couto imaginavam que o arrombamento da casa, seguido de roubo de objetos de família, iria causar grande rebuliço nos meios policiais da capital da República, já às voltas com as propostas de reforma ditadas desde o mês de fevereiro de 1900 pelo recém-empossado delegado de polícia, o gaúcho Eneias Galvão, de nobre estirpe militar e formado pela Faculdade de Direito de São Paulo em ciências jurídicas e sociais. Aliás, o repórter de O País sublinha que faz questão de debater com o dr. Eneias o roubo na casa do ilustre médico carioca. Quem promete que cumpra!

Os jornais não se cansam de estampar os sucessivos feitos do novo delegado e dos policiais sob as suas ordens. O novo delegado está atento não só à rotina dos pequenos crimes do cotidiano, mas também aos grandes acidentes urbanos, como o da explosão da Companhia de Gás. Fica ligado ainda nas revoltas populares, que pipocam nos grupos de operários insatisfeitos e explodem na freguesia de São Cristóvão, então à mercê dos novos patrões, já que sem o tradicional respaldo da vizinha família real. Instruídos pelos passos vigilantes do delegado de polícia e pela conduta zelosa dos guardas noturnos, os grandes jornais cariocas abrem espaço privilegiado para uma nova seção na página criminal. "Os amigos do alheio". Passa a ser a coluna que atrai a curiosidade, a malícia e as piadas dos leitores. De uma delas retirei o recorte em que se narram as desventuras matinais da família Miguel Couto, a que acrescento este:

Já no mês seguinte ao roubo à residência na rua Senador Dantas, é tamanho o descalabro da vigilância policial no Rio de Janeiro que o coronel Hermes da Fonseca, que viria a ser presidente da República e era então comandante da Brigada Policial, convoca o delegado Eneias para discutir questão mais ampla e definitiva. Em pauta nas negociações do alto escalão, a proposta de a força militar da nação reforçar a força policial do Distrito Federal. Força militar e polícia civil dariam as mãos no combate ao crime na capital da República. Assinado o acordo, o coronel Hermes da Fonseca decide que "serão postos à disposição da polícia central mil e tantos praças, diariamente, para que sejam distribuídos pela cidade".

Na união das duas tropas de vigilância, pode-se e deve-se

O País,
11 de agosto
de 1900.

> **OS AMIGOS DO ALHEIO**
> O relogio era de bom metal e trabalhava bem; o preço era vantajoso, mas Alberto Rodrigues não sabia explicar a sua procedencia.
> Foi isto, só esta simples ignorancia que o fez passar sem o relogio, mas com o estomago a dar horas, no xadrez da 10ª delegacia.
> — Gatunos audazes penetraram na casa de Francisco Guimarães, á rua Fernandes, e lhe roubaram varias peças de roupa, na madrugada de hontem.
> — Estando sem nickeis os larapios subiram o morro do Vintem, no Engenho Novo, e em diversas casas furtaram gallinhas e roupas que pretendiam vender. Como, porém, se approximasse uma patrulha de policia os rapinantes fugiram deixando o furto no meio da estrada, tendo as praças o trabalho de o conduzirem á delegacia, ás 4 horas da madrugada de hontem.
> — Os ladrões, ante hontem á noite, assaltaram a casa do Sr. Francisco Ricken, á rua Dr. Barata Ribeiro, em Copacabana, e roubaram roupas e joias no valor de 500$000.
> — Abertas as portas com chaves falsas, os larapios, ante-hontem á noite, deram busca na casa do Sr. Antonio Rodrigues e furtaram diversas ferramentas.
> — Tambem a casa n. 55 da rua da Alegria, onde reside o Sr. Antonio Joaquim da Silva, foi assaltada pelos gatunos que furtaram varios objectos.
> — Ante-hontem á noite os gatunos visitaram a casa do capitão Campos Mello, reporter do *Jornal do Brasil*, mas, surprehendidos em tempo, evadiram-se.

considerar o aprimoramento do controle policial da cidade, então às vésperas da grande revolução urbana e arquitetônica que associaria o bota-abaixo dos casarões coloniais à rápida e eficiente modernização à la barão Haussmann. Acontece, no entanto, o esperado pelos jornalistas, críticos da união entre as duas tropas de vigilância. Logo os responsáveis pela ordem pública extrapolam a noção de crime segundo a lei penal, aplicando-a ao comportamento privado de muitos dos cidadãos e dos artistas.

Extrapolam a noção de crime aos costumes passíveis de repreensão pela moral pequeno-burguesa, herdeira esta da norma imposta à antiga colônia pelos valores aristocratizantes do Ancien Régime. A polícia civil, reforçada pela tropa militar, leva o terror à vida noturna da capital da República, que é também — bom não esquecer — porto marítimo cosmopolita, de grande importância regional.

O delegado Eneias Galvão se responsabiliza por censura moral à peça de teatro levada em cena no Teatro Lucinda e denunciada à polícia por alguns espectadores mais pudicos. No jornal O País de 20 de agosto, lê-se: "S. Ex.ª fez vários cortes no texto teatral, que reputou necessários, e permitiu que o espetáculo prosseguisse". Novas campanhas moralizadoras são lançadas e acompanhadas da ação enérgica dos defensores da lei, como as que proíbem as apostas nos frontões (nome do popularíssimo jogo da pelota, implantado no país pelos imigrantes espanhóis) e o jogo nos boliches, e perseguem criminalmente os bicheiros e os bookmakers.

Em suas crônicas jornalísticas, o mímico do chalé do Cosme Velho demonstra que é comentarista sensível e irônico das intemperanças do tempo e dos seus donos passageiros, e tantas vezes arbitrários. É comentarista sensível ao incansável instinto de resistência do povo à autoridade no poder. A verve de Machado é incontrolável e apresenta o tópico da proibição de apostas nos frontões e no boliche por jogos de palavra brincalhões, que visam a expor o modo galhofeiro como ele compreende os ridículos embates políticos do dia a dia. Afirma o cronista que o homem, uma vez criado, desobedeceu logo ao Criador, que, no entanto, lhe dera de presente um paraíso para viver. Mas não há paraíso que valha o gosto da rebeldia. Que o homem se acostume às leis, tudo bem. Que incline o colo à força e ao bel-prazer, normal. Arremata: é o que acontece com a planta, quando sopra o vento. E conclui: que o homem abençoe a força e cumpra sempre as leis, sempre e sempre, é violar a liberdade primitiva. A liberdade do velho Adão diante do Criador. A liberdade.

Essas especulações sérias e zombeteiras precedem o tópico principal da coluna de jornal — a proibição das apostas. Afirma primeiro que a semana ia andando de modo interessante até que os frontões, os bookmakers e outras liberdades foram sendo controlados pela lei municipal. Diziam uns que a lei *regulava* as liberdades do cidadão. Diziam outros que as *suprimia*. Machado brinca em seguida com o papel ambíguo de controle, assumido pelas autoridades municipais e policiais. Regulam as liberdades, ou as suprimem? Do ponto de vista legal, uma atitude é uma atitude e a outra, outra. Regular não significa evidentemente "suprimir". Tampouco significa "proibir".

E o cronista continua a brincadeira semântica. Invoca primeiro o duplo significado do vocábulo "frontão". Pode ser o "belo ornato arquitetônico" e também o "jogo da pelota oriundo da Espanha". Invoca, em seguida, a ambivalência de sentido do vocábulo inglês "bookmaker". Se tomado ao pé da letra, pode ser "produtor de livro", se tomado como neologismo, é o "corretor de apostas". Os jogos de ironia arquitetados pela linguagem não lhe bastam. Vai adiante e solta um tremendo petardo crítico, que fere a autoridade civil, reforçada então pelo coronel Hermes e pelo prefeito, dita por eles *reguladora* mas que na verdade é *supressora* no modo como controla a conduta do cidadão carioca. Copio o cronista:

> Por isso indignei-me, quando vi o ato do prefeito e da polícia. Pois quê! exclamei; países como a Rússia têm ou tiveram censura literária, mas nunca se lembraram de regular ou suprimir escritores e arquitetos; por que é que, no regime democrático, a autoridade me impede de pôr um frontão na minha casa, ou fazer um livro, se não tiver mais que fazer?

A crônica de Machado não é escrita sob a forma de solilóquio. O cronista entabula conversa com o companheiro de bonde. Depois de trocar ideias com o vizinho, ele arremata o raciocínio parodiando o diálogo entre o dubitativo Hamlet e seu amigo Horácio: "os bookmakers, apesar do nome, nunca escreveram livros e [...] há entre uma casa e outra mais frontões do que sonha minha vã filologia". E do que sonha a filologia dos defensores da ordem pública...

Na noite do dia 16 de dezembro daquele ano, lê-se nos jornais da cidade que a patrulha que ronda a rua do Lavradio, na Lapa, trata duas atrizes do Teatro Recreio como se fossem reles desordeiras e vagabundas. Dois guardas noturnos as intimam para ir à 7ª Delegacia quando elas estão à espera do bonde da Lapa. *Mulheres não podem estar paradas na rua* — decretam os patrulheiros. Não satisfeitos com a intimação, os dois obrigam as duas atrizes a caminharem pelo meio da rua, aos trancos dos cavalos que montam. Na delegacia são soltas. Não há motivo para a intimação, assevera o delegado de plantão. O jornalista que cobre o fait divers conclui por um taxativo "Isto não basta", e exige uma reprimenda à patrulha policial, dirigindo-se diretamente — como era costume nos jornais do tempo — ao delegado Eneias e ao coronel Hermes da Fonseca.

Não satisfeitas com o bom êxito alcançado no policiamento das zonas centrais e residenciais da cidade, a tropa policial e a tropa militar se mostram mais zelosas ainda quando passam pela prazerosa e lasciva rua Carioca, antiga rua do Egito e do Piolho. As senhoras da chamada vida fácil ficam à janela dos sobrados à espera dos clientes noturnos e dos muitos marujos estrangeiros. São elas que, em comitiva, vão à redação dos jornais da cidade reclamar contra as arbitrariedades da força policial. A resposta aos abusos é estampada como matéria nos jornais visitados. Em reflexão perturbadora, que beira o estilo de editorial bem fundamentado, um dos jornalistas de O *País* retoma o gosto pelo jogo de palavras machadiano como força motora da crítica que se robustece com a galhofa e a ironia. Transcrevo:

> A policia não está cumprindo o seu dever: está abusando e quiçá explorando a fraqueza d'essas abandonadas, em beneficio inconfessavel de algumas entidades.
> Não podem chegar á janela as mulheres faceis? E as outras? Quem é o encarregado de fazer essa apreciação e estabelecer essa differença entre o trigo e o joio, entre o facil e o difficil, entre o honesto e o deshonesto? Essa policia pesquizadora e julgadora, confiada a homens sem criterio e sem imputabilidade, cheios apenas de uma somma extravagante e suspeita de incriveis escrupulos de moralidade?!

A senhora burguesa, que se *regula* pela lei, se superpõe à senhorita, de vida fácil, que é *suprimida* pela polícia, para retomar os verbos do mímico do Cosme Velho.

Natural que algum subordinado ao delegado de polícia se esqueça das estripulias cometidas em nome da lei pelos companheiros de farda e se horrorize com fenômeno — este, sim — angustiante, doloroso e profundo. Refiro-me a um caso isolado. Infelizmente. Refiro-me ao memorando enviado ao chefe de polícia, dr. Eneias, pelo delegado da 10ª Circunscrição. Está datado do dia 4 de novembro de 1900. Copio a parte substantiva do memorando, hoje um documento precioso a circular pelas *comunidades* cariocas:

> Obedecendo ao pedido de informações que V. Excelência, em ofício sob nº 7071, ontem me dirigiu relativamente a uma [notícia] local [no] *Jornal do Brasil*, que diz estar o morro da Providência infestado de vagabundos e criminosos que são o sobressalto das famílias no local designado, se bem que não haja famílias no local designado, é ali impossível de ser feito o policiamento porquanto nesse local, foco de desertores, ladrões e praças do Exército, não há ruas, os casebres são construídos de madeira e cobertos de zinco, e não existe em todo o morro um só bico de gás, de modo que para a completa extinção dos malfeitores apontados se torna necessário um grande cerco, que para produzir resultado, precisa pelo menos de um auxílio de 80 praças completamente armados.

Os problemas que a capital federal enfrenta não se resolvem com o policiamento indiscriminado dos miseráveis e dos desclassificados, segundo as normas ditadas pela moral pequeno-burguesa. É a sociedade carioca como um todo que, na passagem do século XIX para o seguinte, embaralha de modo contraditório os cacos que a compõem. Quer ser moderna e é tradicionalista, injusta e preconceituosa. Nunca reconheceu o trabalho livre e continua a não reconhecê-lo e, se é obrigada a reconhecê-lo pelas circunstâncias da Lei Áurea e da Proclamação da República, é apenas para que dele se sirva com um à vontade que escandaliza qualquer estrangeiro culto que nos visita.

As contradições apontadas pelo delegado da 10ª Circunscrição são também objeto de destaque na grande imprensa carioca. Leio em jornal:

> A administração atual da polícia caracteriza-se por um completo menosprezo da lei, em tudo que se refere às garantias da liberdade individual. [...] Assim como o magistrado não pode julgar senão pelas provas dos autos, assim a polícia não pode atentar contra a liberdade senão por indícios muito sérios e de conformidade com a legislação em vigor.

O repórter não esconde nas entrelinhas o novo exemplo que o move. Exibe-o à plena luz do dia: "Há pouco tempo ainda exprobávamos energicamente a remessa para o presídio da ilha das Cobras de indivíduos que a autoridade policial qualificava vagabundos...".

Não dá outra. Por vontade do interessado, Eneias Galvão é exonerado do cargo em decreto do dia 6 de agosto de 1901.

A casa onde mora o dr. Miguel Couto na passagem do século é vizinha do Quartel da Brigada Policial, que se encontra na confluência da rua Senador Dantas com a rua Evaristo da Veiga. Nesta, a poucas centenas de metros da esquina, em prédio contíguo ao do Quartel, está localizada desde 1890 a Roda dos Enjeitados. Naquele ano a Roda dos Enjeitados foi transferida do cais da Glória para o centro da cidade por obra e graça do marquês de Abrantes, provedor da Santa Casa da Misericórdia.

O prédio da Roda ocupa os números 46 e 48 da rua Evaristo da Veiga (antiga rua dos Barbonos, em alusão a religiosos italianos que vieram para o Brasil).

O vestíbulo é ladrilhado de mármore, tem de um lado a sala de pagamento das amas externas e, do outro, a sala da Roda, onde permanece constantemente uma irmã de caridade para recolher os bebês enjeitados, que são depositados pelos pais. Ao lado da escada central, erguem-se as estátuas de São Vicente de Paulo e a da Caridade. No primeiro pavimento, o refeitório, a sala de recreio, a sala do engomado, a cozinha, tanques de lavagem e jardim. No segundo, a capela, a sala dos berços com quarenta berços, o dormitório das crianças enjeitadas com quarenta e dois leitos, a sala de leitura, a de costuras, aposentos das irmãs de caridade, gabinete da irmã superiora, a botica e a sala da administração. Os bebês enjeitados são batizados aos sábados. A administração do estabelecimento é confiada a um tesoureiro, a um escrivão e a um procurador, irmãos da Misericórdia, e eleitos anualmente pela mesa da irmandade. Há um médico interno e dois externos, e onze irmãs de caridade.

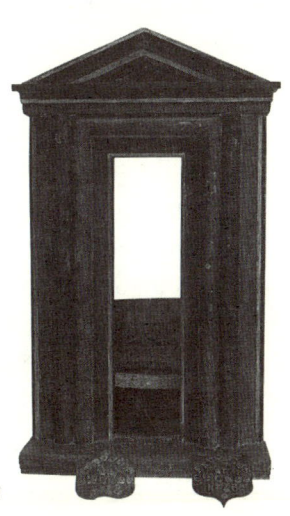

Roda dos Enjeitados

A Roda dos Enjeitados permanece na rua Evaristo da Veiga de 1890 até 1906, ano em que o prédio é comprado da Santa Casa da Misericórdia pelo governo municipal como parte do esforço de modernização da região próxima à construção da avenida Central. É comprado pela Comissão da avenida Central e imediatamente demolido. Dá lugar à ampliação do Quartel da Brigada Policial do Rio de Janeiro.

Em 1911, a Roda dos Enjeitados muda definitivamente de nome — Casa dos Expostos. Passa a funcionar em prédio construído na rua Marquês de Abrantes, no bairro do Flamengo. No número 20, a Santa Casa da Misericórdia manda construir o educandário da Fundação Romão de Mattos Duarte, homenagem à figura histórica que foi a responsável pelo primeiro abrigo de menores no Rio de Janeiro, ainda no século XVIII. No novo e nobre endereço, a engenhoca caritativa muda também de figura. Ganha a feição de modelo mais prático e simples. Seguindo a moda da época, é construída em formato cilíndrico e parece um grande barril pintado de branco. Dentro do cilindro, um mecanismo engenhoso faz a portinhola girar, transferindo a criança da rua para o interior do educandário, e para o cuidado das irmãs de caridade.

Cinco anos depois de ter a casa assaltada e seis antes de a Casa dos Expostos se estabelecer definitivamente na rua Marquês de Abrantes, 20, o dr. Miguel Couto e família mudam a residência para o palacete erguido no número 55 da mesma rua. Está a dois quarteirões da praça José de Alencar, onde começa o bairro do Flamengo, e a poucos metros da antiga Roda dos Enjeitados, sua antiga vizinha na rua Senador Dantas. Comprado do segundo barão de São Clemente, o palacete estava em péssimo estado de conservação e requeria reformas. Custa cento e vinte contos de réis ao novo proprietário.

Na transição do regime monárquico para o republicano, a

Palacete do barão de São Clemente, residência do dr. Miguel Couto.

euforia especulativa e a crise financeira — geradas ambas pela Bolsa de Valores do Rio de Janeiro e nomeadas pelos estudiosos como Encilhamento — facilitam a transação imobiliária efetuada pelo dr. Miguel Couto e outras de maior porte. A transição nos regimes facilita a transação nos imóveis. Na vida financeira do país, transição e transação representam o desaparecimento gradativo do dinheiro velho, em mãos monarquistas, e a emergência definitiva do dinheiro novo, em mãos republicanas, e significam a falência de muitos e o enriquecimento rápido de outros. Impera o espírito de destruição regeneradora. O Encilhamento está ligado a um amplo e complexo sistema de rápidas transformações que têm lugar nas décadas finais do século XIX, a que se acrescentam o retardado fim da escravidão africana e o rápido crescimento da imigração europeia. Em contexto internacional, o amplo e complexo sistema nacional potencializa o Brasil, seja pela valorização do café, principal produto exportado, seja pelo volume inédito das entradas do capital estrangeiro no país.

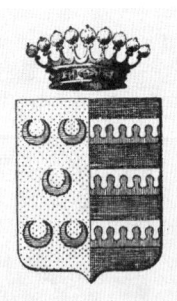

NOVA FRIBURGO. (1.º Barão com grandeza de) Antonio Clemente Pinto.
Nasceu em Ovelha de Matão, em Portugal, em 6 de Janeiro de 1795.
Falleceu em 4 de Outubro de 1869, no Rio de Janeiro, com 75 annos de idade.
Filho de Manuel José Clemente Pinto, e de sua mulher D. Luiza de Miranda, neto paterno de João Clemente Pinto e de sua mulher D. Maria Gonçalves.
Casou com D. Laura Clementina da Silva, que falleceu em Nova Friburgo, a 9 de Janeiro de 1870.
Eram paes do 1.º Barão e Conde de S. Clemente e do 2.º Barão e Conde de Nova Friburgo.
Grande do Imperio, era Dignitario da Imperial Ordem da Rosa e de Christo, e Fidalgo Cavalleiro da Casa Imperial.

BRAZÃO DE ARMAS : Escudo partido em pala : na primeira, em campo de oiro, cinco crescentes de lua de azul, póstos em aspa ; na segundo, as armas dos Vasconcellos, que são : em campo preto, tres faxas veiradas e contraveiradas de prata e góles. TIMBRE: uma aguia de preto, estendida. (Brazão passado em 8 de Desembro de 1857. Reg. no Cartorio da Nobreza, Liv. VI, fls. 37).

CORÔA : A de Conde.

CREAÇÃO DOS TITULOS : Barão por decreto de 28 de Março de 1854. Barão com grandeza por decreto de 23 de Abril de 1860.

Arquivo nobiliárquico brasileiro, *organizado pelo barão de Vasconcelos e pelo barão Smith de Vasconcelos.*

Em 1883, poucos anos antes da Abolição da Escravidão e da Proclamação da República, o sr. Antônio Clemente Pinto (1860-1912), segundo barão de São Clemente, manda construir o palacete residencial na rua Marquês de Abrantes, 55. O proprietário do imóvel pertence a antiga família remediada de imigrantes portugueses que se instalou em 1807 na cidade de Nova Friburgo, tendo se enriquecido com extração de ouro nos sertões de Macacu e com a lavoura do café na região de Cantagalo. É filho de Antônio Clemente Pinto Filho (1830-98) que, por sua

Palacete do largo do Valdetaro, ou dos Nova Friburgo, futuro Palácio do Catete.

vez, é filho de Antônio Clemente Pinto (1785-1869), primeiro visconde e conde de Nova Friburgo. No início do século XX, ele vende o palacete ao dr. Miguel Couto.

O primeiro na linhagem de nobres brasileiros, Antônio Clemente Pinto, já na condição de barão de Nova Friburgo, ganha direito a lugar definitivo na futura história da República do Brasil. É ele quem manda construir o palacete do largo do Valdetaro, futuro Palácio do Catete e segunda sede do poder executivo republicano. A construção do palacete original começa em 1858 e termina em 1866.

Em meados do século XIX, o barão de Nova Friburgo sobressai não só como rico cafeicultor e comerciante, mas também como herdeiro dos enormes lucros auferidos pelos antepassados no tráfico de escravos africanos. Querendo ter residência na capital federal, compra e manda demolir quatro antigas casas no Caminho de Botafogo, no bairro do Catete. Três das casas botadas abaixo se encontram na própria rua do Catete, outrora largo do Valdetaro, e levam os números 159, 161 e 163. A quarta demolida é a casa de número 18-A. Fica ao fundo das demais, na praia do Flamengo. Com três pavimentos e cercado por imenso e belo jardim, o suntuoso palacete tem projeto do arquiteto alemão Carl Friedrich Gustav Waehneldt. No alto da construção, estátuas representam as musas. São gastos mais de três mil contos de réis em dinheiro. A maioria dos trabalhadores são escravos nas fazendas de Antônio Clemente Pinto, entre eles estão os pedreiros e os carpinteiros. A respeito do proprietário do belo palacete circula provérbio bem malicioso pela região de Cantagalo, como anota o barão Von Tschudi, naturalista e explorador suíço que veio visitar os conterrâneos que se estabeleceram em Nova Friburgo desde 1819. Copio o provérbio: "Quem furtou pouco fica ladrão, quem furtou muito fica barão".

As obras de acabamento do palacete do largo do Valdetaro prosseguiriam ainda por mais de uma década. A cantaria lavrada veio de Portugal. Lustres, mobiliário e vitrais vieram da Alemanha e da França. O granito é nacional, da pedreira da Candelária.

Logo depois de ocuparem o palacete do largo do Valdetaro, o barão e a baronesa de Nova Friburgo falecem, legando o luxuoso imóvel a Antônio Clemente Pinto Filho, então conde de São Clemente e diretor da Caixa Econômica e Monte de Socorro do Rio de Janeiro. Por razões que o livro-caixa doméstico não explica inteiramente e que as circunstâncias históricas, sociais e econômicas também não justificam totalmente, o conde de São Clemente — poucos meses depois da Abolição e poucos meses antes da Proclamação da República — vende na bacia das almas, por mil e duzentos contos de réis, o suntuoso imóvel à Companhia Grande Hotel Internacional. O palacete aristocrático teria se transformado em hotel de primeira classe, se o próprio projeto não viesse a falir imediatamente. A propriedade dos Nova Friburgo passa às mãos do maior acionista da Companhia Grande

Hotel, às do conselheiro Francisco de Paula Mayrink, então à frente do processo de fusão do Banco Nacional do Brasil, criado no Império, com o Banco dos Estados Unidos do Brasil, instituição a ser protegida pelas leis bancárias republicanas. Para quitar as dívidas que se amontoam, é o conselheiro Mayrink quem, poucos anos antes da passagem do século, por duas vezes hipoteca o precioso bem. Na última vez o hipoteca a um terceiro e definitivo banco, o da República do Brasil, criado pelo ministro Serzedelo Correia. Finalmente, vende-o à Fazenda Federal no dia 18 de abril de 1896. É a segunda sede do governo executivo da República do Brasil.

A primeira sede do poder executivo republicano se estabelece em 1889, na antiga residência do sr. Francisco José da Rocha, conde de Itamaraty, bem-sucedido comerciante de café e de pedras preciosas na capital federal. Falecido no dia 5 de julho de 1883, é sucedido pela esposa, marquesa de Itamaraty, que vem a falecer em 1896, poucos anos depois de ter vendido o palacete residencial ao Estado brasileiro. O Palácio do Itamaraty, como vem a ser conhecida a aristocrática, confortável e elegante moradia residencial, localiza-se no Campo de Sant'Ana, na rua Marechal Floriano, 196, antiga rua Larga de São Joaquim, e fica próximo à antiga Estrada de Ferro D. Pedro II (posteriormente Central do Brasil).

Em estilo neoclássico, a edificação cor-de-rosa é projeto de José Maria Jacinto Rebelo, discípulo do grande arquiteto francês Grandjean de Montigny e cunhado do todo-poderoso capitalista Francisco de Paula Mayrink, futuro proprietário passageiro do palacete do largo do Valdetaro. O interior do futuro Palácio do Itamaraty apresenta-se com todas as características dos grandes solares do século XIX. O saguão de acesso ao prédio, que tem dois pavimentos, é decorado com mármores róseos. Em suas dependências internas, salões nobres são providos de mobiliá-

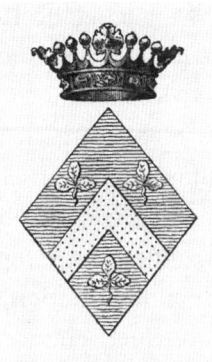

I TAMARATY. (Baroneza, Viscondessa, Condessa e Marqueza de) D. Maria Romana Bernardes da Rocha.

Falleceu no Rio de Janeiro, a 17 de Outubro de 1896.

Casou com o Conde de Itamaraty, Francisco José da Rocha e quando viuva foi agraciada com o titulo de Marqueza de Itamaraty.

BRAZÃO DE ARMAS : Uma lisonja com as armas do seu marido. Em campo azul, uma asna de oiro entre tres trifolios do mesmo metal.

CORÔA : A de Marquez.

CREAÇÃO DOS TITULOS : Baroneza por decreto de 25 de Março de 1854. Viscondessa com grandeza po decreto de 17 de Julho de 1872. Condessa por decreto de 17 de Outubro de 1882. Marqueza por decreto de 29 de Junho de 1887.

Arquivo nobiliárquico brasileiro, *organizado pelo barão de Vasconcelos e pelo barão Smith de Vasconcelos.*

rio requintado e decorados por telas e demais alfaias de grande apuro. Alguns tetos são ricamente estucados e apresentam motivos decorativos ligados ao estilo neoclássico: grifos, quimeras, cornucópias e liras.

Em 1897, adoece Prudente de Morais, primeiro presidente da República civil e primeiro eleito pelo voto popular. Manuel Vitorino, vice-presidente, assume o governo. No dia 24 de fevereiro de 1897, o presidente em exercício da República torna-se responsável por nova e definitiva transação imobiliária. Transfere a sede do governo executivo federal do Palácio do Itamaraty para o palacete do largo do Valdetaro.

Para receber os futuros presidentes e seus familiares, o presidente em exercício tinha mandado executar ampla reforma no palacete, sob a orientação do engenheiro Aarão Reis. Dela participam importantes pintores brasileiros como Antônio Parreiras e Décio Villares. Discípulo do paisagista francês Auguste Marie François Glaziou, Paul Villon é o responsável pela remodelação dos jardins do palacete dos Nova Friburgo. Cabe ao engenheiro Adolfo Aschoff a coordenação do trabalho das instalações elétricas, considerada uma grande inovação tecnológica na época.

No alto da construção imperial, as estátuas originais, que representam as musas, serão substituídas pelas águias que encimam o Brasão da República do Brasil.

Mas as relações entre os escravos africanos e os barões do café do Vale do Paraíba guardam casos bizarros. Com eles se diverte o mímico do chalé do Cosme Velho no palco da escrita romanesca. São muitos os casos e não se justificaria enumerá-los. Só Machado sabe, como nenhum outro romancista brasileiro, relatá-los por alusões precisas, denunciadoras e chocantes. Só ele os desvenda em ironia semelhante à que toma conta do presidente Rodrigues Alves, de origem paulistana, quando, ao descerrar o véu da placa que entrega o largo da Boa Vista ao cidadão comum carioca, solta um petardo malcheiroso nos monarquistas. Seleciono um dos muitos casos que atiçam a imaginação de Machado.

Seu protagonista real já é conhecido do leitor. É o proprietário do palacete da rua Marquês de Abrantes, 55, o sr. Antônio Clemente Pinto. Foco-o bem antes da transação imobiliária com o dr. Miguel Couto, médico clínico de Machado de Assis. Foco-o no mês de abril de 1888, às vésperas da Abolição da Escravidão. Seu império do café atinge então o ponto máximo. Aparentemente, toma decisão ousadíssima, que será correspondida com a concessão do baronato um ano depois de a Lei Áurea ter sido assinada pela princesa Isabel e às vésperas de a República do Brasil ser proclamada.

Volto a focar o protagonista em questão no dia 10 de agosto de 1889. D. Pedro II assina um dos seus últimos decretos, o que concede o título de segundo barão de São Clemente ao sr. Antônio Clemente Pinto. Merece-o, diz o decreto, não só por ser ele o proprietário das fazendas de café Areias, Boa Vista, Jacutinga e Córrego Dantas, como também por ter sido abençoado pelas mãos de Deus, tornando-se o primeiro plantador de café no estado fluminense que, antes da promulgação da Lei Áurea, libera seus escravos num ato de grande coragem e bravura.

Ao libertar antecipadamente mil e trezentos escravos, o arrojado plantador de café e dono do palacete da rua Marquês de Abrantes se torna modelo para todos. A Abolição deixa de ser tema exclusivo dos discursos dos republicanos que já arrombam a porta da Monarquia. A Abolição começa pela prática dos generosos fazendeiros de café.

Paciente do dr. Miguel Couto e atento observador das movimentações políticas e financeiras do grupo social a que pertence, Machado de Assis acompanha de perto a antiga manobra esperta e safada do segundo barão de São Clemente. É personagem que cai como luva no romance *Memorial de Aires*, o último a ser escrito e publicado em vida pelo escritor. Machado muda o nome próprio do barão e o nome das suas propriedades rurais, mas guarda o essencial, que é o que o atrai e o leva para o romance do conselheiro, cuja ação se passa entre 1888 e 1889.

No *Memorial de Aires*, o segundo barão de São Clemente passa a se chamar barão de Santa-Pia (nome evidentemente forjado) e é desenhado como empreendedor individualista e esperto, que prefere antes preservar o que já é seu a obedecer às ordens abolicionistas do imperador Pedro II. No romance, ele é o pai da jovem viúva Fidélia, cuja beleza e inteligência encantam o também viúvo conselheiro Aires, narrador do romance, e os jovens casadoiros. Para que melhor se abrace a cópia ficcional se e quando comparada ao modelo real, o barão de Santa-Pia é surpreendido pelo romancista no início do ano de 1888. O desejo de Machado de Assis é um só: o de recuperar, no diário íntimo do conselheiro, o personagem aristocrático e bizarro — que o Acaso aproxima do seu médico clínico — que padece a experiência da transição da escravidão para o trabalho livre, ou seja, do fim da Monarquia e da Proclamação da República. Sobressai no romance urbano de Machado de Assis um barão do café.

Volto os olhos para as páginas do *Memorial de Aires*. Na anotação do dia 10 de abril de 1888, o narrador conselheiro Aires faz ecoar na atuação do personagem barão de Santa-Pia o ato individualista e vitorioso do segundo barão de São Clemente, aquele que fez uma transação imobiliária com o dr. Miguel Couto. Não sei se copio da história ou do romance este trecho escrito por Machado de Assis e datado do dia 10 de abril de 1888:

> Grande novidade! O motivo da vinda à corte do barão de Santa-Pia é consultar o irmão desembargador sobre a alforria coletiva e imediata dos escravos da fazenda de Santa-Pia. Acabo de sabê-lo, e mais isto, que a principal razão da consulta é apenas a redação do ato. Não parecendo ao irmão que este seja acertado, perguntou-lhe o que é que o impelia a isso, uma vez que condenava a ideia atribuída ao governo de decretar a abolição, e obteve esta resposta, não sei se sutil, se profunda, se ambas as coisas ou nada:
>
> Quero deixar provado que julgo o ato do governo uma espoliação, por intervir no exercício de um direito que só pertence ao proprietário, e do qual uso com perda minha, porque assim o quero e posso.

A maledicência provinciana difunde que, adiantando-se aos dizeres da inadiável Lei Áurea, o escravocrata Clemente Pinto, futuro segundo barão de São Clemente — o barão de Santa-

-Pia no romance —, está na verdade garantindo a manutenção do trabalho braçal nas suas fazendas de café. Para comprovar os boatos que espalham, os pequeno-burgueses de Nova Friburgo dizem que a família do fazendeiro Clemente Pinto é próxima da família real, tendo por mais de uma vez hospedado a realeza em seu palacete da serra. O futuro segundo barão de São Clemente teria tido, em primeira mão, informações privilegiadas da corte. Nos primeiros meses de 1888, a escravidão negra já tinha os dias contados. Os ex-escravos — homens livres — ficam tão agradecidos com o gesto misericordioso do fazendeiro escravocrata que se recusam a receber os salários da colheita seguinte de café.

Volto à história ou ao *Memorial de Aires*, já não sei. Continuo a copiar:

>Retendo o papel, Santa-Pia disse ao irmão:
>>Estou certo que poucos deles deixarão a fazenda; a maior parte dos homens livres ficará comigo, ganhando o salário que lhes vou marcar, e alguns até sem nada —, pelo gosto de morrer onde nasceram.

VI.
A escada e o lustre: a solidariedade humana

> *É absurdo confundir a oratória dos salões, da praça pública, e das tribunas populares, eclesiásticas, forenses e acadêmicas, onde o orador fala com o estômago vazio, e apenas tendo direito a um copo de água para a irrigação periódica da garganta, — com a oratória dos banquetes, dos piqueniques e das ceias, onde o orador fala com o estômago abarrotado, e onde as imagens saltam, com a farofa, do bojo dos perus assados, e os tropos saltam com os vapores alcoólicos, das taças de champanhe, dos copos de cerveja e dos cálices de vinho do Porto. No Brasil, o gênero é novo.*
>
> Fantasio [pseudônimo de Olavo Bilac], "A eloquência de sobremesa", *Kosmos*, junho de 1906

No lauto banquete do fim do século XIX brasileiro, cabe aos republicanos a sobremesa. Apropriam-se dos escombros imobiliários esparramados pela cidade, adquirindo-os dos herdeiros falidos do Segundo Reinado.

Em 1904, ao comprar do segundo barão de São Clemente o palacete que o plantador de café fluminense mandara construir em 1883 na rua Marquês de Abrantes, o dr. Miguel Couto se dá conta do lamentável e desolador estado físico em que se encontra o majestoso prédio. Requer mais do que reformas urgentes, exige a restauração. Para orientar e fazer o delicado e meticuloso trabalho, o novo proprietário contrata o arquiteto e artista Frederick Anton Staeckel, nascido na Alemanha e com ateliê montado em Belo Horizonte. Estabelecido há anos no Rio de Janeiro, Frederick foi convidado em 1894 para decorar o Palácio da Liberdade na nascente Belo Horizonte, tendo transferido o ateliê para Minas Gerais, onde se radica para o resto da vida. De lá, o resgata momentaneamente o dr. Miguel para o trabalho de recuperação do palacete que acaba de comprar.

No início do século XX, o sobrinho do segundo barão de São Clemente seguiu o caminho trilhado no final do século anterior pelo tio, o visconde e conde de Nova Friburgo, primeiro barão de São Clemente, proprietário de mais vasto e mais luxuoso palacete, o do largo do Valdetaro, no Catete. Por razões de ordem pecuniária, os herdeiros do velho barão disponibilizaram o prédio da família a empresa hoteleira internacional. Ao se envolver posteriormente em sucessivas reviravoltas especulativas, a empresa imobiliária contrai vultosas dívidas bancárias e é obrigada a quitá-las com o Estado brasileiro. O valioso e cobiçado imóvel cai nas mãos do poder executivo republicano, instalado inicialmente no confortável, mas insatisfatório, Palácio do Itamaraty, no centro da cidade. No Catete, o grandioso palacete dos Nova Friburgo requer mais do que reformas urgentes, exige a restauração. É contratado o engenheiro Aarão Reis, responsável nos anos 1890 pelo projeto e pela construção da nova capital do estado de Minas Gerais, Belo Horizonte.

Acima da ordem cronológica e abaixo da necessidade, o

arquiteto e artista Frederick Anton Staeckel e o engenheiro Aarão Reis deixam o Rio de Janeiro. Ambos transpõem a serra da Mantiqueira para colaborarem na construção da nova capital de Minas Gerais e ambos a transpõem de volta à sombra da construção da avenida Central na capital federal. De mãos dadas, eles confeitam o bolo a ser servido como sobremesa no lauto banquete republicano que abre o século xx brasileiro.

A emergente República do Brasil e o mais lídimo dos médicos clínicos do novo regime recebem em domicílio as duas mais deliciosas fatias do bolo.

Em 1906, depois de restaurado pela equipe de Frederick Anton Staeckel, o palacete mandado construir pelo barão do café mais novo se transforma na residência particular do dr. Miguel Couto. Dez anos antes, em 1896, depois de restaurado sob a direção de Aarão Reis, o aristocrático palacete mandado construir pelo barão do café mais velho se transforma no republicano Palácio do Catete.

A capital federal ganha status e elegância, reminiscentes dos anos áureos da corte imperial.

O notável médico carioca proclama aos quatro ventos a infância e juventude humildes na cidade de Niterói, onde, por ato de generosidade do proprietário e diretor do Colégio Briggs, completa o curso secundário. Na juventude, o futuro médico clínico ajuda no balcão o irmão mais velho, dono de modesta botica. Daí vem o apelido dado pelos vizinhos: o Miguelzinho da Botica. Já no Rio de Janeiro, inscreve-se na Faculdade Imperial de Medicina, de onde sai diplomado. Como a nova residência no bairro do Flamengo fica distante do centro da cidade, onde o profissional ensina na Faculdade de Medicina e mantém consultório, ele adquire sofisticado automóvel estilo cupê, que lhe serve não só para se locomover com rapidez pela cidade, como para atender os clientes que solicitam seus cuidados em casa.

Elogiado pelos altos dignitários da extinta Monarquia e da recente República, o médico é reprovado pelos fiscais de trânsito quando ao volante do automóvel. Em outubro de 1906, o proprietário do veículo placa nº 19 e já médico clínico de Machado de Assis e de Mário de Alencar é multado em cem mil-réis "por infração do artigo 2º do decreto nº 858 de 15 de abril de 1902 (dirigir o seu automóvel em carreira excessiva pelas ruas deste distrito)", como se lê no edital exarado pela prefeitura. No ano seguinte, em maio de 1907, causa grave acidente automobilístico. À noite, na rua do Passeio, seu veículo vai de encontro ao carro oficial do dr. Miguel Calmon du Pin e Almeida, recém-empossado ministro da Indústria, Viação e Obras Públicas do governo Afonso Pena. Machado, presidente da Academia Brasileira de Letras, cuja sede fica no local do acidente, é alto funcionário desse ministério.

Apesar do bota-abaixo modernizador, a metrópole ainda é uma pequena cidade e por o ser é que, por vias transversas, posso levar Machado de Assis a caminhar pela rua do Passeio, onde reencontra os dois Miguéis em apuros com os fiscais de trânsito. Ao volante dos respectivos carros, os dois se safam de barbeiragem vergonhosa.

Dois Miguéis: seu médico e seu superior hierárquico no trabalho. Machado não é só funcionário sob as ordens do senhor ministro. É também funcionário agradecido. O ministro Miguel Calmon, logo em seguida à posse em dezembro de 1906, promove o escritor a diretor das Rendas Públicas do Tesouro Nacional. Boa compensação: aumento no preço do aluguel do chalé pertencente aos herdeiros da condessa de São Mamede corresponde a aumento no salário do amanuense. Aliás, Machado é funcionário duplamente agradecido ao ministro Calmon, já que é um dos raros convidados para o almoço oferecido por ele ao conterrâneo José Marcelino de Sousa, governador da Bahia, quando da sua vi-

> **CHOQUE DE VEHICULOS**
> O automovel n. 119, de propriedade do dr. Miguel Couto, f.'d ante-hontem á noite, na rua do Paysela, de encontro ao carro do dr. Miguel Calmon, ministro da industria.
> Não houve, felizmente, desastre pessoal.
> O carro soffreu algumas avarias.

sita à capital federal. No mês de janeiro de 1907, ganhou assento no elegante restaurante do Alto do Sumaré.

O jornal *Correio da Manhã* não deixa passar em branco o grotesco acidente automobilístico, que transforma o mímico do chalé do Cosme Velho — que na verdade nada tem a ver com o acidente automobilístico provocado por um dos Miguéis — em mero espectador de mais uma comédia bufa encenada nas ruas da moderna e provinciana capital federal.

A década do Encilhamento, a última do século XIX, traz prejuízos incalculáveis às imprevidentes e perdulárias famílias escravocratas dos barões do café. Depois de passarem pelo golpe de 1888 e de 1889, natural é que elas se sintam desnorteadas financeira e socialmente. Velhos patriarcas e legítimos ou presuntivos herdeiros são obrigados a se livrarem na bacia das almas dos imóveis e de outros bens preciosos que ainda possuem. Sustentam-se no ócio obrigatório, equilibrando o orçamento familiar com o comercial. Nas obscuras e apressadas transações imobiliárias, cujo principal negociante é o Estado republicano e a pequena classe dos nouveaux riches, dois fatores imponderáveis funcionam a favor dos herdeiros imperiais em processo de falência. Por ser o de maior importância, restrinjo-me a um dos fatores.

Proclamada a República do Brasil, os novos governantes da nação têm de se distanciar e manter indiferença ao Bairro Imperial de São Cristóvão, núcleo do poder nacional desde 1808. De um dia para outro, são obrigados a legar ao passado a área ocupada pela família real na Quinta da Boa Vista. O poder republicano não pode ocupar prédios públicos e privados pertencentes à corte imperial e a seus apaniguados, prédios que, no entanto, estão habilitados a acolher a nova e ainda resistente máquina burocrática do governo, a ser posta em marcha com urgência.

Só pelo desprezo radical aos imóveis comprometidos com o Ancien Régime e localizados no Bairro Imperial de São Cristóvão é que os chefes republicanos repudiariam o valor e o peso histórico que o logradouro tradicional simboliza na mente dos ex-escravos, ainda movidos pela figura redentora da princesa Isabel, e das altas figuras da inteligência nacional, saudosas da vitalidade cosmopolita robustecida por d. Pedro II. Na política e no mercado financeiro, o grupo poderoso dos defensores da Monarquia parlamentarista pode vir a trabalhar de maneira sub-reptícia, ou contrarrevolucionária, o renascimento do Ancien Régime.

Por a proclamação da República pelos militares ter sido acidental, os novos e legítimos *inquilinos* (em consonância com o regime republicano, todos os futuros moradores de imóvel público são obrigatoriamente passageiros, ou então ditadores) do poder nacional ficam de um dia para outro sem teto, a exemplo do penúltimo e mais ilustre dos desamparados da história nacional, d. João VI. Em 1808, o príncipe regente de Portugal chega extemporaneamente às costas brasileiras acompanhado de toda a família real e de grande séquito de nobres, prelados, funcionários de Estado e criados, bem como de volumosa bagagem onde se incluíam os arquivos do Estado, o acervo de arte e o tesouro real. Mas sem casa para morar. O príncipe regente lusitano é logo socorrido pelo comerciante Elias Antônio Lopes, seu conterrâneo, que lhe oferece teto, o casarão da Quinta da Boa Vista que, pouco depois, se transforma no Palácio Real.

Em 1889, oitenta anos depois de d. João VI ter posto os pés na terra brasileira e de ter sido presenteado com o casarão da Quinta, é uma imponente mansão particular da capital federal,

Vista da Quinta da Boa Vista, antes da reforma neoclássica.

a do conde de Itamaraty, que vira palácio, o do Itamaraty, e passa a abrigar o desabrigado poder executivo republicano.

De um dia para outro, novos e inesperados inquilinos do poder, de origem plebeia ou pequeno-burguesa, têm de encontrar prédios já construídos para abrigar a nova máquina burocrática e a eles. Prédios bem construídos e elegantes, de bom porte e com vasto terreno, passíveis de acréscimos e de reformas substantivas, que possam dignamente acolhê-los, às respectivas famílias e ao séquito de funcionários públicos. Os imóveis amplos e luxuosos estão todos em mãos de nobres comerciantes e de exploradores de minas de ouro, de pecuaristas e de cafeicultores aristocráticos. São imóveis que, ao se enamorarem do imprevisto e perdulário dinheiro republicano, perdem de imediato a antiga função de abrigar as famílias nobres e ricas, quando em passagem ou de férias pela capital federal. Perdem-nas e ganham inquilinos fardados, ou profissionais liberais, todos não pertencentes à parentela dos velhos patriarcas luso-brasileiros, enriquecidos à custa da escravidão africana.

A restauração dos imóveis imperiais, na verdade pré-republicanos, se torna moda na capital federal. Em fins de 1889, equipes de diferentes especialistas em restauração de prédio convivem com os altos dignitários da República durante a longa restauração do palacete do conde de Itamaraty. A residência particular vira sede do governo. Para a boa realização do trabalho de restauro do prédio, há que se misturar o conhecimento técnico dos competentes engenheiros nacionais, formados pela Escola Politécnica, com o conhecimento artístico, então em mãos de bons artistas, estrangeiros na maioria, já aclimatados ao Brasil desde a época dos embelezamentos urbanos, salientes no Segundo Reinado. Fica a descoberto o choque entre a engenharia civil moderna e o manuseio concreto do belo contemporâneo. Diante do já construído, a combinação de diferentes concepções de arte, às vezes divergentes, gera o estilo eclético, que se impõe e domina o quadro carioca.

Equipes bem financiadas, e desencontradas, de especialistas e de operários livres, pouco ou muito qualificados, reformam as semiabandonadas mansões senhoriais, readaptando-as ao luxo e esplendor digno do regime republicano. Acima da magnífica porta de entrada ou encarapitados na cimeira do prédio, não faltarão os símbolos que representam tanto as novas armas da República quanto as alegorias que saúdam o bem-estar social e o progresso científico e lhes abrem passagem, a que se aliam novas figurações metafóricas que expressam os valores humanos universais e os legitimamente republicanos e democráticos.

Por razão de ordem pessoal — afinal nasci na província das Gerais —, tomo ao artista Frederick Anton Staeckel e ao engenheiro Aarão Reis como exemplos de bons confeiteiros do bolo servido no lauto banquete republicano.

Considero primeiro Aarão Reis, engenheiro formado pela Escola Politécnica do Rio de Janeiro. Surpreendo-o entre os anos de 1894 e de 1896. Pelo exame de três anos de seu currículo profissional, saliento o complexo caminho trilhado por todo e qualquer engenheiro civil diplomado e de indiscutível competência, que acaba na vala comum do trabalho de restauração de palacete particular com a finalidade de torná-lo público.

Em 1894, o jovem e brilhante engenheiro paraense Aarão Reis, radicado no Rio de Janeiro, é convidado pelo presidente do estado de Minas Gerais, Afonso Augusto Moreira Pena, para dirigir a Comissão de Estudo das Localidades Indicadas para a Nova Capital e, logo depois, para conduzir a Comissão Construtora da Nova Capital do Estado. A velha e decadente cidade de Ouro Preto se tornara inapropriada para a função de capital de Minas Gerais. Em 1894, dez anos antes da reforma urbana da capital federal, levada a cabo pelo prefeito Pereira Passos e pelo engenheiro Paulo de Frontin, o know-how do planejamento urbano tropical e da engenharia nacional foi posto em prática na planimetria desenhada por Aarão Reis que, a partir de 1895, servirá de maquete auxiliar na construção da futura cidade de Belo Horizonte.

Poucos meses depois de iniciado o trabalho de construção da nova capital do estado, Aarão Reis, já às voltas com operários de construção, na maioria despreparados para a tarefa, e com políticos possuídos pela ganância financeira e pelas futuras exigências populistas do voto democrático, pede exoneração do cargo de diretor e construtor da nova capital. Dizem as más-línguas que sua postura centralizadora e autoritária e sua linguagem técnica, pouco afeita às concessões de ordem política, foram as responsáveis pelo caldo entornado.

Em 1896, ano seguinte ao do pedido de demissão, a capital federal o chama de volta, não para salvá-lo, mas para desclassificá-lo. Sem emprego, o filho pródigo não se faz de rogado. Muda de estado e de patrão. De um ano para outro o engenheiro de larga visão cosmopolita se metamorfoseia no antigo mestre de obras do período colonial brasileiro, já que se torna corresponsável pela restauração de alguns dos antigos e duradouros casarões da capital federal. A prefeitura municipal já tinha posto abaixo os mais maltratados deles. No Clube de Engenharia, frequentado por Aarão Reis e colegas de profissão, o mestre de obras imperial é a figura desprezada da classe. Em artigo publicado em 1901 na revista da sociedade dos engenheiros, ele é classificado como indivíduo "boçal" e "ignorante".

Coube a Aarão Reis a reforma do palacete senhorial do largo do Valdetaro, antiga residência dos Nova Friburgo. O engenheiro brilhante se transforma num mero remendão de palacete senhorial, a propor soluções arquitetônicas novas e a insinuar escapadas estéticas diferentes, modernas e afrancesadas, dignas da emergente República. Especializa-se no trato de segunda mão da construção civil em ruína.

Fascina-me essa cabeça (ou esse trecho do currículo profissional) de intelectual brasileiro comprometido com as novas ideias republicanas e culturais de progresso urbano e arquitetônico. No papel, é capaz de traçar de maneira inovadora — bem antes do grupo liderado pelo engenheiro Paulo de Frontin no Rio de Janeiro — a planta da futura metrópole mineira. Inspira-se e tem por modelo não apenas os bulevares de Paris levantados por Haussmann, que conhece de perto, ou a nova planta de Buenos Aires, que solicita em carta à embaixada do Brasil na Argentina, mas também a magnitude do projeto de cidade-capital tal como desenhado por Pierre Charles L'Enfant para ser Washington, a futura capital dos Estados Unidos da América.

Fascina-me o modo como essa imaginação geométrica fervilhante, audaz e progressista — tendo por referência modelos carentes de prova de sucesso pela experimentação, mas arrojados e renovadores no tempo — é capaz de levantar, em cenário geográfico montanhoso, doentio e selvagem, inóspito, abstrações pioneiras que só se fertilizam graças ao inestimável poderio político do Estado nacional republicano, dominado pelo sentido de futuro belo e promissor para o cidadão.

Fascina-me, ainda, o jogo político mesquinho e vergonhoso a que está submetida a atrevida e brilhante cabeça. De repente, Aarão Reis, por um gesto estabanado e desesperado de técnico de pavio curto, é levado a entregar a construção da futura cidade de Belo Horizonte ao colega Francisco de Paula Bicalho, que passa a ser o único responsável por tocar a obra imaginada e planejada por ele e por ele legada aos pósteros no concreto do papel.

Entre os anos de 1894 e 1896, as possibilidades do infinito se esfarelam em átomos para Aarão Reis e ambos, ao se cristalizarem numa carreira exemplar, nos transmitem várias lições, sendo a não menos extraordinária o fato de que — para a reforma dos majestosos prédios senhoriais na capital federal — se organizam equipes de engenheiros de formação acadêmica notável a que se associam decoradores brasileiros e também estrangeiros, todos com depurado estudo e experiência europeia. Esses profissionais vão enunciar — em evidente trabalho de última demão, de segunda mão (para ser mais explícito) — os princípios que, na passagem do século XIX para o século XX, norteiam a qualidade arquitetural e artística da jovem República do Brasil.

Os governantes republicanos não desconhecem por completo a competência e a habilidade da geração de engenheiros formada pela Escola Politécnica, mas os instrumentaliza com vistas a um trabalho de remanejamento imobiliário de baixo nível técnico-científico. Se este não os mediocriza, pelo menos arrefece o ímpeto progressista e inovador de que se sentem imbuídos por desígnio do novo regime proclamado por militares de origem plebeia ou pequeno-burguesa. Ao somar aos técnicos uma ilustre geração de artistas plásticos e de decoradores brasileiros que estudaram em Paris — ou de estrangeiros aclimatados —, o Estado republicano retoma o legado imobiliário do antigo regime e o retoca, dá-lhe uma demão, para que se afine aos novos imperativos de espaço público. Os princípios estéticos ditados e expostos pelas reformas externas, e principalmente internas, dos velhos palacetes senhoriais cariocas servem de modelo para a reforma global dos vários imóveis da era republicana, especialmente daqueles que são construídos a partir do zero, como é o caso do extraordinário conjunto da praça da Liberdade na recém-inaugurada Belo Horizonte.

Por eleição pessoal, chego a Frederick Anton Staeckel, arquiteto e artista de origem alemã (que terá o nome aportuguesado para Frederico Steckel do momento em que, no ano de 1897, deixa o Rio de Janeiro e pisa Minas Gerais, dedicando-se à decoração dos prédios governamentais localizados na praça da Liberdade). Como seu colega Aarão Reis, ele circula entre o espaço público republicano e o espaço privado dos nouveaux riches. São instrumentalizados não apenas pelos novos governantes da nação e dos estados, mas também pelos profissionais liberais de sucesso, que vêm a ter acesso ao dinheiro novo que, depois do capítulo do Encilhamento, passa a transitar, em abundância jamais vista, pela pequena burguesia.

O imigrante Frederico Steckel começa sua carreira no Rio de Janeiro em meados do século XIX. Estabelece-se com ateliê próprio na rua do Lavradio e logo recebe encomendas de porte, como a decoração do castelo da ilha Fiscal, de trágica memória para os monarquistas, e também parte da decoração da sede do Real Gabinete Português de Leitura, na rua Luís de Camões. Com nome bem acreditado na praça carioca, Frederico Steckel

Praça da Liberdade, decoração interna de Frederick Anton Staeckel, dezembro de 1896.

é convidado pela Comissão Construtora da Nova Capital do Estado de Minas Gerais para coordenar não só as obras de acabamento das principais edificações destinadas aos responsáveis pelo governo estadual na praça da Liberdade — o palácio do governo e as três secretarias de estado —, mas também as residências dos amanuenses de alto escalão, localizadas no bairro dos Funcionários.

Nos quatro prédios da praça da Liberdade, o esmero e o requinte no desenho do projeto global exigem que venha da Europa grande parte do material utilizado na decoração e no acabamento das partes funcionais. No teto dos salões, destacam-se os painéis de Steckel e de sua equipe de artesãos. Alegorias à Ordem, Progresso, Liberdade e Fraternidade. Importam-se as telhas de Marselha e o mármore de Carrara, e o pinho-de-riga chega da Letônia. As armações de ferro das escadarias e as estruturas metálicas da cobertura são procedentes da Bélgica.

Escadaria executada nas oficinas Acières Bruges (Bélgica). O sistema de confecção, Joly, é desmontável.

Diante do desenho original e da bela, majestosa e simétrica escadaria do Palácio da Liberdade, saúdo meu próximo encontro com o olhar de cobiça do dr. Miguel Couto e com a contemplação rebelde e contraditória, ainda que certeira, do Bruxo do Cosme Velho, e os adio. Dedico-me primeiro ao desenho original belga e à escadaria já construída em Belo Horizonte.

O eixo de sustentação dos degraus, tão escuro quanto o corpo duma borboleta cujas asas são multicoloridas, une o baixo ao alto e possibilita a escada girar sobre si mesma para tornar solidárias as partes laterais já em si iguais. Ao ser duplicado, o análogo orienta o usuário a perceber a unidade dos elementos díspares que, harmoniosamente, atrelam o lado direito do salão de entrada ao seu lado esquerdo e, ainda, o andar inferior ao andar superior. A mente do usuário é tomada pela solidariedade inquebrantável entre as partes do objeto funcional e pela exuberante monotonia do espetáculo, ainda que ele ofereça, como efeito colateral, uma fresta para a admiração estética delirar diante do luxo que se exibe na grandiosidade da concepção da escadaria e na imponência do material associado à cor vermelha.

O efeito de beleza alcançado pela simetria extrai significado na busca da correspondência harmoniosa e justa entre as duas partes aproximadas pelo eixo de sustentação. Chega-se a uma totalidade — um painel artístico esculpido no espaço entre dois andares, ou simplesmente uma escada utilitária — que se autocontempla como única no mundo e desprovida de movimento, já que sua grandeza maior, oculta na preservação pela semelhança da experiência visual de ângulos e de formas retas e circulares, inibe o arrebatamento emocional do usuário. A contemplação do belo salão é incompatível com o susto do usuário, pois a escadaria lhe é dada, antes de ser pisada, sob a forma de uma unidade perfeita.

Em paralelo elucidativo, refiro-me à perfeição e à harmonia

que, ao apreender o corpo humano desenhado por Leonardo da Vinci, subsome na circunferência que dá conta do todo da vida humana. O umbigo é o único centro do orgânico, do geométrico e da própria imagem, centro, aliás, genético e imóvel, em que a simetria estabelece o cânone das belas proporções físicas do corpo.

Em 1904, o dr. Miguel Couto traz de Belo Horizonte para o Rio de Janeiro o arquiteto, decorador e artista plástico Frederico Steckel. Será o responsável pela reforma do palacete da rua Marquês de Abrantes com afrescos ilusionistas (para usar a terminologia técnica do tempo). Traduzem o jogo entre perspectiva e sombra como responsável pela ilusão de realidade. As peças estofadas do mobiliário, com destaque para o canapé, o sofá de dois lugares, as várias poltronas e o conjunto de cadeiras, estão recobertas por tecido de cores suaves. Suaves como a cor pastel. Foram adquiridas em leilões no Brasil e no estrangeiro. Ao ter como referente o Castelo de Louveciennes, propriedade da ambiciosa e bela Madame du Barry, a decoração global do palacete do Flamengo pauta-se pelos estilos Luís XV e Luís XVI.

Na escolha do artista, na decoração requintada e na luxuosa reorganização do espaço interno da nova residência fica evidente a intimidade estilística e cultural que atrela o setor privado ao setor público. O palacete é herança dos barões do café de Nova Friburgo. A reorganização dos cômodos e a decoração do lar são coordenadas por um dos principais artífices europeus da arte republicana brasileira.

A simbiose estilística e cultural entre o bem público e a propriedade privada se encontra representada simbolicamente em princípios retóricos orientados pela simetria perfeita. Esta domina não só a eloquência da arte, que recupera ou edifica os elegantes prédios e os decora com requinte europeu, como tam-

Publicado em 1906 na revista Kosmos. Autor: Olavo Bilac.

A ELOQUENCIA DE SOBREMEZA
ORATORIA E ESTOMAGO

bém a eloquência da fala cidadã, que, sendo esperançosa em relação ao regime republicano e aos novos atores sociais, exprime o bem-estar financeiro da nação e da família brasileira. Tempos e modos politicamente acidentais são imaturos. Não trazem traços arquitetônicos e artísticos discrepantes nem discursos originais. As cópias ad infinitum do mesmo modelo original se materializam em espécime comum e se fazem acompanhar, como forma absoluta da exposição coletiva e individual e da comunicação entre pares, do improviso bisonho dos oradores associado à espontaneidade de cenário e de figurino teatral.

Há um discurso — artístico e linguístico, generalizemos o peso da simbiose entre o público e o privado pelo recurso à eloquência — que é comum a tudo e a todos e generaliza tanto a arquitetura e a decoração da belle époque carioca quanto a retórica da literatura pós-realista, emprestando-lhes a aparência florida e ostentosa de repetição na monotonia. A aparência tranquilizadora do ambiente artístico e linguístico se evidencia na sucessão das ceias familiares, dos piqueniques campestres, dos jantares políticos e das infindáveis comemorações patrióticas, sempre interessadas e interesseiras.

O desrespeito à aparência florida de monotonia-na-repetição ficará em aberto no desejo de criar em 1906, ano em que se comemora o décimo aniversário da Academia Brasileira de Letras, uma língua portuguesa na República do Brasil diferente da língua na corte europeia, atitude que é expressa pela militância barulhenta e equivocada de Medeiros e Albuquerque junto aos acadêmicos instalados no Passeio Público.

> O Sr. Silva-Ramos atacou a reforma: fallou, fallou muito mesmo, invocou os classicos, quebrou lanças pela etymologia, decantou o grego e o latim, as linguas *mater* e acabou por ficar indeciso entre os mil modos que os litteratos conseguiam arranjar para expressar idéas e imagens
> O Sr. Medeiros e Albuquerque com o seu fino espirito, a sua maneira clara e convincente de discutir, defendeu o seu projecto.
> Outros immortaes fallaram: uns defendendo-as mudas e as reuniadas, outros atacando-as.

Gazeta de Notícias, 7 *de junho de 1907*.

Ao questionar o papel colonizador da língua portuguesa e seu passado nefasto e ao querer sustentar a originalidade histórica do novo regime político, os acadêmicos buscam desrespeitar a simetria entre as partes imposta pela colonização, e a nada chegam. A não ser à aparência florida e ostentosa do desrespeito à simetria pela sua aceitação e inevitável repetição. Os acadêmicos que são contra a reforma brasileira da língua portuguesa falam, falam muito mesmo. Invocam os clássicos. Quebram lanças pela etimologia. Decantam o grego e o latim, as línguas *mater*. E acabam por ficar indecisos entre os mil modos que os escritores conseguem arranjar para expressarem ideias e imagens.

Por o desrespeito à simetria colonial ser mera fantasia do pensamento, destituída de presente histórico que a fundamenta, ele só é passível de ser contrariado por acadêmicos docilmente subjugados ao Saber universal, como o tagarela e antigo conimbricense Silva Ramos. Ele fala, fala muito. Para deixar tudo como dantes no quartel de Abrantes.

Se o espelho e a cópula são abomináveis porque multiplicam o número de seres humanos, as alegorias nacionais em voga no meio artístico e cultural o são pela reprodução em massa dos bons e simétricos sentimentos fraternos, progressistas e cristãos. Exemplo de acumulação bela e banal de análogos simétricos se encontra na composição pictórica arquitetada pelo pintor Eliseu Visconti em comovente painel alegórico intitulado *Instrução*

Eliseu Visconti,
Instrução (Solidariedade
humana), *painel*,
*Biblioteca Nacional, Rio
de Janeiro.*

(*Solidariedade humana*). Nele, os valores salientes da cultura ocidental, que fazem a glória tagarela do acadêmico Silva Ramos, servem tanto para enfatizar a tradição universal ambicionada pela jovem nação republicana quanto para passar atestado de minoridade intelectual à bagagem nacional, se vista da perspectiva revolucionária republicana que só encontra beleza na harmonia entre as partes.

No interior do recinto por excelência do Saber ocidental, que é o lugar que ocupa na cidade a biblioteca dita nacional, planejada e mandada construir pelo engenheiro Paulo de Frontin logo depois do bota-abaixo dos velhos casarões coloniais, o pintor Eliseu Visconti, no mural *Solidariedade humana*, posteriormente chamado de *Instrução*, explicita e duplica a necessidade e a função da nobre instituição. Instruída pelo apelo ideológico duplo, a composição pictórica põe em cena — elevando-a até o andar superior do grupo — a figura feminina e angelical da *Solidariedade humana* (ou da *Instrução*), cercando-a — no andar inferior — de múltiplas e semelhantes figuras femininas.

Em gesto que acentua o atributo materno da alegoria, a alegoria angelical abre os braços para acolher, em semicírculo ao seu redor, as diversas outras alegorias angelicais — outras e menores alegorias da grande Alegoria.

No passado greco-latino, as musas ostentavam belos nomes próprios. São substituídas por alegorias despersonalizadas, ou personalizadas pelo caráter moral ou intelectual. Sem os respectivos e belos nomes próprios, as musas ganham na cerimônia de batismo republicano nomes comuns e abstratos. Todas são gulosas da solidariedade entre os povos e as nações do planeta, oferecida pela instrução superior, universal e única.

Com todas as letras a que tem direito, o abecedário republicano e progressista se manifesta nos inúmeros títulos dados aos painéis ou às pinturas alegóricas, seja do Palácio da Liberdade em Belo Horizonte, seja nos museus ou bibliotecas. Os títulos das telas se sucedem uns aos outros com o mesmo e inquestionável peso majestático, garantido pela verdade histórica de futuro promissor e alvissareiro, e dizem tudo: *A memória. A reflexão. A imaginação. A observação. O progresso. A inteligência. O estudo.* O todo se reflete afinal numa única imagem autoritária — a da evolução humana representada como uma flecha a apontar para um futuro altaneiro e redentor, evidentemente abstrato.

O rococó visual se casa ao rococó linguístico e os dois amantes — *bras dessous bras dessus* — falam, falam muito mesmo, e acabam por navegar pelo século XX adentro, arrastando atrás de si toda uma tralha civilizacional que pouco a pouco irá se esgarçando pelas dobras do tempo.

Cidadão republicano que se preza é individualista, só aparentemente. Na realidade, é um orador bem-falante que, no final dos banquetes e das comemorações solidárias, enaltece os novos tempos gloriosos. Para facilitar a digestão das palavras e da comida, o orador se vale, na hora da sobremesa, do jogo de ator matreiro. Apela ao coro dos convivas que, já tomados pelo álcool, se abraçam e entoam canções patrióticas ou hinos guerreiros, canções brejeiras ou modinhas graciosas, e a eles se associa com a voz, o corpo e a alma.

Complacente com os modelos em vigor, a eloquência de sobremesa singulariza a personalidade masculina sem individualizá-la, do mesmo modo que — no dia a dia profissional — impõem-se ao cidadão o fraque, o chapéu-coco, o cravo na lapela e o soberbo bigode negro. Singular e despersonalizado, o orador, ou o bom cidadão, se eleva socialmente por mais uma qualidade que traz em comum com os semelhantes — o título de doutor, título intercambiável com alguns outros, como o de conselheiro, de desembargador ou de comendador.

Facilito a tarefa do leitor e abro um exemplar da revista *Kosmos* de 1906 e transcrevo parte do bem-humorado artigo de Fantasio, pseudônimo com que se traveste o poeta Olavo Bilac para brincar com os colegas e as ideias do tempo. Ele descreve o orador que se expressa pela eloquência de sobremesa, que se vale dos dons de oratória *inter pocula* (entre os copos):

> Vede-o, austero, severo, sério, braço esticado no ardor do improviso, olhos cerrados pela contenção do espírito, afirmando a sua dedicação a um partido ao qual talvez tenha que trair amanhã, ou afirmando o seu nobre desejo de morrer pela Pátria, quando talvez o seu único sincero desejo seja o de repetir a galantina de macuco que foi servida há pouco. A oratória política de sobremesa é hoje uma instituição indestrutível. É em banquetes que os presidentes eleitos apresentam sua plataforma, é em banquetes que se fundam partidos, e é em banquetes que se fazem e desfazem ministérios. São banquetes fartos, magníficos, em que se gasta dinheiro a rodo; e isso não se admira, porque neles é sempre o povo quem paga o pato… ou o peru.

Aos tipos mais loquazes e desejosos da recompensa, que a receberão das damas presentes em mimos delicados e amorosos pela excelência no desempenho social, Fantasio vai opor o orador silencioso, pé de boi. Para desenhar o conviva pragmático que frequenta os banquetes mais importantes da estação com o propósito de abolir a perfeita simetria entre o ato de comer e o ato de negociar, o colunista retira a inspiração de velho refrão lusitano, "Quem come calado não perde bocado". Comer não é negociar, comer é comer. Negociar não é comer, negociar é negociar. O conviva pragmático evita a palavra espertalhona, de que se valem certos comensais para chegarem mais rapidamente ao dinheiro que deve ser única e exclusivamente produto do trabalho livre. No novo século, a grande festa da solidariedade nacional associa o banquete público às negociatas que ele propicia. As mãos se apertam por debaixo das toalhas de mesa portuguesas bordadas em linho, segundo modelos centenários.

A caricatura do orador pé de boi, feita por Calixto e reproduzida na revista *Kosmos*, se faz acompanhar, na sua perfeição formal, de lição onde o eixo de sustentação substantiva a assimetria das ações: "Senhores! Discurso é discurso, e negócio é negócio".

Bato, finalmente, à porta do chalé do Cosme Velho. Atende-me Machado de Assis. Saúda-me e logo me conduz ao gabinete. Mostro-lhe uma reprodução da harmoniosa escada simétrica fabricada em Bruges e exportada para Belo Horizonte. Tão bela quanto uma borboleta ao levantar voo, ela permite a ascensão do andar de baixo ao superior no Palácio da Liberdade. Estamos em 1906. Machado de Assis contempla a estampa e se remexe todo por dentro. Fica cismarento, como é do seu feitio quando uma obsessão se intromete na conversa ou se a fantasia de velho é assediada e tomada por fantasmas.

De repente, ele se metamorfoseia e se apresenta vestido de

O ORADOR PÉ-DE-BOI
«SENHORES! DISCURSO É DISCURSO, E NEGOCIO É NEGOCIO!»

mímico. Usa a vestimenta que eu lhe tinha emprestado por imaginá-lo Buster Keaton. A camisola branca lhe cai à perfeição.

No gabinete, a sós, Machado de Assis idealiza seu último e definitivo romance, *Memorial de Aires*. Estará concluído em 1907 e será entregue aos leitores poucos meses antes da sua morte em setembro de 1908. Trata-se de um diário íntimo, escrito pelo conselheiro Aires no biênio 1888-1889. O romance não vive solitariamente no final da notável carreira de Machado de Assis. O nome de Aires, do conselheiro Aires, está no título escolhido pelo autor e remete a romance anterior, *Esaú e Jacó*, publicado em 1904. Neste, o conselheiro Aires do último livro é um dos protagonistas da trama que envolve os filhos gêmeos e brigolentos de Natividade. O monarquista, Pedro, e o republicano, Paulo. Estão ambos perdidamente apaixonados pela mesma moça, Flora. No decorrer da trama romanesca, vibra um só e belo corpo de mulher, disputado por gêmeos que defendem ideais políticos opostos.

À semelhança da escada imaginada por Steckel, que em mão dupla eleva o usuário ao andar superior do prédio, uma das asas da ficção de Machado — o romance *Esaú e Jacó* — deveria ocupar posição simétrica à da outra asa — o *Memorial de Aires* —, e ambos os livros seriam equilibrados pelo eixo central, o eixo Aires, que garantia os elementos diferentes em perfeita simetria reflexiva.

Se obediente às ordens do eixo de sustentação da obra, Machado de Assis deveria ter imaginado dois romances semelhantes e complementares, que estariam em harmonia como na simetria proposta pela escada de Steckel e no princípio estilístico e estético que norteia a época pós-monarquista e republicana. Em princípio, o leitor poderia começar a leitura subindo por um dos lances da escada, *Esaú e Jacó*, ou subindo pelo outro lance, *Memorial de Aires*, já que ambos ocupam espaço semelhante e simétrico em relação ao eixo central, o conselheiro Aires.

No entanto, os dois últimos romances de Machado de Assis não se parecem, apesar de o eixo de sustentação que os equilibra, o conselheiro Aires, passar aos leitores a impressão de que como tal teriam sido planejados. Por aparecer tanto num romance quanto no outro, o mesmo Aires sugeriria que estaria sendo planejada e consumada uma perfeita simetria reflexiva, digna de final de carreira de grande romancista.

No entanto, ao contrário do que sucede na escada monumental de Steckel, ou na bela e colorida imagem da borboleta, o eixo de sustentação que equilibra *Esaú e Jacó* e o *Memorial de Aires*, apesar de ser o mesmo, apresenta-se como que *enviesado*, ou pelo menos entortado. Não sendo linear, o eixo de sustentação é caprichoso. É desengonçado, desconjuntado, maljeitoso. É singular e, por isso, quebra a composição dos romances não os direcionando pela perfeita simetria reflexiva.

Decorre que, nos últimos anos de vida, Machado de Assis retoma o gosto por questionar o destaque que a eloquência de sobremesa confere ao eixo de sustentação linear, ou à viga que sustenta no ar uma bela escada, ou ao corpo duma borboleta, ou à coluna vertebral que biparte harmoniosamente o ser humano, como no desenho de Leonardo da Vinci. Questiona-os a fim de quebrar tanto as semelhanças gêmeas quanto as semelhanças simetricamente reflexivas. Sua principal função é a de exprimir a solidariedade amistosa entre as partes do conjunto, como acontece no painel *Solidariedade humana* (ou *Instrução*), de Visconti, que decora um dos salões da Biblioteca Nacional.

O questionamento é complexo e profundo e é nele que me embarco. De modo notável, ata a vida de Machado de Assis à sua obra, e vice-versa. Observo, antes, que o romancista se vale de dois gêneros bem distintos quando idealiza os dois últimos livros. *Esaú e Jacó* é romance escrito segundo o gênero dito realista, com narrador em terceira pessoa. Nele, Aires é mero personagem. *Memorial de Aires* é romance que se enquadra no gênero dito diário íntimo, com narrador em primeira pessoa. Não por casualidade o narrador/personagem é o próprio Aires. Não se compõe, não se escreve e não se lê da mesma forma um romance realista e um diário íntimo. A quebra de simetria na escolha do gênero pelo escritor gera o desconforto do enviesamento no leitor. Já não sabe a que retórica da ficção se ater por ocasião da leitura.

A priori, está minado o eixo de sustentação da obra final de Machado de Assis, motor da possível simetria reflexiva. O conselheiro Aires é constituído de forma caprichosa pelo romancista, forma em nada harmoniosa. Ele é primeiro observado pelos olhos do narrador em terceira pessoa de *Esaú e Jacó*, ou seja, é descrito pelo lado de fora, e só no *Memorial de Aires* é que será visto pelo lado de dentro, quando se enxerga a si e se escreve no diário íntimo. Na condição de eixo de sustentação enviesado pelos gêneros conflitantes, Aires desequilibra o que aparentemente se apresentaria como duas asas de borboleta, semelhantes e opostas, partes dum conjunto ficcional fechado. O conjunto ficcional se dá em aberto.

Qual seria a melhor maneira de caracterizar o discreto e bisbilhoteiro diplomata aposentado? Seria pelo recurso ao narrador em terceira pessoa, dito impessoal e evidentemente mais ferino e mais contundente? Ou seria pelo recurso ao narrador em primeira pessoa do singular, dito subjetivo e, evidentemente, mais conivente com os deslizes e as fraquezas do personagem que é também quem narra?

Romance e diário íntimo, narrativa objetiva e narrativa subjetiva, indicam ao leitor que não se podem compreender ou analisar as duas principais questões políticas dramatizadas num livro e no outro — a Abolição da Escravidão e a Proclamação da República — de modo a que não se quebrem as partes e respectivos jogos simétricos que são propostos linguística e visualmente aos tempos que lhe são contemporâneos. O gosto prevalente pelo eixo de sustentação central, que habilita e recompõe as diferenças idiossincráticas e ideológicas, será apreciado de modo distinto e distante por Machado de Assis ao criar um eixo único, o conselheiro Aires, mas enviesado. A simetria reflexiva se quebra na ficção machadiana segundo as circunstâncias e o oportunismo, em semelhança ao modo como o cidadão se define, política e ideologicamente, ou seja, como um vira-casaca. Cada cidadão é habilidoso o bastante para não querer distinguir um partido político de outro porque ambos são análogos e serão definidos de acordo com a situação financeira e o interesse particular de cada um.

Norteadas pelo sentido absoluto do progresso técnico-científico, a estética da oratória e a da arte em fins do século xix e princípios do século xx preservam o eixo de sustentação central de toda e qualquer obra como fundamento da correspondência justa entre as partes opostas, redundando no elogio indiscriminado da simetria reflexiva como modo de descrição das relações humanas no plano social e político. Para o usuário ascender ao andar superior, por mais curvas e veludo que a escada lhe ofereça, ele volta sempre ao único lugar de origem, só que num plano mais elevado. Sente-se "progressista" e "solidário", como se lê no título dado por Visconti ao famoso painel. Sentem-se todos solidários, já que devidamente informados pela mesma "instrução", como se lê no outro título dado por Visconti ao mesmo painel. Pela instrução, os cidadãos republicanos são progressistas solidários. Por mais curvas idiossincráticas que a escadaria — no seu todo — ofereça ao usuário, elas serão sempre subsumidas pelo eixo de sustentação, central e vertical, inquebrantável, a contrastar evidentemente com a horizontalidade cinzenta dos degraus pisados, recobertos pela passarela de veludo vermelho e em parte pela lama das solas de sapato.

A noção de *simetria reflexiva* e a estética que lhe corresponde dominam de tal modo o fim do século XIX e o início do século XX, que Machado de Assis — através do narrador de *Esaú e Jacó* — não terá pejo em explicitar e dramatizar a expressão e o conceito no capítulo CXII, intitulado "O primeiro mês". Neste se narra a visita dos gêmeos ao túmulo de Flora um mês depois de sua morte prematura. No Cemitério de São João Batista, o corpo de Flora no túmulo e sua alma na eternidade continuam divididos entre Pedro e Paulo.

Como Aires é um mero personagem em *Esaú e Jacó*, o romance pode relegar ao segundo plano sua condição inicial de eixo de sustentação dominante. Substitui-o a figura da bela Flora, figura ambivalente, fugaz e redentora. Em aparente simetria reflexiva, os gêmeos, ainda perdidamente apaixonados por Flora, que os inspira e sempre os leva a se refletirem um no outro, já significam a condição bíblica de irmãos inimigos. Brigam desde os tempos antigos, sugere o título do romance. Brigam desde o ventre materno, sente-os a mãe, que tem a sensação física corroborada pela vidente do morro do Castelo que ela consulta. A vidente afirma que os dois irmãos serão gloriosos no futuro. E cito: "Eles hão de subir, subir, subir...".

Na idade madura, os gêmeos se distanciarão um do outro por eleição profissional (um sobe na vida como médico e o outro como advogado) e principalmente por paixão política (um se perde no ideal monarquista e o outro se legitima pelo ideal republicano). Mas os dois se atrelam um ao outro pelo amor a Flora, eixo que sustenta as duas asas de borboleta da trama amorosa do romance. Flora morre inesperadamente, reapresentando-se de modo enviesado e definitivo como o verdadeiro eixo de sustentação.

Retorno ao romance *Esaú e Jacó* para abri-lo no capítulo CXII, "O primeiro mês". No dia 2 de novembro, dia em que se homenageiam os mortos, os irmãos gêmeos e inimigos pranteiam a morte prematura da amada. Decidem ir ao cemitério sem que um comunique ao outro a intenção. Cerzida por Flora enquanto viva, a incomunicabilidade entre os irmãos será costurada para todo o sempre na homenagem que os dois lhe prestam na morte. A visita ao cemitério insiste na simetria reflexiva que os atrela, avivando a solidariedade que tem vergonha de o ser às escâncaras. Ela é organizada de modo desencontrado. Um dos gêmeos deixa as flores ao pé da defunta e o outro, à cabeça do túmulo, corroborando a simetria reflexiva que os impulsiona. Mas a simetria é quebrada pela escolha diferenciada das flores que um e o outro depositam no túmulo. O narrador do romance me informa e me congratulo com ele:

> Não digo que as duas grinaldas fossem das mesmas flores, não só para respeitar a verdade, senão também para afastar qualquer ideia intencional de *simetria* [grifo meu] na ação e no acaso. Uma era de miosótis, outra creio que de perpétuas. Qual fosse a grinalda de um, qual a do outro, não se sabe nem interessa à narração. Nenhuma tinha letreiro.

A verdade diz que os gêmeos e as respectivas e diferentes grinaldas se desencontram à beira do túmulo de Flora. A diferença entre os miosótis e as perpétuas, entre Pedro e Paulo, é anotada pelo narrador do romance para que se possa afastar da leitura qualquer ideia intencional de simetria perfeita tanto na trama romanesca quanto no acaso do encontro desencontrado dos gêmeos no cemitério.

No universo de *Esaú e Jacó*, nem trama nem acaso produzem simetrias reflexivas, eis a verdade exposta pelos gêmeos e pelas grinaldas.

Resta o quê? A lição do texto, que desconjunta mais e mais o eixo central e linear que propõe a simetria entre análogos. De tal forma se apresenta enviesada a visita dos gêmeos ao cemitério que é impossível cerzi-la pelo simples efeito de espelhamento dos gêmeos ou das grinaldas. A simetria reflexiva — apesar de o romancista levantar elementos e mais elementos que serviriam para trabalhá-la até a exaustão como forma — não se presta como fio condutor à lógica da narrativa de *Esaú e Jacó*. Pouco interessa a Machado de Assis a simetria reflexiva, que visa à solidariedade dos bons sentimentos fraternos, amorosos, pátrios e progressistas.

O capítulo seguinte ao CXII, intitulado cum grano salis "Uma Beatriz para dois", continua a invocar a intermediação simétrica proporcionada por Flora, agora transformada na diáfana figura feminina tomada de empréstimo da *Divina comédia*, de Dante. A Flora de Machado não se confunde com a Beatriz. Uma é única e a outra, duas. Flora invoca a intermediação simétrica, mas ao mesmo tempo questiona a possibilidade de o eixo central chegar a ser o orientador da concórdia entre as partes. Neste caso o movimento do eixo de sustentação não leva à ascensão ao andar superior, é antes o foco de luz descensional projetado pelo rico lustre de cristal que se encontra no salão do

Palácio da Liberdade, a iluminar os cômodos escuros da relação humana. Leio trecho do capítulo CXIII:

> Flora, se visse os gestos de ambos [Pedro e Paulo], é provável que descesse do céu, e buscasse maneira de os ouvir perpetuamente, uma Beatriz para dois. Mas não viu ou não lhe pareceu bem descer. Talvez não achasse necessidade de tornar cá, para servir de madrinha a um duelo que deixara em meio.

No caso em que o eixo central da simetria favorece o movimento descensional dos céus, como luz de lustre, torna-se pouco provável que a musa dos gêmeos queira pôr fim ao infindável duelo entre os irmãos inimigos, cuja origem data da Bíblia e vem do útero materno. As guirlandas de flores — como observa Machado de Assis ao comentar o soneto "Alma minha gentil que te partiste", de Camões, em carta endereçada a Mário de Alencar de 26 de fevereiro de 1906 — "tinha[m] a simplicidade sublime de um recado mandado ao céu". Guirlandas de flores depositadas pelo amante no túmulo da musa só são recado mandado ao céu, onde a amada o recebe. Não exigem nem reclamam resposta da defunta destinatária e menos ainda reclamam uma palavra consoladora da musa. São meros recados e por eles o poeta confessa seu amor eterno. "Aqui venho e virei, pobre querida, trazer-te o coração do companheiro", diz o famoso soneto dedicado à amada Carolina.

A metamorfose da bela e indecisa Flora numa dupla e defunta musa, numa Beatriz-para-dois, não harmoniza nem apazigua a simetria reflexiva do ponto de vista cristão. Lá no alto da eternidade, a Beatriz dupla separa ainda mais os gêmeos na terra. Sem a ajuda da musa, vale dizer, sem o recurso à solidariedade proposta pelo eixo de sustentação que explicita a origem divina do amor e o fim cristão da vida, tudo o que na terra parece ser análogo deve ser julgado distinto e distanciado. Sem o eixo central único, as multicoloridas asas de borboleta estão soltas no ar. Distintas e distanciadas o são pelo belo corpo feminino que amam.

Se se concede a importância devida à vontade de Machado de Assis em trabalhar a partir de quebras os valores estabelecidos, a organização da trama ficcional como microcosmo da organização social brasileira ou do concerto das nações se deixa recobrir em seus romances por algumas ressonâncias alvissareiras.

Quebra na organização imobiliária corrupta na capital da República.

Quebra da simetria reflexiva dominante no pensamento e na ação republicana.

Quebra da solidariedade como valor superior do progresso cientificista, evolucionista, religioso e/ou iluminista.

Quebra da ordem cronológica na organização do material histórico legado aos pósteros.

Quebra dos gêneros literários na elaboração de uma obra artística. Quebra dos personagens fictícios pela sua repetição em diferença, como é o caso de Aires ou de Flora...

Todas essas e outras quebras — admiro a genialidade do romancista — são paralelas e se dão na mesma década em que o engenheiro Paulo de Frontin toca o projeto de construção do eixo rodoviário que corta o centro colonial do Rio de Janeiro e simboliza o progresso republicano, eixo a que os engenheiros dão o nome de avenida Central. Se o eixo rodoviário permanece na arquitetura, sendo apelidado, já na Brasília dos anos 1960, de Eixão, na literatura machadiana se insiste na assimetria. A quebra constata o enviesado. Corrobora-o e o significa. Significa o repúdio da harmonia, da perfeição e da beleza que são meras fantasias da eloquência de sobremesa que se funda na infinitude gratuita dos jogos retóricos proporcionados pela crença na simetria reflexiva como princípio do sentimento universal de fraternidade, ou como forma absoluta da solidariedade humana.

Ao visar ao fracionamento e à desagregação, ao dramatizar a quebra, o romance machadiano ganha poder crítico original. Retira do personagem feminino — eleito em literatura como musa redentora, como "Musa consolatrix", para retomar o título do poema de Machado que abre *Crisálidas*, ou então, não sem certa ironia, como a Beatriz-para-dois de *Esaú e Jacó* — o potencial de tornar harmonioso, perfeito e belo o trabalho humano do homem que, naturalmente e sem a inspiração sublime doada por ela, nunca atingirá a qualidade absoluta.

Ao rechaçar o potencial feminino e divino da inspiração, por lhe ser estranho, o trabalho humano do homem se esboroa definitivamente no fracionamento e na fragmentação que ficarão bem evidentes no romance seguinte, *Memorial de Aires*.

A Beatriz-para-dois talvez fosse sensível à lembrança e ao afago dos gêmeos se os enxergasse com os olhos que a morte ainda não tinha comido. Mas não são vivos os olhos com que Flora os vê lá dos céus, são olhos mortais. Por um mecanismo de cegueira que a autopreserva das evocações e invocações sentidas e humanas dos dois apaixonados, Flora/Beatriz não sente necessidade de descer à terra. Não quer voltar a ser madrinha dos gêmeos devotos. Para que lhes inspirar, à lembrança da sua figura, o caminho que os levará a bem viver em harmonia, tranquilidade e paz? São gêmeos, mas não são fraternos. São irmãos briguentos desde o ventre materno. Teriam sido gêmeos fraternos se a ironia machadiana não seccionasse a musa comum em duas, como o ilusionista que secciona sem seccionar o corpo da sua linda companheira de trabalho no palco do cabaré de luxo.

Beatriz — se válida para um, se válida para dois, pouco importa — tem, lá nos céus, olhos humanos demasiadamente humanos. Para que evocá-la e invocá-la, dando sequência à tradição greco-latina retomada pelo amor cortês, se apenas recebe "recados mandados" pelo poeta lírico, como diz Machado a respeito do sentido soneto de Camões. "Se lá no assento etéreo, onde subiste,/ Memória desta vida se consente,/ Não te esqueças daquele amor ardente,/ Que já nos olhos meus tão puro viste". Cortada em duas, Beatriz nem mesmo atende ao rogo dos gêmeos. Partiu desta vida e, no andar de cima, se recolhe ao seu canto, como aqui no andar de baixo os sobreviventes devem se recolher às suas residências.

Não toca à musa o papel suplementar de pôr fim a discórdia e a duelo, ser a razão última do amor entre irmãos que se quer fraterno e solidário. Tampouco ostenta a ambiguidade que lhe presta a tradição greco-latina e cristã: ser origem, meio e fim da produção artística humana. Lá nos céus, Flora assume, cá embaixo, papel humano — o de apenas despertar sinceras e doloridas repercussões individuais e particularizadas. Existe amor, amor humano. Não existe amor transcendente que subsuma o amor humano.

Por ser Beatriz para dois, Flora se presta a individualizar ainda mais o ser humano na sua miséria terrena, levando-o a assumir a fala sensível, afetuosa e distante do grande e terrível e invencível amor mundano. As danças da morte, que a musa defunta inspira, se dançam à luz da lua nos cemitérios e à luz dos castiçais nas igrejas, e obedecem ao estrito calendário religioso das homenagens póstumas. São danças tão precárias quanto as que movimentam os jogos do amor e do acaso típicos dos delicados e paranoicos seres humanos e tão bem dramatizadas — no timbre do falso e do verdadeiro, do parecer e do ser, e raramente no tom a descoberto da sinceridade absoluta — por dramaturgos do peso dos franceses Marivaux ou Alfred de Musset.

Se não me exagero neste acréscimo retórico e julgo não estar exagerando, a cegueira da musa feminina e a sua afasia no plano da inspiração poética são traços bem particulares da vida e da ficção machadiana, e talvez as duas, cegueira e afasia, sintetizem a metáfora que melhor explique a solidão visceral a que o homem humano se entrega de corpo e alma na tarefa de fazer literatura.

O homem assume o papel do mímico que, no palco da escrita, se veste e se pinta de branco para se tornar visivelmente invisível aos olhos do comum dos mortais.

Na biografia de Machado de Assis, a afasia literária, ao ter por origem a descrença na inspiração por parte da musa, se agiganta por uma atitude grave, drástica e definitiva, desesperada até, que o marido toma no ano em que ele morre.

As duas senhoritas nascidas Pinto da Costa, amigas da família, contam que, no ano de 1908, por expressa recomendação do seu único proprietário, mandaram queimar o móvel fechado, mandado entregar à residência delas. O móvel escuro — elas informam em entrevista — continha toda a correspondência trocada entre os enamorados, noivos e esposos Carolina Augusta e Machado de Assis (da correspondência conhecem-se apenas duas cartas de Machado a Carolina, exceção que confirma a regra). Continha também outras relíquias do seu amor. Pedaços do véu de noiva, a grinalda, os sapatinhos de cetim com que se casou a noiva, as joias que a esposa usava habitualmente... Tudo foi queimado pelas irmãs Pinto da Costa por ordem expressa do último proprietário do móvel escuro.

O resgate absoluto da obra literária — sua total independência da presença física da musa e da sua fala inspiradora — é o fogo que incendeia o amor humano no móvel negro, onde as experiências já vividas se guardam sob a forma de lembranças e são expostas, e significam simbolicamente. A figura feminina não é mais a entidade etérea, tão bem expressa pelo mito de Petrarca que ama Laura, a quem o poeta presta preito ao modo cortês. Ela é apenas e principalmente a companheira. É a mulher a quem o poeta celebra e rende homenagem porque ela lhe inspira um amor simples, profundo e definitivo. A cegueira post mortem da musa e a afasia que ela inspira ao amado são a condição objetiva do elogio à mulher e ao amor humano pelo escritor Machado de Assis.

Sim, toda a intimidade matrimonial em chamas é "desejo de poeta e de amante", daquele que deseja deixar a vida convertido em cinzas, para melhor glorificar a morte da amada como a falta que ama. Sem qualquer dívida, o escritor está também quite na hora da sua morte. Desejo do mímico do chalé do Cosme Velho que abre crédito só para si mesmo, a fim de legar aos pósteros o fruto do seu desempenho inigualável no palco da escrita.

Assim pensa Machado de Assis ao escrever ao jovem amigo Mário de Alencar que, no Alto da Tijuca, se queixa da indiferença que lhe desperta a bela paisagem selvagem que, no passado, tinha comovido a tal ponto o pintor francês Nicolas-Antoine Taunay que ele chegara a fixar residência naqueles confins da corte imperial. Em virtude da tristeza que o silencia e o abate no momento das crises de epilepsia, nas "ausências" (para usar a metáfora de que ambos os escritores se valem — com ou sem aspas — para descrever a experiência das crises epilépticas), a natureza fértil da Mata Atlântica e os bons ares da Chácara do Castelo já não servem ao filho de José de Alencar como serviram ao pai, já não servem a Mário de musa inspiradora, apesar de ter ele, como poema de cabeceira e apoio sentimental, a "Musa consolatrix", escrito pelo seu correspondente. É no poema do amigo que Mário encontra a musa que seu lastimável estado de alma pede. Comenta Machado, retomando pelo viés da inspiração a dificuldade que, às voltas com o triste diagnóstico dado pelo dr. Miguel Couto, o jovem escritor enfrenta para escrever *Prometeu*, seu projeto literário mais ambicioso e naturalmente incompleto: "A paisagem não dará tudo, o ar também não, e as musas (digo assim, pois que trato das antigas) fazem pagar caro os seus favores".

Quite com a vida saudável, que inspirou o pai Alencar e

que só acena de longe para o filho, desconfiado da musa avara de antigamente, que exige pagamento pelos poucos favores dados, compete a Mário acertar com Machado os ponteiros simétricos do companheirismo fiel e desinibido que tem como eixo enviesado de sustentação a epilepsia. Por lhes ser comum, a doença retira a ambos do comum dos mortais e dos escritores estabelecidos na praça, levando-os a padecer convulsões ou deixando-os ausentes.

A beleza poética que os dois buscam não está na harmonia e na perfeição oferecidas nem mesmo pela simetria da bela amizade. Nesse momento definitivo em que vida e arte se imbricam, a beleza será convulsiva, ou não será.

O coração do convulsivo escreve à semelhança do sismógrafo, aparelho que detecta, amplia e registra as vibrações da Terra. Pondera Machado ao amigo no dia 23 de fevereiro de 1908: "O mal-estar de espírito a que se refere não se corrige por vontade, nem há conselho que o remova, creio; mas, se um enfermo pode mostrar a outro o espelho do seu próprio mal, conseguirá alguma coisa".

Os dois artistas trocam planilhas que espelham os respectivos corações, assim como médicos avisados trocam diagnósticos semelhantes sobre os males da epilepsia. M. de A., ao quadrado, é observador dos desgastes causados pela convulsão no comportamento individual e social, no corpo, na mente e, principalmente, no espírito criador. O coração sensível do enfermo, estimulado por inesperadas, violentas e traiçoeiras mudanças de humor, detecta e amplia as diferentes vibrações que o corpo e a mente sentem em *ausência*, e registra as crises nas planilhas que se concretizam nas poucas anotações escritas para o médico de ambos, o dr. Miguel Couto, e nas referências precisas ao mal, tal como descritas na correspondência. Em 9 de outubro de 1906, a pedido do médico, Machado anota a experiência por que passa à noite: "(Ao fim do jantar) Crise. Não me ficaram as dores de costume. Mas fiquei sonolento e não saí".

Eis outro exemplo de planilha de sismógrafo, agora retirado de carta que Mário de Alencar envia ao mestre: "Não me falta o que dizer, mas faltam-me as palavras; duvido das mais comuns: estou em suma como um principiante sem vocabulário e sem sintaxe".

E Machado retoma as anotações da planilha do amigo na carta citada acima, de 23 de fevereiro de 1908. Ele está como tem estado nos últimos anos de vida, sem esposa e sem filhos, mesmo assim se julga capaz de exercer o papel de enfermo/médico: "Também eu tenho desses estados de alma, e cá os venço, como posso, sem animações de esposa, nem risos de filhos. Veja se exclui todo o presente, passado e futuro, e fixe um só tempo que compreenda os três: *Prometeu*. A arte é remédio e o melhor deles".

A troca das planilhas de sismógrafo entre os enfermos visa a um objetivo comum, vital e sublime. A criação literária libera ao público o material reprimido socialmente — presente e atuante apenas nas planilhas — e o torna razão de ser para o questionamento da identidade do artista e das normas estéticas vigentes, elaborando outros conceitos críticos e apontando para uma reviravolta na ordem política e social. O material reprimido política e socialmente proporciona um caminho original para o artista chegar ao tempo fora do tempo, que propicia a alta qualidade da sua produção.

Ao tempo fora do tempo os dois se entregam de corpo e alma.

Comungada pelos dois, a *ausência* fabrica seu próprio remédio das entranhas do corpo. Remédio que exclui a diferença entre presente, passado e futuro. O poeta compreende e compacta num só tempo as três dimensões. Compacta a compreensão histórica de tempo humano na própria escrita da obra de arte, no caso, o *Prometeu* que Mário escreve e nunca termina. Se Mário se adentra pelo mito de Prometeu, seu amigo, Machado, assume o papel do irmão, Epimeteu. Prometeu e Epimeteu, irmãos e diferentes. Lembro que o prefixo "pro-" indica que o portador compreende antes do previsto o que vai acontecer, enquanto o prefixo "epi-" diz que seu portador só terá acesso a posteriori ao acontecido, quando já é muito tarde. Se Mário quer prever o tempo futuro, Machado se consola com as artimanhas que lhe são preparadas pelo tempo perdido.

O nirvana propiciado pela ausência (com ou sem aspas) leva de vencida os estados de alma dolorosos, inevitáveis e castradores do espírito criador. No nirvana cataplético — na sensação de "sonolência", para retomar o vocábulo de Machado, ou no retorno à condição de principiante das letras, destituído de vocabulário e de sintaxe —, a crise passa a ser habitada por personagens que escapam às contingências sócio-históricas e econômicas para melhor compô-los e transformá-los em representação. O nirvana subsequente à crise — a não ser confundido com o estado zero da crise que é a própria ausência — é o fundamento do trabalho de arte que se faz ao ritmo da troca de planilhas especulares, ou nos intervalos rigorosos determinados pela absorção do remédio químico ou homeopático receitado, que controla a doença. "[...] se um enfermo pode mostrar a outro o espelho do seu próprio mal conseguirá alguma coisa".

As cartas trocadas entre Machado de Assis e Mário de Alencar não foram guardadas em móvel doméstico. Não foram entregues às duas irmãs Pinto da Costa para o incêndio. Não faz sentido que o tivessem sido pelos respectivos autores. Pelo caminho dos leitores atentos e obsessivos de Machado de Assis, as cartas trocadas deixam o rastro da criação literária que, ao testemunhar sobre a cegueira da antiga musa e sua afasia inspiradora, perdura no tempo como testamento estético dos afligidos pela convulsão, ou como dívida acumulada, de que cada um dos devedores ou os dois devedores nunca estarão quites.

Tornaram-se eles estrelas convulsivas no estrelato das letras brasileiras.

Ao descreverem e ampliarem a profunda amizade que a doença fomenta em sujeitos com perfil humano e psicológico bem diferenciado para metamorfoseá-los em semelhantes e capacitados, as cartas ainda se tornam parelhas ao nomearem a musa que escapa à tradição greco-latina e renascentista, sempre prefigurada pela bela e única mulher, Beatriz, Laura ou quem mais chegar. Fascina saber que, no ato de inspiração, a transferência de responsabilidade da musa idealizada para o sujeito em convulsão, essa descida brusca do monte Parnaso ao mecânico e rigoroso funcionamento do sismógrafo aparece em carta de Machado de Assis a Mário de Alencar, em agradecimento pela leitura constante do poema "Musa consolatrix", que o mais jovem lhe confessa ler e reler. Cito Machado de Assis em 18 de março de 1907:

> Não é preciso dizer o gosto que me deu afirmando que entre as leituras figuram versos meus, o poema *Musa consolatrix*. Eu já me não sinto com vigor que possa transmitir a alguém, a não ser que a pessoa beneficiada não tenha em si mesma a disposição de me aceitar algumas velhas lembranças; em tal caso, a maior e melhor parte do remédio está no próprio enfermo. É o nosso caso.

Estampada na planilha do sismógrafo, a musa — se ainda for apropriado usar o vocábulo "musa" — inspira o artista pela ausência. Instala-se numa falha orgânica. Preenche-a por comportamento sublime e elevado. Espraia-se generosamente pelo corpo e pela mente do enfermo, aliviando-os da paralisia, do sono e da dor. Por ser produto de alteração biológica no organismo humano, e não mera causa de transtorno físico ou de aflição psicológica, a falha não é passível de ter o regime de funcionamento controlado pela vontade ou pela ciência. Ela se assemelha — ou torna os sujeitos enfermos semelhantes — "às pedras insensíveis". Confessa Mário de Alencar em carta de 1º de fevereiro de 1908:

> Depois, ainda agora, veio a tristeza, uma tristeza vaga que por não vir de causa certa e concreta, é talvez pior que a outra, e fiquei e estou incapaz de trabalhar ou pensar. Evito os livros, para não sentir o pensamento. Ando e agito-me para esquecer-me. Oh! Que inveja tenho das pedras insensíveis!

Na falha orgânica, cujo nome mítico e real é monte Parnaso, a musa convulsiva extravia o artista dos rigores nefastos da descendência humana para levá-lo a focalizar única e exclusivamente legado que deve — por condição sine qua non — extrapolar o mundo das aparências, o jogo capcioso do falso com o verdadeiro. Leio em *Memórias póstumas de Brás Cubas*:

> Somadas umas coisas e outras, qualquer pessoa imaginará que não houve míngua nem sobra, e conseguintemente que saí quite com a vida. E imaginará mal; porque ao chegar a este outro lado do mistério, achei-me com um pequeno saldo, que é a derradeira negativa deste capítulo de negativas: — Não tive filhos, não transmiti a nenhuma criatura o legado da nossa miséria.

A musa convulsiva encarna a principal razão de ser do saldo legado à humanidade por Machado de Assis e é por isso que o artista sente a constante necessidade interior de pôr o dedo na ferida da vida e da inspiração literária e de administrar com desconfiança e sabedoria a falha orgânica que abre, consente e inspira o trabalho de arte. Ao mesmo tempo, teve também de cegar a musa antiga e torná-la afásica. Incendiá-la com a ajuda das mãos de duas senhoritas amigas da família, transformando-a em mera representação literária. Uma musa de passagem, desclassificada ao se duplicar, como vimos no episódio do cemitério em *Esaú e Jacó*.

A inspiração machadiana não se deixa sustentar por um eixo vertical linear e único, responsável pelo equilíbrio simétrico entre o lado direito e o lado esquerdo da vida matrimonial. O ato de criação é enviesado e caprichoso e, como é produto trabalhado numa falha orgânica — na falha geológica de San Andreas, outro nome para o monte Parnaso —, ele se descompromissa também de ser obediente às balizas que configuram a representação dita realista para encontrar no próprio corpo sobrevivente — e na sua história de vida — os elementos ricos e rigorosos que anunciam e denunciam a originalidade absoluta do projeto literário.

A proposta artística machadiana, convulsiva por natureza, o exime da obediência à tradição oitocentista do realismo e o convida à busca da alta qualidade pelo próprio e contínuo aperfeiçoamento no trato do material básico, que já se encontra a bordo — isto é, na escrivaninha de trabalho — desde os primeiros e juvenis ensaios de escrita literária. A perfeição é produto do gasto permanente de energia, do desperdício inesperado e calculado. O desgaste no exercício compulsivo da escrita respeita o movimento produtivo e silencioso da excelência. Suspeita-se: o próximo livro será nova surpresa. Escreve Mário de Alencar a respeito do *Memorial de Aires*: "[...] a arte se aperfeiçoa quanto possível depois de já ser perfeita. O que não será esse novo trabalho que o Senhor tem agora em mãos?".

O fato de Machado se insular afetiva e profissionalmente ("profissional", aqui, se refere apenas ao escritor e nunca ao hábil e notável relações-públicas das letras, cofundador da Academia Brasileira de Letras) não pode ser tomado no sentido romântico. Não recobre a crença na divinização da vida interior e nas suas virtudes contemplativas. Não propicia meditação, oração, intuição do mistério individual. Não favorece a poesia da consciência que procura reconhecer-se na reflexão do sujeito sobre si mesmo.

Insular-se é apenas movimento reflexo de sobrevivência; é atitude posterior ao terremoto originado numa falha geológica, numa ausência; é quebra na rotina dos sentimentos pequeno-burgueses provocada pelo tédio de tudo, pela solidariedade no aborrecimento humano. Há em Machado de Assis um ódio entranhado da vida que não o deixa conceber a harmonia, a perfeição e a beleza como produtos paridos pelo progresso científico alardeado no final do século XIX ou por fé em alguma divindade extraterrena. Ou como produtos literários sentimentais engendrados exclusivamente pelo amor matrimonial. O próprio amor matrimonial — como veremos — é razão de sofrimento.

O insulamento de Machado de Assis no chalé do Cosme Velho está traduzido pelo capítulo "Que escapou a Aristóteles", nas *Memórias póstumas de Brás Cubas*. Ali, ele elabora sua teoria sobre a "solidariedade do aborrecimento humano", única forma do sentimento positivo que pode ser compatível com as contradições que ele enfrenta no campo da experiência existencial, a que quer dar sentido pelo exercício constante da literatura.

A língua portuguesa de nossos dias seleciona e abona apenas o mais fraco e mais compreensível dos significados de "aborrecimento" — o que me desgosta, que me contraria. No passado, houve significados mais ousados e menos corriqueiros para o substantivo. São eles que estão mais próximos das intenções literárias de Machado de Assis em suas últimas narrativas, onde a predominância de defuntos e de cemitérios é assustadora. São pelo menos três os outros significados de "aborrecimento". Nomeio-os: (1) sentimento de horror a alguma coisa, aversão, ódio; (2) sentimento de raiva, predisposição à agressividade; e (3) sensação de vazio, lassidão, tédio.

Simplificadamente, a solidariedade humana na vida e na ficção de Machado de Assis se dá em plano bem pouco iluminista e cristão. Machado dissocia o sentido solidário e progressista de comunhão (*Agape*) por qualificar a solidariedade que tem como motor de congraçamento o aborrecimento humano. Dissocia ainda o sentido sublime de amor (*Eros*) por qualificá-lo de modo apenas terreno, amor por sua esposa Carolina.

Resumo. A solidariedade se apoia em sentimento de aversão, na predisposição à agressividade e na estranha sensação de vazio e de tédio. Não poderia haver um ódio do gênero humano que traduz o gesto caridoso de lhe prestar homenagem póstuma? Por que não se insular diante do oceano de sensações vazias e de palavras tediosas, de nervos estraçalhados e de paixões amorosas apenas sentimentais?

O mímico do chalé do Cosme Velho não vive apenas com amor, fúria e desdém as incertezas e as asperezas do dia a dia. Pelo esmero com que arma os gestos no palco e desenha ações inconclusas para os espectadores, transpondo-os, aplica-se ao ritual convulsivo da sobrevivência pelo esforço gratuito, ritmado e belo da escrita. Só a escrita literária é apaziguadora. A musa consoladora não é figura feminina de carne e osso. A musa inspiradora é carne e osso, não se duvide, mas na verdade ela se confunde é com o próprio organismo convulso do artista a cada hora de cada dia e em todas as horas de todos os dias. A musa consoladora é a planilha do sismógrafo que funciona como moto-perpétuo. A planilha se deixa escrever em preto sobre branco pela agulha ultrassensível do aparelho. A tinta preta anota as vibrações da falha do corpo na folha de papel em branco.

Numa das planilhas de sismógrafo que Mário de Alencar envia ao amigo Machado de Assis, ele observa como a escrita propriamente literária é de tal forma poderosa no dia a dia da vida do mestre que ela acaba por transcender o espaço que lhe é reservado pelo artista — o do gabinete de trabalho no chalé do Cosme Velho — para se espraiar por todo e qualquer local público de trabalho — as repartições ministeriais —, onde a escrita se faz indispensável para movimentar a máquina burocrática da nação. Ao ir além do rigor exigido pelo ganha-pão e aquém do rigor exigido pela arte, a escrita de Machado de Assis sensibiliza de modo inédito a escrita dos pareceres de funcionário público. Copio Mário de Alencar:

> Para o Senhor tudo é pretexto para a arte, e o que não cabe nela transforma-se ao toque do seu espírito. Haveria para um curioso de bom gosto uma ocupação compensadora na pesquisa dos seus menores pareceres de funcionário público. O que não tem em si mesmo valor senão ocasional e restrito aos interessados no assunto, revestido da sua palavra estará ali como uma página literária, modelo da língua e da arte.

VII.
A ressurreição dos mortos

> *De mim, vou bem, apenas com os achaques da velhice, mas suportando sem novidade o pecado original, deixe-me chamar-lhe assim. Creio que o Miguel Couto me trouxe a graça.*
> Machado de Assis em carta a Mário de Alencar,
> 21 de janeiro de 1908

> *A Musa, que o ouviu tantas vezes, há de ser desacreditada agora?*
> Mário de Alencar em carta a Machado de Assis,
> 6 de agosto de 1908

Repito-me: no palco, o mímico performa ações incompletas. Na plateia, o espectador completa-as. É o único modo de compreendê-las e de lhes emprestar significado.

Sem temor e com audácia, Machado de Assis está sempre desgastando de modo atribulado e enviesado a figura exemplar da musa. Nos seus escritos literários, em oposição ao que se passa nos grandes poemas líricos da tradição ocidental, a personalidade fascinante da mulher amada não é modelar. Neles, a bela, sedutora e privilegiada figura poética feminina vem envolta pela aura não só da dissimulação, traço dominante do seu temperamento volúvel, como também da ambiguidade, atitude que evidencia a frivolidade na expressão dos sentimentos mais íntimos. Nos escritos literários machadianos, falta à amada sinceridade no amor, postura indispensável à realização do acasalamento almejado pelo protagonista masculino. Representada como dissimulada e ambígua (estou recorrendo a vocábulos recorrentes na ficção machadiana), a amada gesta no coração amoroso masculino dúvidas e mais dúvidas que terminam por corroer a imagem tradicional da musa.

A sensibilidade enferma e frágil do mímico, embora ranheta e caprichosa, retrata as figuras femininas em trejeitos camaleônicos.

O macho deseja e ama a mulher, sem, no entanto, idealizá-la e propô-la como exemplar. Como musa. Sendo o atributo maior da mulher a falta de sinceridade, ela funciona contraditoriamente como mecanismo de defesa do homem apaixonado, já que arrefece seus arroubos amorosos. Ela salvaguarda o pretendente do seu fascínio, autoprotegendo-o por despertar-lhe a dúvida. O diagnóstico do pretendente sobre o caráter da amada, ao se transformar em certeza masculina, vulnerabiliza o desejo e o amor. O diagnóstico serve também de alerta prematuro para a inevitável bancarrota do casamento feliz. Nos romances e contos de Machado de Assis, são raros os momentos de plena felicidade matrimonial.

A exceção confirma a regra: o casal Aguiar em *Memorial de Aires*. O velho Aguiar e sua esposa dona Carmo guardam um único ressentimento da vida: o de não ter filhos. No mais e na tranquila aparência, tudo na vida em comum correu e corre às maravilhas. Para descrever o duradouro, delicado e excepcional relacionamento do casal, os amigos recorrem a metáfora tomada de empréstimo à construção civil, que também destoa no universo ficcional do romancista. Cito, no *Memorial de Aires*, a anotação datada de 4 de fevereiro de 1888. Refere-se à função do cimento e da cal femininos na transformação do noivo em futuro marido: "a alma do noivo era de pedras soltas; a fortaleza da noiva foi o cimento e a cal que as uniram". As pedras soltas da personalidade masculina vulnerável ganham estabilidade emocional se unidas pela argamassa feminina.

Continuo a leitura: "O Aguiar via as coisas pelos seus próprios olhos, mas se estes eram ruins ou doentes, quem lhe dava remédio ao mal físico ou moral era Dona Carmo". A felicidade matrimonial é dada pela reversão das expectativas prognosticadas pelo olhar ruim ou doente do noivo e futuro marido. O olhar torto masculino — físico ou moral — tem de ser lenta e adequadamente *medicado* por aquela que será e é a futura esposa. Uma engenheira civil, capaz de descobrir a fórmula que endireite a coluna vertebral enviesada.

A reflexão íntima do protagonista masculino de Machado de Assis é produto das pedras soltas do seu temperamento e, ao se endereçar às incertezas do amor, tem seu ponto de partida nas primeiras tentativas de escrever literatura. O olhar doente e torto do apaixonado ganha então adjetivo. É de ciumento. O curto e medíocre poema "O ciúme" não me desmente e lá está impresso em *Falenas*, coleção de poemas publicada em 1870, dois anos antes de *Ressurreição*, seu primeiro romance. O ciúme é prévio ao casamento — e muitas vezes o anula, ou o desmorona para sempre, como será o caso do triângulo amoroso no romance *Dom Casmurro*, com destaque para Capitu, Bentinho e Escobar.

No poema de fatura juvenil, o sentimento de ciúme recebe sua primeira e pobre metáfora, o *verme*, e a recebe em versos tão evidentes e, por isso, nada dignos daquele que será reconhecido pelos pósteros como o mímico do chalé do Cosme Velho. "O ciúme" descreve com detalhes óbvios o combate travado entre o verme e a flor. O coração amoroso é a delicada flor que se vê destroçada pelas arremetidas sub-reptícias e impiedosas do verme. O poema termina com dois versos que não deixam dúvida na leitura e no significado das metáforas *verme* e *flor*. Leio em *Falenas* o final do poema e quase morro de vergonha pelo jovem poeta: "Esta flor é o coração,/ Aquele verme o ciúme".

Tendo à sua frente as fantasias caprichosas e sedutoras maquinadas pelo caráter dissimulado da mulher, as pedras soltas da imaginação literária masculina constroem incertezas e dúvidas. Constroem artimanhas furtivas que visam a debilitar a decisão de matrimônio. No romance *Ressurreição*, escrito no trânsito do noivado para o casamento de Machado de Assis com Carolina Augusta Xavier de Novais, as dúvidas alimentadas pelo protagonista são explicitadas com a citação de três versos de Shakespeare: "*Our doubts are traitors,/ And make us lose the good we oft might win,/ By fearing to attempt*" (Nossas dúvidas são traidoras,/ E levam-nos a perder o bem que muitas vezes conquistaríamos,/ Por temor de alcançá-lo). Nesse romance, pouco posterior ao poema "O ciúme", o protagonista Félix, que tinha tudo para ser feliz (até o nome que lhe é dado pelo romancista na pia batismal) com a viúva Lívia, acaba por não se casar com ela.

A trama amorosa do primeiro romance de Machado ecoa no derradeiro, *Memorial de Aires*, e passa antes por *Esaú e Jacó*.

Retiro os olhos dos anos 1870 e os volto para o início do século XX, quando *Esaú e Jacó* é publicado. Flora, a moça amada pelos gêmeos Pedro e Paulo, morre e não se transforma na musa que oferece aos dois sobreviventes o gesto celestial de apaziguamento absoluto e de tranquilidade eterna. Pelo viés do coração masculino ciumento que a tal ponto se fragiliza que também se faz dois ainda no útero, os gêmeos — por esse viés é que retomo a congruência temática com a trama amorosa desenvolvida no capítulo CXII de *Esaú e Jacó*, intitulado "O primeiro mês". Neste, a musa Flora ganha o nome de Beatriz, mas perde a integridade física e a identidade moral ao se dividir em duas. Não se define por Pedro nem por Paulo.

São quatro os personagens que compõem a dupla amorosa nos romances de Machado de Assis. O homem enamorado se subdivide: é o que duvida e é ciumento da mulher. A mulher enamorada se subdivide também: é a que seduz o homem e é também dissimulada. A congruência temática escapa à razão da cronologia. Gira em torno da persistência das dúvidas e das incertezas que geram o ciúme no homem. Gira também em torno da sedução pela beleza e da ambiguidade na escolha do amado que gera a dissimulação na mulher.

O ciúme é sentimento autoritário e, por isso, não coabita com o amor no coração masculino. A dissimulação é sentimento autoritário e, por isso, não coabita com o amor no coração feminino. Por definição, um sentimento autoexclui o outro, e vice-versa.

A congruência temática retorna no último romance de Machado, o *Memorial de Aires*. Abre-se lugar para um verso de Shelley, com significado próximo ao da citação de Shakespeare sobre as dúvidas em *Ressurreição*. O verso de Shelley é leitmotiv do narrador, o conselheiro Aires, às voltas com mais uma das muitas viúvas, Fidélia no caso, que povoam a ficção machadiana, e diz: "*I can give not what men call love*". O ciumento não pode dar a Fidélia o que os homens chamam de amor. Por temor de alcançá-lo, Aires pode perder o bem que muitas vezes conquistaria — retomo a citação de Shakespeare. Os poetas britânicos estão sempre a dar *a little help to his Brazilian friend*.

Na voz lírica do prosador Machado de Assis — e dos seus personagens — está ausente a figura da musa como é reconhecida pelo estilo poético ditado pela cortesia trovadoresca. É exceção a reciprocidade generosa e forte do amor feminino que, no caso do casal Aguiar do *Memorial de Aires*, rebocou e cimentou a incongruência masculina e continuou a cimentar anos afora a comunhão das duas almas.

Os demais escritos de Machado de Assis seguem a regra que gera a exceção. A longa confissão da experiência amorosa tal como vivida física e espiritualmente pelo casal se encontra tolhida pelo amor masculino. Tome-se como baliza o verso de Shelley citado no *Memorial de Aires*, tal como revisto e reescrito pelo conselheiro. Complemento a citação do verso de Shelley, "*I can give not what men call love*", com o comentário final do conselheiro: "Assim disse comigo em inglês, mas logo depois repeti em prosa nossa a confissão do poeta Shelley, com um fecho da minha composição: 'Eu não posso dar o que os homens chamam amor... e é pena!'". A falha no caráter masculino é uma pena (em todos os vários sentidos de vocábulo tão caro ao poeta Luís de Camões).

Volto os olhos para *Ressurreição*. Sua originalidade reside no fato de que a ficção dramatiza não a decisão de Félix, a de casar-se com a viúva Lívia, mulher por quem ele se apaixona, mas a indecisão, que se faz acompanhar pela difamação do caráter volúvel da amada. Félix duvida da lisura e da autenticidade dos sentimentos amorosos de Lívia. Lembre-se que os já citados versos de Shakespeare são tão esclarecedores das dúvidas sofridas pelo protagonista quanto os dois versos finais de "O ciúme" o são do poema. Afirma o escritor que quer "pôr em ação" no romance *Ressurreição* a dúvida que não leva à decisão, antes à falta de coragem, ao medo, à impossibilidade da decisão. Em suma, a trama romanesca administra a indecisão do protagonista masculino tal como proposta pelos versos de Shakespeare; é a dúvida que fortalece a negação da decisão de casar-se.

Homem indeciso, mulher dissimulada. A viúva é o protagonista feminino mais carregado de dramaticidade no universo machadiano. Quando ela não estiver à mão da trama romanesca, o romancista a inventa sob a forma de falsa adúltera, como é o caso de Capitu a trair o marido com o amigo Escobar. No primeiro romance, Lívia é viúva. No último romance, *Memorial de Aires*, Fidélia, cujo nome próprio, em gesto de ironia do mímico, já a trai, é viúva. Ao reatar as pontas extremas da ficção de Machado de Assis, a enigmática viúva repisa o dilema que fomenta a indecisão masculina. Reorienta-a pela existência — real ou fictícia — de um defunto amor na vida dela. O grande drama para o enamorado é o da ameaça de corporificação no presente do marido fantasmático. Frente a frente com o novo pretendente, a viúva revive, por sua vez, a malícia avivada pela indecisão masculina. Lembre-se a autocrítica do ciumento Bentinho no final do romance *Dom Casmurro*: "Jesus, filho de Sirach, se soubesse dos meus primeiros ciúmes, dir-me-ia, como no seu cap. IX, vers. I: 'Não tenhas ciúmes de tua mulher para que ela não se meta a enganar-te com a malícia que aprender de ti'".

A dissimulação feminina se confunde com a dúvida masculina, seu original; ela é cópia da dissimulação-maquinada-para-ela pelo ciumento. A cópia feminina acaba por ser, do ponto de vista da retórica do romance machadiano, tão verossímil quanto o original masculino.

Diante da nova proposta amorosa que se lhe oferece, a viúva oscila como pêndulo de relógio entre a fidelidade ao defunto e a traição à sua memória. As viúvas Lívia e Fidélia — pensam

Félix e o conselheiro Aires, indistintamente — só podem ser fiéis às propostas de segundo casamento se forem infiéis aos respectivos defuntos. Só a fidelidade inquebrantável ao primeiro marido justifica, paradoxalmente, a fidelidade ao novo marido. Fiel ao defunto, infiel ao vivo. Infiel ao defunto, infiel ao vivo. Questão de amor ou de caráter. Os dois efeitos de simetria reflexiva, para retomar o tema caro a Machado de Assis, têm o casamento como eixo de sustentação enviesado, já que as duas asas de borboleta — o novo pretendente e a viúva — se encontram desencontradas pela existência do primeiro marido e sua esposa. No primeiro caso, o ciúme masculino desequilibra o casamento; no outro, é a condição ambígua da viúva que ameaça o equilíbrio. O eixo de sustentação enviesado não possibilita a simetria reflexiva justa. Não há harmonia matrimonial.

O drama que o solteirão e ciumento Félix enfrenta em *Ressurreição* é simples: tem de decidir se leva ou não a viúva Lívia ao altar. Suas suspeitas sobre a fidelidade da noiva são revigoradas na véspera do casamento. Recebe carta lacônica e, evidentemente, anônima em que se acusa a futura esposa de já o trair antes da cerimônia religiosa. Espírito predisposto à própria desconfiança e à dissimulação feminina, Félix não pensa duas vezes. Dá total crédito à carta lacônica e anônima. Abandona o projeto de casamento.

A carta infame — pressente acertadamente Félix — é falsa. Deve ter sido escrita pelo seu melhor amigo, Luís Batista, também pretendente dos favores da viúva e por ela preterido. Escrita pela pena da inveja ou do orgulho ferido de Luís Batista, a carta não é merecedora de crédito.

No entanto, a carta — pressente paranoicamente Félix — é também verdadeira. Para ele conta mais a verossimilhança da situação criada pela carta: se a viúva for infiel ao defunto, será infiel a qualquer novo pretendente.

Conta menos a verdade proporcionada pelo exame detido dos fatos. O ciúme preexiste ao casamento e, excludente e autoritário como forma que é de afeto racional, atiça a verossimilhança dos dizeres da carta. Pouco importa se o que ela diz é verdade ou é calúnia. Importa a adequação da maledicência ao fato. Copio trecho do romance: "O que Félix interiormente pensava era que, suprimida a vilania de Luís Batista, não estava excluída a verossimilhança do fato, e basta ela para lhe dar razão".

Ainda inseguro do instrumento de trabalho e mais inseguro ainda quanto à capacidade de apreensão, pelo leitor brasileiro, do drama moral, que passa a ser matriz das futuras narrativas, Machado de Assis deixa que o narrador em terceira pessoa se intrometa na narrativa a fim de deixar claro que os dizeres da carta eram realmente torpes e falsos e que Félix estava sendo levado, ao maximizar a racionalização sobre casamento com viúva. Comete equívoco moral no julgamento da amada. Os fatos do amor e do casamento se dão sempre no modo duplamente enviesado como são concebidos e vivenciados. Escreve o narrador e eu copio: "Entendamo-nos, leitor; eu, que te estou contando esta história, posso afirmar-te que a carta era efetivamente de Luís Batista".

A carta era realmente falsa. Nos anos 1870, romancista e poeta são ainda aprendizes. O narrador de *Ressurreição* — de maneira gauche, traço que mantém em comum com o poeta de "O ciúme" — desvenda para o leitor a verdadeira procedência da carta e a falsidade dos dizeres anônimos. Desvenda também a atitude imperdoável de Félix em relação à conduta da viúva. E deixa, finalmente, a todo e qualquer leitor a tarefa e a responsabilidade de julgar Félix. Deveria julgá-lo pela calúnia gratuita que ele endossa? Deveria julgá-lo pelo seu caráter de homem desconfiado e indeciso? Deveria ter cancelado a cerimônia do casamento, baseando-se única e exclusivamente na mentira forjada pelo amigo?

Félix favorece a razão aconselhada pela verossimilhança: não se deve nunca confiar na sinceridade e na fidelidade de jovem e bela senhora viúva. O protagonista masculino empresta ao eixo de sustentação, que é o acasalamento, as contraditórias qualidades convulsivas do enviesamento.

Ressurreição é título enigmático. O vocábulo vem estampado na capa do livro e na folha de rosto. Não reaparece uma única vez no romance.

Sem documento nem explicação, recorro ao Evangelho segundo São Mateus e a uma de suas parábolas, "A ressurreição dos mortos" (capítulo 31, versículos 22 e 23). O evangelista Mateus narra o modo como Jesus desarma a charada que os saduceus lhe propõem: sendo eles a favor da reencarnação, querem saber de Cristo com qual dos sete maridos defuntos ficará a esposa que por sete vezes foi levada ao altar e nunca teve filhos. Assinale-se que a charada dos saduceus, a priori favoráveis à reencarnação, e a resposta de Cristo, que sobrepõe a ela a *ressurreição*, trabalha o espaço da congruência temática enunciada graças aos vários exemplos literários tomados a Machado de Assis. No seu conjunto, a parábola bíblica mescla sutilmente questões que são desentranhadas da leitura do *Memorial de Aires*, de *Esaú e Jacó* e de *Ressurreição*, e também da correspondência trocada entre Machado e Mário de Alencar e ainda de muitos sonetos clássicos da literatura luso-brasileira.

Eis a parábola tal qual no Evangelho:

Naquele dia, alguns saduceus, que negam a ressurreição, aproximaram-se de Jesus e lhe perguntaram: "Mestre, Moisés disse: 'Se um homem morrer sem deixar filhos, case-se com ela o irmão dele para dar descendência ao morto'. Ora, havia entre nós sete irmãos. O primeiro casou, mas morreu sem filhos e deixou a mulher para seu irmão. Do mesmo modo o segundo, o terceiro, até o sétimo. Por fim, depois de todos, morreu a mulher. Na ressurreição, de qual dos sete será ela mulher, se todos a tiveram?".

Jesus lhes respondeu: "Estais enganados e não conheceis nem as Escrituras nem o poder de Deus. Porque na ressurreição as pessoas não se casam nem se dão em casamento, mas são como os anjos dos céus".

Levanto as questões evidentes na parábola:
Casamentos múltiplos. Casais sem filhos. Poligamia e viuvez feminina. Quando a multíplice esposa morre, importa saber, na reencarnação, a qual dos vários maridos cabe a posse do seu corpo. A lição de Cristo desloca para a ressurreição o eixo de interpretação da parábola. A vida terrena se basta a si mesma e em si mesma se contém. Depois da morte, há vida nova e ressurreição. Dissipam-se os laços matrimoniais terrenos que levantariam a questão da escolha do verdadeiro marido pela multíplice esposa. Na ressurreição importa o companheirismo durante a vida na terra. Nenhum casal amoroso, por mais apaixonado que tenha sido, se refaz nos céus. Mortos independem de gênero sexual. Na ressurreição, todos os humanos se transformam em anjos dos céus.

Em Machado de Assis, o poeta solitário e sobrevivente só pode enviar um recado dolorido à defunta. Lembro o famoso soneto escrito a Carolina: "Trago-te flores — restos arrancados/ Da terra que nos viu passar unidos/ E ora mortos nos deixa e separados".

No romance *Esaú e Jacó*, o capítulo subsequente ao CXII, intitulado "Uma Beatriz para dois", incentiva o leitor a ir além do quadro apresentado da congruência temática entre marido ciumento e esposa dissimulada, e a se embrenhar na leitura do *Memorial de Aires* com a finalidade de suplementar as conclusões. Na criação da bela e atraente viúva Fidélia, cujo defunto marido é trasladado para o Rio de Janeiro depois de ter sido enterrado em Portugal, renascem tanto a duplicidade de Flora, ancorada na metáfora da dupla Beatriz, quanto o tema da viuvez e da *poligamia* feminina, de que falam o Novo Testamento e *Ressurreição*. Ainda e mais uma vez, a congruência temática delimita, no mapa da cidade do Rio de Janeiro, o local privilegiado por Machado de Assis, o Cemitério de São João Batista, onde — no caso do *Memorial de Aires* — principia a ação romanesca.

No cemitério está a viúva Fidélia, sem filhos, e lá estão mais dois viúvos, o conselheiro Aires e sua irmã Rita, sem filhos. Os dois últimos nunca voltarão a se casar. São os únicos e legítimos viúvos no romance. Do mesmo modo como os gêmeos Pedro e Paulo pisaram no cemitério para depositar guirlandas de miosótis e de perpétuas no túmulo de Flora, lá pisam agora o conselheiro, Rita e Fidélia para levar flores e depositá-las nos túmulos dos respectivos e queridos defuntos. A mana Rita, no entanto, não se contenta com *las flores para los muertos*, agendadas pelo calendário religioso. Por questão pessoal, prefere ser ela própria relíquia viva do casamento feliz. Guarda fidelidade de viúva ao defunto marido como penhor do casamento eterno, que amadurece ao ritmo dos cabelos que se tornam brancos. Como prova de sua opção pela viuvez, mandou guardar no caixão do defunto "um molho dos seus cabelos, então pretos, enquanto os mais deles ficaram a embranquecer cá fora".

Volto à exceção que confirma a regra. No *Memorial de Aires* está também a quebra da congruência temática levantada. O velho casal Aguiar, também sem filhos, é exemplo de felicidade no casamento. Se levo em consideração dados que retiro do manuscrito do romance que se encontra hoje depositado na biblioteca da Academia Brasileira de Letras, e se a eles acrescento a descoberta por Mário de Alencar do modelo-vivo que inspira Machado de Assis na concepção e criação de dona Carmo, esposa de Aguiar, ficará evidente uma nova e estranha forma da multiplicidade feminina, que vai ressoar com estrondo incomum na obra derradeira de Machado de Assis. A velha dona Carmo, "uma fortaleza", como dizem os amigos, teve de virar cal e cimento na juventude para compensar a fraqueza daquele que seria seu futuro marido, o jovem Aguiar. Com o correr dos anos, o casal se torna modelo de virtude e de felicidade. Poderia ter sido a única mulher a se transformar em musa nos escritos de Machado de Assis.

E na verdade se transformou de maneira completamente enviesada, como se verá.

Começo o argumento pela análise do manuscrito de *Memorial de Aires*, ou seja, por algumas questões que recobrem a gênese da criação romanesca em Machado de Assis. Em virtude do número excessivo de páginas e das repetições de muitas passagens, percebe-se que o manuscrito preservado pela Academia Brasileira de Letras não é a cópia exata do romance que foi enviado à Editora Garnier, em Paris, para ganhar a forma de livro. Trata-se de uma espécie de *copião* (no sentido cinematográfico do termo). O copião permanece como que à espera da *montagem* definitiva pelo autor. A montagem foi feita, e basta comparar o manuscrito a qualquer edição comercial do *Memorial de Aires* para ver o que foi cortado ou modificado no copião pelo romancista.

No manuscrito, como num corte vertical da crosta terrestre, convivem de modo paralelo e equilibrado os sucessivos tempos e as várias camadas estratificadas que revelam o longo e penoso processo de escrita e composição do derradeiro romance de Machado. Estão também lá gravadas — graficamente, sob a forma de rabiscos ou de borrão — as muitas dúvidas e hesitações (refiro-me agora às do escritor na sua escrivaninha de trabalho), bem como as escolhas feitas por ele. Sem elas o romance não teria chegado a seu estágio final, que conhecemos.

Lúcia Miguel Pereira, melhor biógrafa de Machado de Assis, foi sensível a um detalhe textual no manuscrito, detalhe que nos sintoniza com a questão da convivência no universo machadiano de pelo menos dois ou mais exemplos semelhantes de mulher amada. Lúcia Miguel Pereira se refere às hesitações e correções que traduzem a insegurança do romancista quanto ao nome próprio a ser dado às duas protagonistas femininas — a velha dona Carmo e a jovem viúva Fidélia. Examinadas no papel, as hesitações e consequentes correções demonstram cabalmente o fato de o manuscrito ser apenas e principalmente a forma como Machado de Assis decidiu legá-lo à história literária: é o rascunho completo do romance, ou o original inacabado.

Por que Machado de Assis lega aos pósteros o copião do romance e não a versão final e definitiva dele? Lúcia Miguel Pereira não aborda a delicada questão dos nomes próprios por esse viés, que, no entanto, será a razão de ser desta digressão. No entanto, ela é quem primeiro observa que "as trocas de nome entre Dona Carmo e Fidélia são frequentíssimas, são mesmo quase a regra. Em 393 das 468 páginas do manuscrito existem 167 dessas trocas; cada vez que pensava numa, a figura da outra lhe acudia ao espírito, como se as confundisse. Confundi-las-ia também o coração?".

Em seguida, esclarece outro detalhe importante: "o manuscrito tem 468 páginas, mas nas últimas não há mais dessas trocas de nomes dos personagens".

A urgência em pôr um ponto final no romance deve ter falado mais alto e silenciado a insegurança do romancista e as sucessivas e fascinantes hesitações.

A troca de nome das duas protagonistas — repito: dona Carmo, a esposa feliz, e Fidélia, a jovem viúva — não é um equívoco passageiro gerado na imaginação criadora do escritor, que logo será corrigido pelo espírito atento. Tampouco é acidente no percurso da caneta pelo papel em branco. Pela sua quantidade e pela constância na repetição, o dado substantivo e inquestionável indica que a confusão caligráfica não é efeito colateral dos achaques que perseguem o homem enfermo e idoso.

O manuscrito quer *confundir* dona Carmo e Fidélia.

E nos leva a misturá-las, a baralhá-las e a tomar a uma na velhice pela outra na juventude — acrescento. Será que o coração do romancista também as confunde? — eis a pergunta-chave de Lúcia Miguel Pereira. A conclusão sob a forma de pergunta fortalece a ideia de que predomina, na concepção e caracterização da virtuosa senhora casada e da jovem viúva, uma pendência afetiva — uma inclinação amorosa (inconsciente e, ao mesmo tempo, consciente) do romancista pela madura e pela inexperiente. No copião, predomina a dependência de uma para a outra, e vice-versa.

Assim como em *Esaú e Jacó* o conselheiro Aires tinha observado os gêmeos Pedro e Paulo, agora no *Memorial de Aires* ele observa dona Carmo e Fidélia. Aliás, as anotações de Aires transpiram inconscientemente o forte sentimento que tem por Fidélia, por qualquer viúva: "É um sentimento que ele próprio não define, mas existe e lhe leva o espírito e o coração presos da viúva; seria ainda amor, se ela o amasse; não sendo amado, é o gosto de ver como ela veio a amar o outro além do marido defunto". Amar a outro além do marido defunto.

A pergunta final de Lúcia — dona Carmo e Fidélia se confundiriam no coração de Machado de Assis? — leva-me a hipótese ousada. Pergunto-me se, nos anos finais de vida, as inquietas sombras do passado não estariam levando o escritor viúvo, enfermo e solitário a imaginar as duas protagonistas por entre as janelas das dúvidas e hesitações, e, no pão, pão, queijo, queijo da insegurança afetiva maior, ele delira. Perde o controle no julgamento racional sobre as amadas viúvas da sua vida?

Numa galeria de museu, dois quadros inesperados. A imagem da bela viúva prestes a se casar. A imagem da esposa que dedica toda a vida a um único marido. As duas imagens baixam ao mesmo tempo na imaginação criadora de Machado de Assis e são revividas e confundidas na página de papel em branco. Quando jovem, dona Carmo não foi Fidélia, no entanto o é na trama. Quando madura, Fidélia não será dona Carmo, no entanto é na trama. O enigma proposto pelo exame do copião de *Memorial de Aires* e pelo conhecimento da vida do romancista do chalé do Cosme Velho diz que as duas são uma só.

Consulto um trecho do manuscrito e, nele, encontro a certeza da minha hipótese. Escolho um exemplo entre muitíssimos outros. Em seguida, atento para duas linhas que, pela intensidade na troca de nomes próprios femininos, representam as demais e muitas passagens semelhantes:

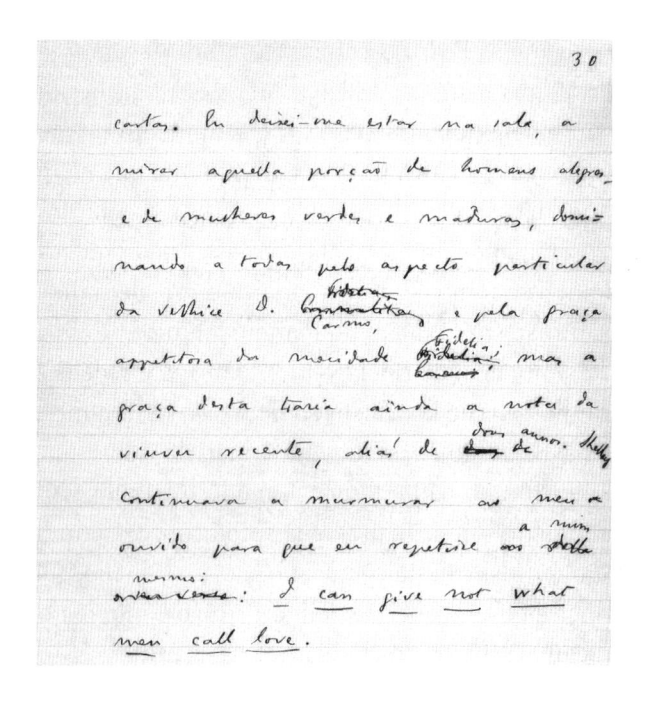

A quarta e a quinta linha do trecho reproduzido, as duas linhas cheias de vieses, ostentam a confusão dos nomes próprios. Ela vai bem além da mera troca de dois nomes, observada por Lúcia Miguel Pereira. Na verdade, a confusão dos nomes de dona Carmo e de Fidélia se desenha em sobreposições paralelas para se abrir com vistas a um terceiro nome feminino, *abandonado* na versão final do romance mas ainda grafado entre os dois nomes. Carmelita ao centro. Acima Fidélia. Abaixo Carmo.

Vejo o mímico Machado de Assis instalado no camarim de teatro. Está para subir ao palco da escrita para dar início à dramatização das duas protagonistas femininas que concebe para o espetáculo. Ainda está no camarim e, exaltado, vive o momento anterior ao ato de se apresentar ao público. O mímico repassa a caracterização das duas protagonistas e sai em busca de uma perspectiva mais ampla para fundamentar e enriquecer suas personalidades. Pensa, então, numa figura feminina única, que lhes deu origem e as englobaria para todo o sempre.

Essa figura seria o côncavo da vida amorosa, sua raiz, de onde brota uma e a outra protagonista.

Ao se sobreporem ao nome de Carmelita, rasurado pelo escritor, os nomes de Carmo e de Fidélia coabitam o espaço/tempo que é anterior à diferença que vieram a ganhar no palco da escrita do romancista mímico. Em determinado e misterioso momento da criação literária, dona Carmo e a viúva Fidélia não tinham ainda personalidades próprias. As duas são uma. Convivem no espaço/tempo da não diferença. São idênticas, sem o ser totalmente. Convivem no espaço/tempo mítico de Carmelita. Coexistem num único e terceiro nome próprio, que tem de ser rasurado, borrado pelo escritor, para que dois outros e diferentes nomes próprios emerjam da mancha negra da escrita e existam como protagonistas singulares do *Memorial de Aires*.

Ao emergirem do borrão e ganharem corpos e experiências

distintas, dona Carmo e a viúva Fidélia apagam qualquer traço da presença de Carmelita no romance em que se transformou o copião em exame.

Busco uma metáfora para melhor compreender o camarim onde o mímico prefigura o que será interpretado por ele em cena aberta. Encontro-a. O camarim é semelhante a um poço profundo que não armazena água, mas tinta negra. Nesta, Machado de Assis molha a pena da caneta de que o mímico se servirá para corporificar dona Carmo e Fidélia no palco. As duas trarão, às costas, a experiência de terem coabitado com a mítica Carmelita no escuro poço profundo da experiência amorosa do escritor.

Quando o borrão de tinta não escurece tanto a página, é possível decifrar o nome próprio de Carmelita, nome anterior aos outros nomes próprios femininos. As páginas do manuscrito fazem-nos aparecer, fazendo desaparecer a figura mítica por um passe de mágica. Carmelita nunca virá grafada no romance *Memorial de Aires*.

Talvez tenha sido grafada um dia com o nome da deusa grega Pandora. Por ser alheia ao espaço e ao tempo do romance publicado, Carmelita, espécie rediviva da altiva e enigmática Pandora, ganha a dimensão universal que a projeta sobre o palco onde o velho mímico Machado de Assis dramatiza a esposa amante e a jovem viúva, que lhe são posteriores.

A troca de dois nomes é sobreposição paralela e horizontal na leitura do romance. Vertical é a triplicação dos nomes, que se dá na leitura do manuscrito. Faço as linhas horizontais e a vertical se cruzarem como numa planta de cidade. No ponto de interseção, na encruzilhada, os três nomes próprios são um único. As três mulheres também. Eis a hipótese levantada e trabalhada. O nome Carmelita existe e é rasurado. A protagonista não existe enquanto tal. Diria: em carne e osso, se não fosse forçar a barra e configurar organicamente a figura de papel que é o personagem ficcional. Continente e conteúdo são como a fruta dentro da casca. E mais, são também como a semente que gera a fruta dentro da casca, acrescenta o manuscrito de *Memorial de Aires*. Recorde-se o glorioso final de *Dom Casmurro*:

> O resto é saber se a Capitu da Praia da Glória já estava dentro da de Mata-cavalos, ou se esta foi mudada naquela por efeito de algum caso incidente. [...] Mas eu creio que não, e tu concordarás comigo; se te lembras bem da Capitu menina, hás de reconhecer que uma estava dentro da outra, como a fruta dentro da casca.

A duplicidade feminina de nomes próprios (a casca e a fruta) e sua triplicação (a semente que precede às duas) escondem outra e mais profunda dimensão no decorrer das muitas ambiguidades que motivam Machado de Assis na escrita amorosa.

A quarta dimensão se revela nas cartas trocadas entre Machado de Assis e Mário de Alencar nos anos de 1907 e 1908. Ao ser levantada por mim, incorpora Fidélia, dona Carmo e Carmelita.

Começo por destacar uma carta datada de dezembro de 1907 e escrita por Mário de Alencar. O discípulo vê a amizade com Machado de Assis consolidada no momento em que ele recebe em casa as provas finais do *Memorial de Aires*. Machado o está devolvendo à editora em Paris, devidamente revisado. Segundo os biógrafos, Carolina foi sempre a primeira e única leitora de romance seu antes de ser enviado à editora. Mário não esconde satisfação e orgulho por ter recebido das mãos do romancista — escreve na carta — "o exemplar em provas de um romance não conhecido nem lido por ninguém".

Mário é o primeiríssimo leitor do romance. E o primeiríssimo e ousado intérprete de dona Carmo.

Acompanho Mário de Alencar pela carta que escreve ao

mestre em dezembro de 1907. No tom carinhoso de quem adota como norma de comunicação o segredo, confia ao autor que, durante a leitura, tinha descoberto no manuscrito do *Memorial de Aires* o efeito de colaboração de um sentimento novo, o mesmo que fez o soneto "A Carolina" e que nestas páginas traçou aquela figura verdadeira e sagrada de dona Carmo.

O discípulo toca em ponto delicado e em tema tabu. Retomo-os para poder liberá-los definitivamente. Que se tornem questão para todo aquele que queira adentrar-se pela biografia dum grande escritor. O sentimento novo que prevalece na criação de arte é a recente viuvez do romancista. Mário não só redimensiona o papel desempenhado pelo sentimento novo na concepção e realização do novo romance, como vai além. Associa o *Memorial de Aires* ao soneto dedicado à defunta esposa. Ata também o derradeiro romance à derradeira coleção de contos, já que o famoso soneto se encontra como espécie de epígrafe de *Relíquias de casa velha*, publicado em 1906.

Dona Carmo se duplica em Carolina. Faço retornar a esta página todos os nomes próprios femininos.

Iluminado pela descoberta, Mário se reconhece leitor privilegiado pelo mestre e, ao mesmo tempo e convenientemente, se resguarda e se isola dos futuros leitores do romance. Só ele pode deter e detém a chave para entrar pela porta da quarta dimensão, cuja chave é de uso exclusivo de Carolina. Só ele ousa e ousará dizer que a protagonista capital do romance deve ser lida *à clef*, para retomar a expressão clássica francesa. Outros leitores poderão admirar dona Carmo, continua Mário na carta, "como criação de arte; eu, que adivinhei o modelo, li-o comovido, cheio de respeito pela doce evocação". "Evocação", substantivo, tem como verbo "evocar". Evocar é chamar o ente sobrenatural, a esposa Carolina, para que apareça, para que compareça na obra romanesca do marido como mito fundador. Mário de Alencar funciona na mesma clave do memorialista Machado de Assis, que não disfarça o sentimento de estar evocando a inexistente Carmelita, e rasurando-a a fim de que compareçam ficcional e concretamente tanto a bela e jovem viúva quanto a fiel e amantíssima dona Carmo.

Evidentemente, o mímico do chalé do Cosme Velho se inquieta com o tema tabu levantado por Mário. Em carta de 8 de fevereiro de 1908, escrita no dia em que lamenta que demore tanto a publicação do livro, Machado alerta Mário de Alencar para não espalhar a notícia sobre o "modelo de Carmo": "Aproveito a ocasião para lhe recomendar muito que, a respeito do modelo de Carmo, nada confie a ninguém; fica entre nós dois".

Segredo se troca com pedido de sigilo. Passados quinze dias, Machado retoma a ousada *descoberta* de Mário para não esconder a autoironia, que passa a ser determinante duma mudança de atitude do mímico em relação à plateia. Quase septuagenário, o mímico se torna indiscreto. De que valem tantas cautelas e resguardos? Copio Machado em carta a Mário: "[...] diga-me se há nada mais indiscreto que um autor, ainda quase septuagenário, como eu. E diga-me também, pois que leu as provas, se o livro vale tantas cautelas e resguardos".

Machado de Assis não desmente a hipótese de Mário sobre o "modelo de Carmo", mas se inquieta, assim como se inquieta com a presença de Carmelita no manuscrito, embora não lhe tenha ocorrido ocultá-la para sempre, destruindo ou queimando o copião. O mímico não pode não deixar de ser cauteloso e precavido e é por isso que, em paralelo à indiscrição do septuagenário, existe um delicado sistema de rasuras. Não requer que o amigo Mário se desdiga nem que ele próprio apague para sempre o nome próprio já escrito. Apenas que nada confie a ninguém. A leitura do nome de Carmelita no contexto do *Memorial de Aires* só pode ser feita porque o borrão do nome existe graficamente e pode ser encontrado em manuscrito depositado em biblioteca da Academia Brasileira de Letras. A leitura do nome de Carolina, associado ao de Carmelita, só se faz e pode ser feita graças à publicação de toda a correspondência de Machado de Assis (a que faltam apenas as cartas escritas à esposa, incineradas a pedido do remetente).

Ouso uma segunda e mais absurda hipótese a fim de dar livre curso à pergunta de Lúcia Miguel Pereira.

Nos meses de dezembro de 1907 e janeiro de 1908, quando Mário de Alencar evidencia e Machado de Assis admite a quarta dimensão da protagonista feminina em *Memorial de Aires*, não há também como o remetente das cartas não se referir — ainda que por metáfora — à epilepsia que mortifica o escritor do chalé do Cosme Velho, então sob os bons cuidados do dr. Miguel Couto. Sei que cautela não é moeda válida na correspondência com os amigos mais chegados. Sei também que-cautela é de praxe no comportamento do mímico Machado de Assis, e que ela se esconde e se revela em metáforas. A metáfora escamoteia o significado original sem escamoteá-lo de todo, e muitas vezes o revela com tal força poética que assusta o próprio mímico que criou a metáfora para não dizer tudo com clareza.

"De mim, vou bem, apenas com os achaques da velhice, mas suportando sem novidade o pecado original, deixe-me chamar-lhe assim" — eis a frase que Machado de Assis escreve no dia 21 de janeiro de 1908 e envia em carta a Mário de Alencar. Refere-se naturalmente à tranquilidade com que suporta os ataques imprevistos da epilepsia. Conheço o mímico, e adivinho que a doença crônica compareceria recoberta por metáfora. É seu "pecado original". Entrego-me a um exercício de criação que se encaminha em sentido inverso ao proposto pela metáfora do mímico. Distingo o sentido próprio de "pecado original" para desassociá-lo do sentido metafórico. Desassocio o pecado original, tal como expresso no texto bíblico e difundido pelo proselitismo cristão, do pecado original tal como empregado por Machado em alusão à epilepsia que o consome desde sempre e com maior brutalidade nos últimos anos de vida.

Ao optar primeiro pelo sentido próprio da metáfora, aponto para o julgamento divino do amor entre homem e mulher. Logo em seguida e metaforicamente, acentuo a imperfeição espiritual do primeiro relacionamento amoroso humano que redundou na queda do homem, relacionando-a à imperfeição do indivíduo tomado por doença crônica. Associo, portanto, a imperfeição humana, descrita pela história cristã, às convulsões no corpo do artista, transcritas pelo sismógrafo. E não é sem certa ironia —

ironia corrosiva e machadiana que realça ainda mais o caráter arriscado e transgressor da aproximação metafórica entre epilepsia e pecado original feita por aquele que na verdade se diz mímico. Complemento a frase de Machado de Assis que comecei a citar no parágrafo anterior e a entrego por inteiro: "De mim, vou bem, apenas com os achaques da velhice, mas suportando sem novidade o pecado original, deixe-me chamar-lhe assim. Creio que o Miguel Couto me trouxe a graça".

Semelhante ao batismo pela água, graça santificante que perdoa o pecado original, o remédio receitado pelo dr. Miguel torna a velhice suportável porque apazigua as convulsões do organismo enfermo.

Nos meses que fecham o ano de 1907 e inauguram o de 1908, é autêntico e revelador o movimento em zigue-zague do vocábulo "remédio" pela correspondência trocada entre Machado e Mário.

Poucas semanas depois de ter escrito a carta em que o pecado original metaforiza o corpo epiléptico para em seguida o desmetaforizar recorrendo aos remédios receitados pelo médico que, se não trazem a cura, trazem o controle da doença, Machado de Assis retorna ao tópico. Desta feita, associa o controle da epilepsia (ou do pecado original, para continuar no campo semântico da metáfora) à função primordial da arte para ele, tese que Mário de Alencar endossa. Este é ainda o destinatário da carta escrita por Machado. Copio: "Também eu tenho desses estados de alma, e cá os venço, como posso. A arte é remédio e o melhor deles".

Entre a alopatia e a homeopatia, entre o dr. Miguel e o dr. Tomás, o vocábulo "remédio" sai, de repente, do campo estreito das cartas trocadas naqueles meses e da medicina a fim de se adentrar pela definição do que seja a atividade artística para o escritor epiléptico, ou seja, a função da arte no processo de criação da beleza convulsiva. Se a graça é remédio divino para o pecado original e se o remédio apazigua a crise epiléptica, a arte é o mais eficaz de todos os remédios humanos. O melhor deles.

A graça medicinal, de responsabilidade do dr. Miguel Couto, e o trabalho de arte são os responsáveis pelo retorno do homem enfermo à vida e ao trabalho, pelo retorno do filho pródigo redivivo ao jardim do paraíso. Carmelita volta a reabrir a lista dos nomes próprios das figuras femininas do *Memorial de Aires*. Seu nome carrega grande peso na história religiosa da Europa e das suas colônias e é o diminutivo de Carmela, forma feminina de Carmelo, que deriva do nome em hebraico Karmél, que quer dizer literalmente "campo, jardim bem cultivado" ou "vinha de Deus".

Carolina gera Carmelita que gera dona Carmo que gera Fidélia.

No dia 20 de novembro de 1904, ao enviar a Machado de Assis um cartão em que a generosidade do profissional e a grandeza do seu caráter se exteriorizam, o dr. Miguel Couto atende, por assim dizer, à missa do primeiro mês da morte de Carolina Augusta de Novais que a família manda dizer na igreja de São Francisco de Paula, localizada no largo de mesmo nome. O médico clínico julga insignificante o cuidado médico prestado à família do grande escritor e, por isso, desobriga o marido de qualquer recompensa financeira, já que, se débito houve, será consignado na conta da amizade.

Quando senhoras enfermas se encontram em maus lençóis, o dr. Miguel é o clínico requisitado. Estão em maus lençóis por falta de diagnóstico acurado do profissional que lhes atende. Pela má escolha de remédio pelo médico. Por equívoco do farmacêutico na manipulação do medicamento. Esse é o motivo que, em meados do ano de 1904, o leva a examinar clinicamente dona Carolina no chalé do Cosme Velho. No final de 1903, a esposa de Machado de Assis é medicada erroneamente e passa por sérios distúrbios de digestão. Por descuido do farmacêutico

> Rio de Janeiro, 20 de Novembro de 1904
>
> Exmo. Snr. Machado de Assis
>
> Peço a V. Exa. a fineza de levar o insignificante serviço medico que prestei á sua Exma. Senhora, á conta da amizade; d'essa amizade que cada um tem intimamente aos grandes homens do seu paiz.
>
> De V. Exa.
>
> attº admirador e obrigº
>
> Miguel Couto

ou por desleixo, não se sabe. O certo é que o remédio que lhe é entregue em domicílio não foi manipulado com sal de amargas, como prescreve a receita, mas com sal de azedas. As substâncias de base são ambas salinas, brancas e cristalizadas, possível motivo para o farmacêutico ter confundido os frascos ao aviar a receita.

O sal de azedas, oxalato de potassa, é produto natural, mas altamente tóxico. Tem sabor ácido e picante, um tanto amargo. Tão corrosivo é o seu efeito que habitualmente o usam para tirar nódoas de tinta de escrever nas roupas e de ferrugem nos metais.

O sal de amargas, sulfato de magnésia, é também conhecido como sal de Epson ou por sal de Sedliz. É obtido pela evaporação da água que o contém: a do mar ou a das fontes salgadas. É usado como purgante na dose de quinze a dezesseis gramas, dissolvidos num copo d'água fria. Provoca evacuações alvinas e é tido como santo remédio.

Em meados de 1904, depois de curta temporada em Nova Friburgo, Machado descobre que a doença medicada erroneamente progride e volta a se exibir no rosto triste de Carolina. Torna irreconhecíveis os delicados traços fisionômicos. A sensação que Machado sente repete outra, a de Carolina que, em Nova Friburgo, caminha à contraluz na sua direção. O sol estridente do verão friburguense embaça o rosto tranquilo de Carolina, desfigurando-o, e acaba por cegar os olhos do marido atencioso. Alarmado, ele recorre ao médico a que a boa sociedade carioca pede socorro nessas ocasiões. O dr. Miguel Couto chega ao chalé acompanhado do seu assistente, o dr. Artur de Andrade.

Os cuidados tomados pelo clínico causam boa impressão em Machado de Assis. Ele tem por hábito fazer esvaziar a larga mesa de jantar e transportar, com os possantes braços e as próprias mãos, a doente da cama, estendendo-a no móvel duro. Fará exame mais acurado. Do momento em que o médico é aceito e admirado pela esposa e pelas amigas íntimas do casal, o marido decide aceitá-lo como o clínico que acompanhará Carolina até a morte, causada por tumor no intestino. Ela falece no dia 20 de outubro de 1904, pouco antes de completar os setenta anos de idade. É enterrada no Cemitério de São João Batista, carneiro 1359, jazigo eterno.

Machado de Assis só volta a reencontrar o dr. Miguel Couto ao cair da tarde do dia 13 de agosto de 1906, no dia anterior à posse de Mário de Alencar na Academia Brasileira de Letras.

Naquela tarde, ao sair do trabalho, Machado de Assis não

se dirige à Livraria Garnier, como de hábito. Decide ir à redação de dois jornais. Na condição de presidente da Academia Brasileira de Letras e de amigo de Mário de Alencar, preocupa-se com a cerimônia de posse do novo acadêmico que terá lugar no dia seguinte. Tem receio das matérias sobre a posse. Podem fazer eco às más notícias publicadas logo depois da eleição de Mário. O receio das más-línguas da imprensa e dos confrades irmana os dois amigos recentes, e é bem fundado. São gatos escaldados na panela de água quente da politiquice acadêmica. Nem um nem outro esquece a coluna escrita por Pangloss que malha o eleito como a um judas na Semana Santa. Machado decide visitar duas das mais importantes redações de jornal para entregar pessoalmente o convite.

Na grande sala em que trabalham os jornalistas de O País, Machado de Assis se ausenta de repente. É imediatamente acudido pelo chefe da redação, Alcindo Guanabara, que pede ao contínuo que lhe sirva um copo d'água. Acometido pelo mal, Machado de Assis solicita que Alcindo telefone ao dr. Miguel Couto. Ele marca consulta de urgência. Em seguida, lhe oferece a companhia de um contínuo. Não seria bom que caminhasse sozinho pela avenida Central. Machado agradece, diz que já se sente bem e declina a gentileza.

Uma hora depois, Machado de Assis será atendido pelo médico no consultório. Depois do longo exame e troca de informações, o dr. Miguel Couto diagnostica o retorno das crises epilépticas. Recomenda a Machado que agende com a enfermeira consultas regulares. No correr dos meses, ficará evidente que se trata de uma série de crises epilépticas que servirão para aproximar definitivamente médico e cliente até o leito de morte. Elas se sucederão por mais de cinco meses, até janeiro de 1907.

Talvez a primeira recaída tenha persistido por ter sido agravada por matéria maledicente publicada no dia seguinte ao da posse do novo acadêmico no mesmo *O País*, onde saíra meses antes a coluna de Pangloss. A nova matéria tem diferente assinatura. Coube a AA, iniciais do dramaturgo Artur de Azevedo, retomar a palavra de Pangloss — pseudônimo do chefe de redação Alcindo Guanabara.

Desde o título da coluna — "Palestra" —, AA destila veneno. Sugere que o discurso de posse tinha sido uma palestra a mais na Academia. A sugestão maliciosa contagia toda a coluna. Artur de Azevedo não se dedica a descrever a posse cerimoniosa na prestigiosa instituição nacional. Pula para a recordação da malsinada cobertura jornalística feita por ocasião da escolha do filho de José de Alencar. Sua eleição para a vaga de José do Patrocínio, prossegue ele, "motivou no Rio de Janeiro, há tempos, certa irritação da imprensa por parte de alguns colegas, que não admitiam que ele pudesse preterir o romancista Domingos Olímpio". O dramaturgo lembra em seguida que "um colega chegou mesmo a apontar o novo acadêmico como assíduo leitor da revista infantil *O Tico-Tico*".

O argumento mais elogioso de Artur de Azevedo acentua que, na atual Academia, Mário não é um parvenu, já que segundo François Guizot só não é parvenu nas letras quem, como o novo acadêmico, sabe o grego e o latim. Mário os sabe, pois os aprendeu nos bancos escolares do Colégio Pedro II. E pergunta o pícaro jornalista: "Que mais precisava ele para ser eleito?", insinuando em seguida a resposta à pergunta: ter um pai famoso. E escancara logo em seguida a insinuação: "a Academia quis de alguma forma honrar no filho a memória do pai". A que pai ele se refere? Ao biológico, já falecido, ou ao espiritual, ativo presidente da Academia? Machado sente o gume da ironia na própria pele.

Artur de Azevedo é, no entanto, membro fundador da própria Academia. Em seguida, dá-se conta de que ultrapassa os limites. Chega ao final da coluna com o desejo de lavar as mãos sujas, mas as lava com manha de carrasco. As palmas das mãos são ensaboadas e enxaguadas, mas as pontas dos dedos permanecem encardidas pela nódoa da dignidade ferida. Afirma-se como crítico literário insensível às pressões do momento e jornalista judicioso, metamorfoseando-se em defensor virulento dos bons valores da tradição literária:

> Não sou suspeito para defender o Mário: dei o meu voto ao talentoso autor de *Luzia-Homem*, e de novo lh'o hipoteco publicamente para o caso que ele revogue a declaração, que fez, de haver riscado a imortalidade das suas aspirações. Dei-lhe o meu voto, não porque ele seja mais velho que o Mário e até pareça, ao contrário porque é um homem de letras mais profissional que o outro, isto é, tem vivido e tem feito viver a família de sua pena, e eu cá entendo que a Academia se criou principalmente para esses.

No dia seguinte ao da posse, a coluna de Artur de Azevedo repisa a má vontade que Coelho Neto expressa no discurso de recepção ao novo acadêmico. O orador começa por iniciar a fala pela leitura de poema inexpressivo da lavra de Mário de Alencar e, em seguida, retoma dois dos mais batidos temas invocados pelos detratores, tanto o da juventude e inexperiência literária do acadêmico empossado quanto o da importância do pai, José de Alencar, na sua formação e prestígio atual.

Em carta a Machado de Assis, o diplomata e bom amigo Magalhães de Azeredo, então a serviço em Roma, diz que teve acesso ao discurso de posse de Mário de Alencar e à resposta de Coelho Neto. De todos os envolvidos é o único que apresenta uma leitura da cerimônia de posse. Ela contrasta o novo com o velho acadêmico, sugerindo que a Academia começa a vestir roupa de corte jovem. Copio:

Achei muito belo o discurso do Mário, que venceu galhardamente a dificuldade de celebrar um homem, José do Patrocínio, tão diverso e tão distante dele por temperamento moral e literário; confesso que não me agradou a resposta de Coelho Neto; nem tive a paciência de a ler até o fim. Quanto artifício, quanta frieza real com aparências de calor, e que soma de erudição fácil, postiça e escusada, que não encobre a falta de sentimento verdadeiro, a nulidade da vida interior!

Como a primeira crise convulsiva da série, a segunda acontece também em espaço público e inesperadamente. Tem lugar vinte e dois dias mais tarde e se passa noutra terça-feira, 4 de setembro. Depois do expediente no ministério, Machado, como de praxe, assina o ponto na Casa do Garnier (Baptiste Garnier falece em 1901, mas Machado continua a nomear a conhecida livraria carioca pelo nome do seu fundador). Apesar de pública, a cena é dada, em curto relato escrito pelo romancista, como corriqueira. Por solicitação do dr. Miguel, Machado deve anotar algumas palavras sobre cada crise sofrida. Começa por dizer que se sente mal e "a ausência" baixa. Releio o curto relato.

O francês Julien Lansac, atual administrador da livraria, o socorre imediatamente. Não há espanto ou corre-corre. Tudo no ambiente indica que ali — pelo menos da perspectiva dos caixeiros — de há muito se passam cenas semelhantes. Ninguém além de Lansac acorre em ajuda. Segue-se a descrição do ritual. Lansac oferece uma poltrona a Machado. Senta-o, serve-lhe um copo d'água e lhe dá sais a cheirar. Quase restabelecido, Machado conversa com Lansac de maneira aparentemente natural. Lansac não fala português. Em caso de necessidade, recorre ao seu intérprete, o funcionário Jacinto Silva. O famoso gerente Jacintinho se faz de dispensável. Machado anota: "E eu respondi em português, ao que o Lansac me dizia em francês". Nada muda na rotina da vida. Durante a ausência, Machado apenas perde sua proficiência em francês.

No curto relato, sobressai a vontade de não dar maior valor à crise. A ausência acontece, ponto, e o efeito logo se dissipa, fim. Tampouco é mencionada a possível causa. Continuo a leitura. Afastado o perigo, o cidadão Machado de Assis retoma a agenda pessoal e profissional do dia como se nada tivesse acontecido. Da livraria ele volta para casa, onde a criada lhe serve o jantar. Sai novamente, agora se encaminha para a estação de estrada de ferro. Vai desejar boa viagem a seu superior hierárquico, Lauro Müller, no ministério. Militar, engenheiro e político, tido pelos colegas como A Raposa de Espada à Cinta, o senhor ministro viaja nessa noite para Minas Gerais. Ao regressar, Machado passa pela casa do amigo barão de Vasconcelos, que já está redigindo o precioso *Arquivo nobiliárquico brasileiro*, com quem de hábito joga xadrez.

Se há a possibilidade concreta de nomear a causa/efeito para a ausência por que passa Machado na redação do jornal *O País*, a insegurança diante da cerimônia de posse de Mário de Alencar, já a sofrida na Casa do Garnier nos leva a levantar uma hipótese que passaria em silêncio não houvesse o mesmo Mário mencionado em cartão a João Ribeiro a morte de Adelaide Xavier de Novais, irmã solteira de Carolina, ocorrida no dia 28 de agosto. As relações entre as irmãs não eram boas e piores eram as relações do marido com a cunhada.

Só não foram incineradas duas cartas de Machado de Assis a Carolina. Numa delas, datada do dia 2 de março de 1869, o jovem pretendente comenta a oposição ao casamento por parte dos futuros cunhados, Faustino, Adelaide e Miguel. Chega a suspeitar de Faustino, mas se corrige a tempo: "era mais do que uma injustiça minha, era uma tolice", e continua: "Não era de esperar outra coisa do Faustino; foi sempre amigo meu, amigo verdadeiro, dos poucos que, no meu coração, têm sobrevivido às circunstâncias e ao tempo. Deus lhe conserve os dias e lhe restitua a saúde para assistir à minha e à tua felicidade".

A atitude preconceituosa dos irmãos Miguel e Adelaide lhe causa grande tristeza. Opõem-se abertamente ao matrimônio por julgarem o noivo um mulato. A arbitrariedade gratuita dos futuros cunhados não surte efeito e talvez tenha sido contraproducente. A cerimônia de casamento se realiza no dia 12 de novembro de 1869.

Mário de Alencar estaria sendo só indiscreto ao conversar

com Machado sobre a morte recente da cunhada, ou desejava reaproximar Machado da irmã da defunta esposa a fim de dispersar as nuvens negras do passado? Ou a conversa indiscreta queria, por que não?, pôr mais lenha na fogueira? É mínima a referência ao falecimento da cunhada nas biografias de Machado. Como documento, tenho a curta mensagem que João Ribeiro envia ao morador do chalé do Cosme Velho. Mas ela não merece resposta do destinatário, ou, se merece, esta foi engolida pelas traças. Tão curta e formal é a cartinha escrita por João Ribeiro que nela não se vislumbra expressão de sentimento sincero ou de ironia. É certo, no entanto, que por algum tempo Machado de Assis passa a usar um cartão tarjado de luto como papel de carta. Morte na família.

Passam-se outros treze dias. A terceira anotação para o dr. Miguel traz a data de 17 de setembro e é seguida de outra datada do dia 18, praticamente idêntica. As duas anotações são curtas. São curtíssimas e misteriosíssimas. Leio a primeira: "Caso da bacia, à noite (Ausências?)".

Se não é fácil interpretar os espetáculos encenados no palco da escrita literária pelo mímico Machado de Assis, menos fácil e bem mais espinhoso é interpretar um apontamento solto e curto dele, cuja significação clara só se encontra em duas das sete palavras. A primeira delas, "noite", se refere à hora do dia 17 de setembro em que a anotação foi escrita. A segunda, "ausências", é a razão para as poucas palavras que serão submetidas ao dr. Miguel — ou que servirão de lembrete ao cliente durante a consulta.

Estranho o plural para "ausência" e o recurso ao parêntese e à interrogação. O substantivo plural sugere o caráter repetitivo daquela crise específica, diferente das outras que eram singulares. É como se por detrás da primeira convulsão houvesse um motor intermitente que a relançasse várias vezes e sucessivamente. Se o uso impreciso do plural não é *trademark* do autor, que procura ser muito exato nas descrições de caráter psicológico, o tom dubitativo dado pelo uso do parêntese e da interrogação o é. O estilo literário machadiano nunca dispensa um safanão estilístico ou um tranco narrativo no leitor preguiçoso.

Deveria parar aqui. "Caso da bacia". Falta-me a conversa entre o médico e o enfermo. Mas não há como não me contentar em interpretar ao pé da letra as anotações feitas nos dias 17 e 18 de setembro de 1906. Impera como enigma impenetrável a mera alusão a um caso da bacia. No oco aberto pelas falas inacessíveis do médico e do enfermo, cabe-me ler um texto lacunoso. Ou jogá-lo na cesta de papéis.

Evidentemente, Machado não teria anotado as três palavras para entregá-las ao dr. Miguel se elas não tivessem raízes profundas na sua vida. Estariam elas escondidas na vida e na obra do cliente, com ramificações pela sua imaginação criadora? Ou estão ali, no papel, e pronto? Como negligenciar o fato de se tratar de informação importante a ser prestada ao médico no processo de tratamento das crises sucessivas? Por a alusão ao caso da bacia ser tão e mais lacunar que qualquer verso, qualquer parágrafo de conto ou de romance do mímico do chalé do Cosme Velho, a anotação, que apenas me direciona a significações subjetivas e aleatórias, me convida, no entanto, à intrépida aventura da interpretação.

Convida-me a correr o risco e o perigo de entrar numa floresta despovoada de significados. E a buscar contexto para três palavrinhas, *caso/da/bacia*, aparentemente destituídas de encanto especial. É evidente que qualquer contexto levantado para as três palavrinhas será obrigatoriamente obra de leitor bisbilhoteiro; se ele for também sutil e penetrante, melhor. Só o bisbilhoteiro pode levar algo de relevante, de muito relevante, a significar. Mas nem todos os contextos são permitidos na busca de significado. Circunscrevo o contexto de *caso/da/bacia* às obras completas de Machado de Assis e, fiando na minha memória, aposto em coincidências tão inesperadas quanto a série de convulsões que o acometem.

Por outro lado, se contrasto as descrições subjetivas das crises escritas por Mário de Alencar com as bem objetivas de responsabilidade de Machado de Assis (de que é exemplo essa, que me ocupa), agiganta-se uma diferença entre os dois. O jovem acadêmico sempre se entrega a longa e delicada análise psicológica do estado de espírito que precede o mal-estar súbito. Já o mais velho configura a situação psicológica das ausências com descrições lacunares ou metafóricas. A diferença na expressão das convulsões pelas duas personalidades aponta — no caso de Machado — para a insistência no caráter passageiro, pouco preocupante e muitas vezes corriqueiro do fato. Veja o curto relato que circunscreve a convulsão ocorrida na Casa do Garnier. Em matéria de doença, tudo para Machado é quase nada significante. Doença é tabu, ou se trata de estilo pessoal? Opto pelas duas hipóteses e acrescento que não é por acaso que o contista Machado escreve e publica "A causa secreta". Como motor da trama de fundo médico, o segredo fortalece a maneira de o contista narrar o conto e justifica o estilo lacunar.

Em todo e qualquer complexo sistema de alusões, a causa do sentimento e do sofrimento escapa nas entrelinhas da caligrafia, assim como ela escapa, na atuação do ator Buster Keaton, pela impassibilidade dos gestos corporais. Ambos os subterfúgios — entrelinhas do escrito e gestual da performance — servem para sugerir significados. A imperturbabilidade da escrita e dos gestos é sinal da apatia do ser humano, mas nunca forma de desleixo por parte do artista.

Nos romances de Machado de Assis, ganha interesse o uso de episódios digressivos, aparentemente desmotivadores da continuidade na leitura da trama principal. De repente, o contista ou romancista introduz no conto ou romance que escreve um curto episódio, às vezes curtíssimo, aparentemente irrelevante (assim crê à primeira vista o leitor). À medida que a narrativa avança, o curto e irrelevante episódio ganha mais e mais poder sobre o todo da fabulação ficcional. Intrometido à força e curto, o caso, ou o causo, faz um corte súbito e inesperado na narrativa linear dos acontecimentos. Depois de cortar a trama, surpreendendo o leitor, o corte possibilita a abertura de espaço próprio no relato. Trata-se duma *digressão*, totalmente imprevista pela trama global. Parece que, mal iniciada a viagem, o trem perde o destino, ou descarrila. E logo depois reganha o destino.

Corte, abertura e digressão, se somados, são a forma mais autêntica e corajosa de Machado de Assis interromper, subverter e corroer a tradição oitocentista do romance realista que caminha na cadência do sentido linear e evolucionista da trama e da história social. Como o carro com problema na caixa de mudança de marcha, a narrativa de Machado caminha aos solavancos, e é só assim que ela funciona à perfeição. Safanão estilístico e tranco narrativo são — se somados a corte, abertura e digressão — todos os cinco elementos *trademark* do estilo de Machado de Assis.

Logo no início do romance *Esaú e Jacó*, irrompe um inesperado e intrigante corte. Abre-se uma digressão que alimenta alguns poucos capítulos subsequentes, transformando-se afinal em digressão totalmente imprevista na trama que vinha sendo armada em torno da gestação dos gêmeos Pedro e Paulo. Refiro-me ao súbito aparecimento, na esquina das ruas São José e da Misericórdia, do irmão das almas (o rapaz que, no Rio antigo, recolhe com uma bacia esmolas na rua para a igreja, também conhecido como *andador*). O irmão das almas dá de frente com Natividade, senhora grávida e futura mãe dos gêmeos, e com sua irmã Perpétua, e lhes estende a bacia. Iniciada a digressão em que o irmão das almas é protagonista, ela se estende pelos capítulos iniciais do romance e se transforma num legítimo causo. "O caso da bacia das almas", "O caso da bacia". Mais e mais as três palavrinhas se esclarecerão.

Depois da consulta à cabocla, a quem o povo atribui uma série de milagres, sortes, achados, casamentos, as irmãs Natividade e Perpétua descem as ladeiras do morro do Castelo, onde mora a vidente. Estão felizes. Natividade fica tão encantada com as palavras esperançosas da vidente que a remunera com valor cinco vezes superior ao do costume. Cinquenta mil-réis. Quando as irmãs ganham a rua São José e vão entrar na rua da Misericórdia, dão de cara com o irmão das almas e sua bacia. Recolhe esmolas para a igreja mais próxima. Natividade não titubeia. Tira da bolsa uma nota de dois mil-réis, novinha em folha. Deita-a na bacia.

Embasbacado, o irmão das almas vê a nota cair em cima de dois níqueis de tostão e alguns vinténs antigos.

Mais longa que as habituais, a digressão se alonga mais ainda, em semelhança à interpretação arriscada que estou propondo para a simples anotação *caso/da/bacia*. Nem sempre os protagonistas da ficção machadiana pensam e agem de modo claro e evidente. O certo é que o irmão das almas embolsa a polpuda esmola dada por Natividade e tem lá suas obscuras razões para embolsá-la. Na consciência do protagonista, as razões para o furto à igreja são tão obscuras e, ao mesmo tempo, tão claras que o narrador do romance tem de intervir e esclarecer a moral de ladrão que o irmão das almas herda não se sabe bem de quem e de que canto do mundo:

> Em verdade, as palavras [do irmão das almas] não saíram assim articuladas e claras, nem as débeis, nem as menos débeis; todas faziam uma zoeira aos ouvidos da consciência. Traduzi-as em lín-

gua falada, a fim de ser entendido das pessoas que me leem; não sei como se poderia transcrever para o papel um rumor surdo e outro menos surdo, um atrás de outro e todos confusos para o fim, até que o segundo ficou só: "não tirou a nota a ninguém... a dona é que a pôs na bacia por sua mão... também ele era alma".

Embolsada a nota de dois mil-réis, aquele que se julga também alma digna de esmola é, por sua vez, abalroado por desconhecido na rua por onde caminha. Um mendigo. Dá-lhe dois vinténs; ficam-lhe mil novecentos e noventa e oito réis na algibeira. Uma pequena fortuna.

Como tantas outras digressões nos romances de Machado de Assis, essa termina sem deixar aparentemente traço marcante na narrativa. O irmão das almas é um rapaz esperto, sem passado claro. Um anônimo, talvez órfão, perdido no mundo. No entanto, o caso/da/bacia não desaparece na sucessão dos muitos capítulos seguintes de *Esaú e Jacó* que, depois da digressão, retomam a trama dos gêmeos Pedro e Paulo.

O caso/da/bacia retorna. Retorna só no capítulo de número 74. Retorna em grande estilo e estará engrandecido por mil e um enfeites novos. A digressão inicial se abre para o mundo capitalista carioca, por onde transita um protagonista de alto coturno, desconhecido da melhor sociedade. Um sujeito estranho. O capitalista cinquentão cai dos céus como por milagre. Refiro-me ao personagem Nóbrega que se apaixona por Flora, a bela moça cortejada pelos gêmeos Pedro e Paulo, aqueles mesmos que, ainda a brigarem na barriga da mãe, motivaram Natividade e a irmã a subirem o morro do Castelo para consultar a vidente. Nóbrega alarga o triângulo amoroso de *Esaú e Jacó* para transformá-lo em quarteto.

O terceiro apaixonado por Flora é já conhecido do leitor do romance. Reporte-se aos capítulos iniciais. Trata-se do irmão das almas. Ele ganha nome e outra vida a partir do capítulo 74. É o capitalista Nóbrega, figura conhecida na praça comercial do Rio de Janeiro.

O Nóbrega tem função semelhante à da vidente do Castelo. Ela previu o futuro glorioso dos gêmeos; o Nóbrega prevê a morte iminente da moça por quem se apaixona. Preterido por Flora, o capitalista age como cópia bastarda da astuta raposa da fábula de La Fontaine. Ao descobrir que o cacho de uvas que lhe apetece está fora do seu alcance, diz que as uvas estão verdes. Junto ao lacaio, o Nóbrega une a negativa da moça ao noivado com ele à previsão de sua morte prematura: "Não foi por mal; foi talvez por se julgar abaixo, muito abaixo da fortuna. Creia que é boa moça. Pode ser também, quem sabe? por ter sido um mau conselho do coração. Aquela moça é doente". Flora está realmente doente. Morre e deixa os gêmeos a depositar guirlandas de flores no túmulo do Cemitério de São João Batista.

Ao retomar no romance o personagem do irmão das almas, Machado não economiza palavras. Descreve de maneira notável a metamorfose do espertalhão em milionário. Caprichá nos jogos irônicos que derrubam por terra os parvenus da sociedade brasileira sob o regime republicano. Associa-os ao enriquecimento ilícito e rápido à custa da desgraça alheia, acontecido durante o período econômico da história nacional conhecido como Encilhamento. Para Machado, o Encilhamento é a grande bacia das almas. A bacia das almas é a bacia da nota de dois mil-réis roubada às almas e é a bacia do capital. Volto à leitura do romance:

> Com pouco [o irmão das almas] deixou a cidade, e não se sabe se também o país. Quando tornou, trazia alguns pares de contos de réis, que a fortuna dobrou, redobrou e tresdobrou. Enfim, alvoreceu a famosa quadra do "encilhamento". Esta foi a grande opa, a grande bacia, a grande esmola, o grande purgatório.

Seria o capitalista brasileiro um mero ladrão das almas? Ou um espertalhão a fazer compras de terrenos e de imóveis na bacia das almas? O conselheiro Aires acode-me com a resposta sob a forma de provérbio em capítulo no meio do romance. Meu leitor não escapará desta outra "errata pensante". Diz o conselheiro que, onde se lê: "A ocasião faz o ladrão", deve-se ler: "A ocasião faz o furto; o ladrão nasce feito". Anônimo, perdido no mundo, talvez órfão, o irmão das almas, graças a novas e extraordinárias malandragens, reaparece como o capitalista Nóbrega a disputar o amor de Flora com os gêmeos Pedro e Paulo.

O ladrão nasce feito. O capitalista Nóbrega está no irmão das almas, assim como... Aliás, nada é íntegro no universo romanesco de Machado; algo está sempre dentro de si mesmo, como é o caso da nota de dois mil-réis dos capítulos iniciais, que volta no capítulo 76, "Talvez fosse a mesma!". O Nóbrega está às voltas com mendigos, agora é uma mendiga que lhe dá um tranco na rua e recebe um sucedâneo da nota de dois mil-réis, novinha em folha quando dada pelas mãos de Natividade. Leio: "[Nóbrega] introduziu a mão na algibeira das calças e sacou um maço de dinheiro; procurou e achou uma nota de dois mil-réis, não nova, antes velha, tão velha como a mendiga que a recebeu espantada, mas tu sabes que o dinheiro não perde com a velhice".

Saltam à vista os vários temas expostos pela digressão a que dei o título de caso/da/bacia. Seriam esses os problemas que atazanam Machado de Assis nas noites de 17 e de 18 de setembro de 1906? Pedras soltas, os fatos aparentemente anárquicos são montados admiravelmente pelo romancista, e será que, naquelas duas noites, estariam sendo reavivados na consciência ausente, ou seja, convulsa, de Machado de Assis como motivo para o "pecado original"? As observações sobre o caráter do capitalista Nóbrega são de responsabilidade do conselheiro Aires, a consciência pensante dos últimos romances de Machado de Assis.

Mas na verdade é o romancista Machado de Assis que se responsabiliza por elas em última instância e é ele que, no mês de setembro do ano de 1906, está a escrever o *Memorial de Aires*. Machado de Assis, o conselheiro Aires e o Nóbrega. A trinca está sendo entregue na bacia das almas ao dr. Miguel.

Continuo a acompanhar a trama do romance depois que se lhe incorpora a digressão inicial em que é protagonista o andador. O capitalista Nóbrega tem medo do passado. Medo é sentimento ambíguo. Faz o sujeito recuar diante do imprevisível e atiça seu desejo de descoberta do passado. De modo enviesado, o medo faz cócegas nos olhos de Nóbrega e o incentiva a se ver a si como o outro e já distante irmão das almas. O medo encaminha Nóbrega para o que ele quer e teme. Para o que, sabe de antemão, é punitivo, arriscado e autodestrutivo.

O medo não tranca a narrativa de Machado de Assis. Pelo contrário, graças ao solavanco dado pela digressão, ele a estimula, abrindo as comportas para a experiência de vida do Nóbrega, para a sua biografia. Na trama de *Esaú e Jacó*, o medo ressuscita o desejo de se conhecer a origem conhecida do personagem que é, por sua vez, desconhecida dos demais personagens. O medo ressuscita a experiência de vida da perspectiva da raiz vital que está sendo dada como inexistente pelos pares milionários e como morta pelo próprio protagonista. Nóbrega, o capitalista, não quer voltar ao bairro por onde andara a pedir esmolas para as almas do purgatório. De repente, embolsa a mais polpuda das esmolas.

O narrador de *Esaú e Jacó* acompanha de perto o antigo andador. Lado a lado, ele descreve longamente e em sucessivas camadas a caminhada do cinquentão capitalista pelas ruas que beiram a igreja de São José e o antigo morro do Castelo, no centro da cidade. Cito: "[O Nóbrega] tinha cócegas de mirar as ruas e as pessoas, recordava as casas e as lojas, um barbeiro, os sobrados de grade de pau, onde apareciam tais e tais moças... Quando ia a ceder, teve outra vez medo e enfiou por outra parte".

Ele volta outras e inúmeras vezes à cena onde transcorre o *caso/da/bacia*: "Lá se foi a pé; desceu pela Rua de São José, dobrou a da Misericórdia, foi parar à Praia de Santa Luzia, tornou pela Rua de D. Manuel, enfiou de beco em beco. A princípio olhava de esguelha, rápido, os olhos no chão. Aqui via a loja de barbeiro, e o barbeiro era outro". A caminhada torna-se obsessiva, já que pouco a pouco traz a tranquilidade de espírito que o medo tanto teme:

> Voltou mais vezes. Só as casas, que eram as mesmas, pareciam reconhecê-lo, e algumas quase que lhe falavam. Não é poesia. O ex-andador sentia necessidade de ser conhecido das pedras, ouvir-se admirar delas, contar-lhes a vida, obrigá-las a comparar o modesto de outrora com o garrido de hoje, e escutar-lhes as palavras mudas: "Vejam, manas, é ele mesmo".

Não há diálogo entre humanos, há diálogo entre o ser humano e as coisas e, em especial, diálogo com as pedras insensíveis à fala alheia, e mudas. Semelhante ao poeta que sacode o fantasma do pai morto a fim de que, já homem-feito, receba a palavra de afeto que o velho, em vida, lhe escondera por detrás de tripla cerca de arame farpado, o capitalista Nóbrega sacode com força as pedras do passado na necessidade de ter sua identidade reconhecida por quem foi testemunha ocular: "Falem, diabos, falem!".

A tranquilidade de espírito lhe recomenda a reserva e ele se contém. O diálogo do milionário de hoje com o pobre de outrora é sempre adiado e merece atenção pela notável perspicácia do sujeito envolvido. Busca-o, mas não quer aceitar uma fala de mão dupla, que aponte tanto para o passado quanto para o presente. Quer uma fala de mão única, mero eco da sua voz a acentuar a prosperidade no presente para melhor esquecer a miséria no passado:

> Não confiaria de homem aquele passado, mas às paredes mudas, às grades velhas, às portas gretadas, aos lampiões antigos, se os havia ainda, tudo o que fosse discreto, a tudo quisera dar olhos, ouvidos e boca, uma boca que só ele escutasse, e que proclamasse a prosperidade daquele velho andador.

Sabendo-se anônimo, Nóbrega faz o último e definitivo teste. Volta à matriz de São José: "Tinha receio de ver aparecer o sacristão, podia ser o mesmo, e conhecê-lo. Ouviu passos, recuou depressa e saiu". Ao voltar à rua, a carroça que passa encosta-o contra a parede e o obriga a se refugiar num corredor — naquele corredor onde embolsara a nota de dois mil-réis atirada na bacia das almas pela mulher grávida de gêmeos. Anota: "viu no ar a nota de dois mil-réis. Outras lhe teriam vindo às mãos por maneiras assim fáceis, mas nunca lhe esqueceu aquela graciosa folha gravada com tantos símbolos, números, datas e promessas, entregue por uma senhora desconhecida, sabe Deus se a própria Santa Rita de Cássia".

Santa Rita de Cássia, a santa dos casos impossíveis e desesperados.

Caso/da/bacia. Durante a consulta, o caso é ressaltado pelo cliente e é bem absorvido pelo ouvido atento do dr. Miguel, um bom leitor de *Esaú e Jacó* e certamente observador atento do capitalista Nóbrega. Talvez o médico clínico seja melhor leitor de literatura que a história da medicina carioca supõe. Talvez tenha se empolgado menos com a transformação do irmão das almas em milionário, um pouco mais com a paixão súbita do cinquentão por Flora, e muito mais com o medo que toma conta do milionário quando ele, sem identidade e por ter escondido por tantos anos sua verdadeira identidade de todos, deseja recuperá-la. Ou, por outra e diferente via, talvez tenha ocorrido a Machado de Assis, por ocasião das crises por que passa em duas noites seguidas, o *caso/da/bacia*, que ele narra com riqueza de detalhes em *Esaú e Jacó*. Mal sabia ele que o capitalista Nóbrega estaria roubando, um dia, grande parte da atração do romance.

Não esqueci o caso da bacia — diz o curto relato anotado para o dr. Miguel.

Elabore-o, por favor — diz-lhe o dr. Miguel.

Não esquecer o medo de voltar ao lugar da miséria — a esquina da rua São José com a rua da Misericórdia. Foi lá que a nota de dois mil-réis caiu na bacia das almas e você se deu conta do valor do dinheiro e da promessa de futuro feliz que ele traz. Não esquecer o medo que sente e o impede de visitar o lugar que o vira teso, a trair sua modesta função profissional e a embolsar a esmola dada à igreja. Você não é uma das almas a que se destina a esmola dada por Natividade. Você não é mais um anônimo, perdido no mundo e por assim dizer órfão. Não esquecer o medo que sentiria se encontrasse pessoas conhecidas no passado que, ao revê-lo na atmosfera de riqueza e luxo que o cerca, enxergariam o antigo andador a carregar a bacia das almas na rua da Misericórdia... E assim ad infinitum.

A hipótese psicanalítica (chamemo-la assim) não desobedece de todo à cronologia histórica. Basta uma consulta ao semanário *O Brasil Médico*, de larga circulação e importância na época, para constatar que há alguns anos as noções básicas e modernas de psiquiatria estão sendo introduzidas no meio clínico carioca e baiano, ainda que muitas vezes inspiradas pelas teorias do italiano Cesare Lombroso. Sob a rubrica "Psiquiatria", são publicados na revista alguns notáveis estudos de "caso", já no sentido a que Freud concede o direito de cidadania nas ciências.

Em *O Brasil Médico*, destaco o longo e minucioso estudo do comportamento pervertido do jovem Gola intitulado "Um desenterrador de cadáveres". Ocupa as páginas de três números sucessivos do semanário e vem assinado pelo professor Mairet, médico francês, que classifica o caso como o de alguém atacado por "epilepsia larvada". A tradução é de responsabilidade do dr. Márcio Nery, professor da Faculdade de Medicina do Rio de Janeiro. Reproduzo:

> Subitamente, para servir-me da expressão empregada pelo doente, é invadido pelo phenomeno que elle chama *atordoamento*. «E', diz elle, como se tivesse bebido muito.»
>
> Ao mesmo tempo a cabeça dóe-lhe, ha uma compressão, um aperto do cerebro e modificações produzem-se no seu moral.
>
> Parece-lhe, então, que não é mais o mesmo; é «uma nova natureza», e não só elle, mas ainda o mundo exterior, lhe parecem mudados. Não que os objectos sejam modificados em sua fórma, mas não lhe fazem mais a mesma impressão de outr'ora.
>
> Além d'isso, fica inquieto (é elle proprio quem falla), não póde conter-se, como se estivesse sob o influxo de uma molestia desconhecida, embotado em seu temperamento, em seu caracter natural. E, entretanto, apezar d'esta inquietação, apezar d'esta tristeza, Gola... sente se muito menos timido do que antes; tem em si o sentimento de que póde fazer certas cousas que antes não podia fazer; de nada tem medo; nada teme.
>
> Sobre este fundo morbido, nascem impulsões. Estas impulsões são de duas ordens: a) *impulsão a roubar;* b) *impulsão a desenterrar cadaveres.* Mas, facto a notar, estas duas especies de impulsões nunca existem simultaneamente; jamais mesmo ellas se succedem no curso de um mesmo accesso.
>
> Nós as estudaremos successivamente, começando por aquella que consiste em desenterrar os cadaveres.

Esta impulsão póde produzir-se de dia ou de noite.

De dia é pouco intensa, pouco imperiosa : o doente escapa-se d'ella facilmente pela distracção.

De noite, ao contrario, ella é absolutamente tyranica; é preciso que lhe obedeça. Começa então uma scena das mais patheticas.

Gola... levanta se, veste-se, deixa a casa, atravessa a aldêa, escala o muro do cemiterio, dirige-se a uma sepultura revolvida de fresco e, ou com um instrumento que achou não sabe onde ou com as mãos, retira a terra e põe a descoberto o caixão. Retira-o da cóva, raramente abre-o, para fechal o immediatamente, carrega-o aos hombros, transpõe de novo o muro do cemiterio e vae lançar seu sinistro fardo a um aqueducto situado a trescentos metros mais ou menos.

O Brasil Médico, 22 de novembro de 1897.

Quem na verdade está em busca do tempo perdido não é o capitalista Nóbrega, talvez o menino nascido no morro do Livramento. No dia 28 de julho de 1888, escreve o conselheiro Aires no seu memorial que na verdade está sendo escrito por Machado de Assis no momento em que está sob os cuidados do dr. Miguel Couto:

Eu nunca esqueci coisas que só vi em menino. Ainda agora vejo dois sujeitos barbados que jogavam o entrudo, teria eu cinco anos; era com bacias de madeira ou de metal, ficaram inteiramente molhados e foram pingando para as suas casas. Só não me acode onde elas eram. Outra coisa que igualmente me lembra, apesar de tantos anos passados, é o namoro de uma vizinha e de um rapaz.

VIII.
A faca tem duas pontas, uma delas assassina

Até agora, todas as aplicações eficazes contra a tísica vão de par com a noção de que a tísica é incurável. Convém que os homens afirmem o que não sabem, e, por ofício, o contrário do que sabem; assim se forma esta outra incurável, a Esperança.
Machado de Assis, *Esaú e Jacó*, capítulo LXXXIII

Aqui, onde me vês, venho de consultar o 25º médico ilustre. Nunca houve no Rio tanto médico ilustre como agora. É talvez por isso que, com 25 médicos, eu tenha até o presente momento 25 diagnósticos diferentes.
João do Rio, *Cinematógrafo*, "A cura nova"

"Não sou especialista no tratamento da epilepsia" — essa é a primeira informação que o dr. Miguel Couto julga importante passar a Machado de Assis quando o escritor bate à porta do seu consultório, hora depois do acesso que sofre na redação do jornal *O País*, no dia 13 de agosto de 1906. A confiança que Machado devota ao médico é tamanha que imediatamente descarta o esclarecimento dado pelo clínico, e a ameaça velada de rejeição que o acompanha. Reafirma os sentimentos de admiração pelo profissional, dizendo que importante é a lembrança do cuidado demonstrado por ele à cabeceira da esposa Carolina e do modo fidalgo como atendeu recentemente ao jovem colega e amigo Mário de Alencar, em plena crise de nervos insuflada pela intolerância dos jornalistas contrários à sua eleição. Da sua parte, Machado esclarece ao dr. Miguel que, apesar de leigo, tem conhecimento considerável da doença, amealhado ao longo de décadas de sofrimento e de alguma leitura especializada. Para afastar o futuro desapontamento com o sucesso na empreitada, revela ao clínico que está a par do fato de que, em caso de crises comiciais, médico e enfermo não pisam em terreno sólido. O caminho a ser palmilhado por eles não o será com total segurança e sem contratempos.

Reconfortado pelas palavras agradecidas, firmes e diretas de Machado de Assis, o dr. Miguel o recebe como cliente. Segue-se a conversa de praxe. O enfermo fala com naturalidade. Vem de curta caminhada pela avenida Central e tudo indica que já está recuperado da crise recente. Como de hábito, o convulsivo só se apresenta ao médico para o exame clínico no estágio pós-paroxístico. É passado o momento de maior intensidade do acesso; também pertencem ao passado — sem nunca terem sido enterradas — as muitas crises sofridas durante a vida pelo escritor.

O dr. Miguel titubeia uma segunda vez. Quem bate à sua porta não é o conturbado neto de homeopata, mas a maior personalidade das letras cariocas. E a lembrança aviva a memória, recordando situações desagradáveis. Não é aconselhável aceitar paciente de prestígio *in media res*, no meio de tratamento. Teria sido melhor que o cliente tivesse sido indicado pelo médico assistente que o antecede. No caso da esposa Carolina, atendia ao convite do dr. Gomes Neto, seu médico assistente. O dr. Miguel descarta o empecilho momentâneo e toma a decisão definitiva. Pede a Machado de Assis para se despir parcialmente e, com as pernas voltadas para o salão, tomar assento na mesa clínica. Está recoberta por lençol tão imaculadamente branco quanto o tronco do médico pelo jaleco de linho. Imediatamente, o dr. Miguel procede ao exame de reflexo dos tendões. Realizado de maneira simplificada nesta primeira consulta. Pede-lhe em seguida para se estender na mesa. Na verdade, todo primeiro exame clínico é rotineiro. Ainda assim, insiste na observação das pupilas do paciente. Enquanto passa de um a outro exame dos reflexos, interessa-se pelo histórico do enfermo. A conversa se faz longa, embora o cliente não seja loquaz e não demonstre prazer em divagar sobre detalhes referentes à doença no passado. De tempos em tempos, o médico é obrigado a se vestir da farda de interrogador.

De volta à escrivaninha, médico e paciente retomam a conversa informal.

Sem o histórico da doença, de responsabilidade de colega, o dr. Miguel opta por tranquilizar o cliente, mas lhe pede — por o exame se dar sempre em situação pós-paroxística — para anotar em folha de papel as circunstâncias que antecedem e cercam os futuros acessos. "Quanto mais precisa a descrição, melhor, *ça va sans dire*", insiste com voz macia e sorriso doce nos lábios, a demonstrar que está a par do temperamento do cidadão e do estilo literário do escritor. E também da antiga máxima da neurologia que diz: "Escute o enfermo, as palavras dele lhe darão de mão beijada o diagnóstico".

O médico não se contenta mais com o conhecimento que já tem do grande mal. Incumbe-se a si de fazer o próprio trabalho de casa. Quer estar à altura do escritor que o procura. Leituras e mais leituras terão de ser feitas, o mais rapidamente possível. A elas dedicará a tranquilidade e o silêncio das próximas e longas noites no palacete da rua Marquês de Abrantes. Para atualizar o conhecimento do grande mal, Miguel Couto vai descartando a cada dia que passa a questão candente da atualidade carioca e nacional — a das epidemias, em particular a da febre amarela.

Volta a estudar os vários manuais franceses consultados durante os anos de formação. Reflete também sobre a própria experiência pessoal, acumulada no já longo e frutífero trabalho na enfermaria dos hospitais e em domicílio. Não lhe é difícil chegar à mais recente bibliografia estrangeira e nacional, já que, tanto nos corredores da Faculdade onde ensina quanto no salão da Academia Nacional de Medicina que frequenta, encontra diária ou semanalmente com os colegas e pesquisadores do Hospital Nacional de Alienados. As verdadeiras autoridades na doença. Sob a forma de artigos publicados no semanário *O Brasil Médico*, eles divulgam a pesquisa de ponta no mundo. Em revistas especializadas, descrevem em detalhes precisos e técnicos a própria pesquisa nos hospitais brasileiros. Miguel e os demais colegas e amigos fazem parte do comitê de redação do semanário que, ao completar dez anos de vida, ainda se mostra bem atualizado. O professor entrega a dois dos seus discípulos — a que chama carinhosa e egoisticamente de filhos — a tarefa de fazer o levantamento bibliográfico em tratamento da epilepsia e de recolher os números indispensáveis da revista brasileira que tratam da matéria.

Aproxima-se, primeiro, dos escritos do psiquiatra Afrânio Peixoto. Ele não só é especialista na doença, tendo defendido tese de doutorado sobre epilepsia e crime na prestigiosa Universidade de Medicina da Bahia, como também é — desde 1902, quando fixa residência no Rio de Janeiro — amigo próximo de Machado de Assis. Afrânio Peixoto é nesse momento o principal porta-voz do trabalho de pesquisa feito no Hospital de Alienados, de que é diretor desde 1904. Nos experimentos que desenvolve junto aos internados, tem como referência inicial o tratamento da epilepsia pelo psiquiatra Vladimir Bechtereff, tratamento então em voga no mundo médico e desde há muito julgado como clássico. Bechtereff é professor de doenças psiquiátricas na Universidade de Kazan, onde inaugurou o primeiro laboratório de psicologia experimental da Rússia.

Não é por casualidade que a atitude filosófica de Afrânio Peixoto diante da cura da epilepsia sirva para recobrir as palavras informadas e sensatas de Machado de Assis, ditas no decorrer da primeira consulta. São bons amigos e Afrânio é bom conselheiro. A supressão das manifestações psíquicas, sensoriais e motoras de origem comicial não é obra do indivíduo, mas um dia será da espécie humana. É preciso desembaraçar o mais rápido possível a doença das superstições ancestrais e das modernas. Ensina ele que é o próprio enigma da epilepsia — e não obrigatoriamente os afetados pela doença — que se incumbirá de atrair mais e mais a curiosidade, a inteligência e a imaginação dos médicos e dos pesquisadores estrangeiros e nacionais, com o objetivo de testar na prática os possíveis avanços.

No controle da doença, não há como não partir do zero. Eis aí o principal motivo para Afrânio Peixoto ter iniciado sua prática na enfermaria do Hospital de Alienados pelo método proposto pelo russo Bechtereff, que traz a novidade de rever, de modo aberto e crítico, a aplicação dos bromuretos alcalinos aos doentes convulsos. A revisão consciensiosa do tratamento clássico se fez e se faz necessária porque a substância salina nem sempre é segura e eficaz e, por vezes, de emprego difícil em virtude das consequências inevitáveis do bromismo, intoxicação causada no organismo humano pela ingestão excessiva do remédio.

A chamada "dose suficiente" (expressão usada pelo francês Gilles de la Tourette, o mesmo que deu nome à conhecida síndrome) dos bromuretos traz sérios efeitos colaterais, mesmo se administrada de modo responsável pelo médico clínico. Não há dúvida de que ela promove intoxicações e autointoxicações no enfermo. Se na realidade as crises se espaçam, surgem, no entanto, outros males a medicar. Afrânio refere-se à gastroenterite, à depressão e à embriaguez brômicas. Hoje em dia, vários produtos comerciais recobrem os ensinamentos de Bechtereff e são encontrados no mercado europeu e exportados para o mundo. Deles o mais recomendado pelos profissionais é o Xarope de Bromureto de Potássio de Henry Mure. Seguem-se: as Drágeas e o Xarope de Gelineau e também a fórmula granulada de Falières, produzida pela Casa L. Frère, de Paris.

Afrânio Peixoto é quem domina e divulga, entre nós, a bibliografia crítica sobre os efeitos colaterais causados pelos bromuretos. Recomenda a associação dos bromuretos a substância medicinal diferente. Mas o pesquisador não se distancia da tese de Bechtereff, e sim das substâncias propostas pelos colegas europeus. Afirma que não tem obtido o sucesso almejado com a aplicação de muitas das combinações sugeridas, quando aplicadas sob a sua vigilância. Afrânio Peixoto não se sente confiante na administração concomitante de *naftol* (substância obtida da destilação do carvão de pedra, antisséptico do tubo digestivo e urinário), de *salicilato de bismuto* (antiácido que proporciona o alívio da má digestão) ou ainda de *benzoato de sódio* (usado para tratar a difteria e a coqueluche). Tampouco é melhor — julga ele — o método preconizado por Flechsig, que associa aos bromuretos doses crescentes de ópio.

Afrânio Peixoto prevê melhores resultados com o recente desvio de rota proposto pelo próprio Bechtereff. Ele passa a associar medicamentos cardíacos, como a *Digitalis*, o *Adonis vernalis*, e outros, na administração dos bromuretos. No ambulatório do Hospital de Alienados, o resultado tem sido auspicioso. O tratamento por bromureto de potássio (sal que resulta da combinação do bromo com a potassa) associado aos remédios cardíacos faz o número dos acessos convulsivos despencar sessenta e oito por cento. A fórmula proposta por Afrânio Peixoto associa cinco gramas de bromureto de potássio mais dois centigramas de *dionina* à infusão de quatro gramas de *Adonis vernalis* em água. Tanto as partes ativas do *Adonis vernalis* quanto as folhas da *Digitalis* têm efeito cardiotônico considerável, mas a ação da primeira é mais rápida e evita que a substância se acumule no organismo. A combinação das substâncias age sobre o sistema nervoso central e tem inegável efeito sedativo.

São essas as razões que motivam a preferência do pesquisador baiano pelo *Adonis vernalis* em detrimento da *Digitalis*; prefere também, como sedativo e expectorante, a *dionina* à *codeína*, apesar de ser esta a recomendada por Bechtereff. À medida que os bromuretos e opiáceos agem, moderando a excitabilidade dos centros corticais, o *Adonis*, por suas propriedades vasomotoras, impede a congestão sanguínea, aumentando a pressão arterial e favorecendo a circulação cerebral. Graças aos efeitos diuréticos e em virtude da ação positiva sobre o coração, o *Adonis* contribui a eliminar bromuretos e opiáceos já ingeridos, e, sobretudo, a minimizar possíveis efeitos colaterais.

O debate em torno das propostas de tratamento e sobre os resultados alcançados na prática se fez e se faz nas reuniões semanais da Academia Nacional de Medicina. Os acadêmicos se reúnem toda quinta-feira, à noite. Algumas intervenções públicas no tratamento da epilepsia tornam-se salientes no meio clínico carioca e foram anotadas com cuidado por Miguel Couto e seus discípulos, cujos cadernos ele consulta com frequência.

Os pesquisadores Antônio Austregésilo e Henrique Autran também usam o método de Bechtereff nas respectivas clínicas, e informam resultados positivos. Mas é Carlos Seidl quem se faz porta-voz do dissidente dr. Franco da Rocha, de São Paulo. Ele rejeita o tratamento apregoado pelo psiquiatra russo porque nota maior violência nos ataques do momento em que os epilépticos deixam de usar o medicamento. Em sessão da Academia Nacional de Medicina, Carlos Seidl é aparteado por Antônio Austregésilo. Afirma este que o dr. Franco da Rocha comete um equívoco ao suspender de chofre a medicação. O remédio tem de ser suspenso em doses progressivamente menores.

Por essa época é que Miguel Couto se aproxima do jovem e dinâmico Antônio Austregésilo, que recentemente tinha defendido tese de doutorado, intitulada *Estudo sobre o delírio*. Reconhece nele um colega de grande futuro, e mais o admira ao notar que dedica ao exame clínico do paciente o mesmo cuidado que os colegas dispensam ao acompanhamento das reações do organismo sob o efeito desta ou daquela droga. De modo particular, impressiona-o a narrativa sobre as experiências fracassadas com o uso de bromuretos, de acordo com o tratamento da "dose suficiente" indicado por Gilles de la Tourette. Na enfermaria do Hospital de Alienados, Austregésilo acompanha o efeito da "dose suficiente" pelo exame dos reflexos, em particular do reflexo pupilar. O resultado do tratamento parece-lhe desastroso.

Muitos doentes caem em estado de coma e alguns morrem. Num dos casos, salienta ele, a autópsia macroscópica revelou uma congestão passiva das meninges. Ao tentar um desvio do método russo posto em prática por Afrânio Peixoto, Austregésilo é levado a reconsiderar positivamente o mérito do professor e colega baiano, pois — do momento em que ele abandona as recomendações de Gilles de la Tourette — os ataques se espaçam e não ocorre mais acidente grave.

Do feliz reencontro com os colegas e do debate instrutivo entre especialistas advém o interesse crescente de Miguel Couto pelas pesquisas de um terceiro psiquiatra, Juliano Moreira, pertencente à escola baiana de medicina, como Afrânio Peixoto. Desde 1903, ele faz parte do corpo médico do Hospital Nacional de Alienados. Miguel Couto acaba por ter maior admiração pelos escritos do Juliano. O interesse maior deste pesquisador — os reflexos tendinosos, ou rotulares, na fase pós-paroxística da epilepsia — coincide com a sua dificuldade em relação ao paciente sob os seus cuidados.

O dr. Miguel nunca examinou Machado de Assis à luz do momento paroxístico do acesso ou da crise, e tudo indica que possivelmente nunca teria essa rara oportunidade. Por circunstâncias que só uma capital federal explica, o exame clínico do enfermo será sempre feito a posteriori. Só pelo diagnóstico sobre os reflexos é que o dr. Miguel pode e poderá saber algo de concreto sobre o estado mórbido do paciente; ou seja, só o diagnóstico pós-paroxístico correto pode indicar se o sistema denota, ou não, desequilíbrio psíquico.

Juliano Moreira recorre à análise dos reflexos tendinosos (entre eles o reflexo rotuliano) para avaliar o funcionamento do sistema nervoso do epiléptico. Na prática, o pesquisador constata que os reflexos tendinosos, em sessenta e um dos cem casos de acesso pós-paroxístico, se apresentam abolidos. Em dez casos, há apenas diminuição da intensidade. Em nove, impossibilidade de determinar a uniformidade. Daí, ele conclui primeiro que a diminuição dos reflexos é quase sempre proporcional à intensidade do ataque. Se este não tiver sido violento e não tiver tido longa duração, estado mental, força muscular, pulso e respiração não sofrem grande modificação.

À primeira conclusão, Juliano acrescenta uma segunda e definitiva. Pode-se julgar da violência, da extensão e da duração de um ataque convulsivo a que não se tenha assistido pelo exame dos reflexos tendinosos.

Ao atender pela segunda vez a Machado de Assis na quarta-feira, 5 de setembro de 1906, o dr. Miguel tem de negociar com o grosseiro e inimigo sentimento de consternação a sensação reconfortante que tinha transmitido ao paciente na primeira consulta. À medida que ele vai recebendo os exames e os dados clínicos solicitados, torna-se mais e mais evidente o estado de saúde precário do escritor. Constata que tem pela frente um cliente em estágio de grande complexidade. O organismo do enfermo foi muito atingido no passado e se encontra fatalmente enfraquecido.

Com o devido cuidado, o dr. Miguel informa a Machado que o longo uso de remédios — com poder de controle da doença e com menor ou maior grau de toxicidade — acarretou-lhe uma inflamação interna dos intestinos, conhecida como enterite. Os intestinos se tornam mais espessos e mais moles. Pode já ter ocorrido alguma ulceração.

O próprio cliente já tinha alertado o médico sobre as dores surdas no ventre — e o dr. Miguel tinha sido sensível à informação, tendo chegado a quase negligenciar o motivo maior para a consulta, a súbita recorrência dos acessos. O complexo diagnóstico clínico encoraja o paciente a ser mais preciso na descrição do mal-estar gástrico que sente. Machado se queixa da fraqueza geral, de alguma prisão de ventre e da diarreia um tanto frequente.

O cliente que Miguel Couto encontra em setembro de 1906 está bem mais franzino, mofino e pálido que o Machado de Assis de outubro de 1904, mês em que falece sua esposa.

Em psiquiatria, a medicina nutritiva torna-se tão ou mais importante que o remédio — não é essa a mensagem enviada pela Academia Real de Medicina da Bélgica aos médicos brasileiros? Sentado à escrivaninha, tendo à sua frente Machado de Assis, o dr. Miguel faz a pergunta de maneira quase retórica. Ele mesmo a responde, anotando na folha em branco do receituário o regime alimentar a que o paciente deve se submeter o mais rápido possível. Acrescenta que ele terá de contar com a ajuda da cozinheira. Seria bom que conversasse longamente com ela, explicando-lhe os detalhes que — quando do preparo do café da manhã, do almoço ou do jantar — têm de ser seguidos à risca.

Enquanto anota os alimentos recomendados, o dr. Miguel vai explicando ao cliente que é preciso se alimentar apenas com alimentos que deixem pouco resíduo, tais como galinha, frango, peixe, ovos, arroz e leite. A evitar hortaliças e carne de vaca e de porco. Aconselha tomar banhos mornos de vez em quando, deixando o corpo ficar imerso por alguns minutos. Clisteres de linhaça são úteis. Também são úteis as fricções com linimento. Enquanto detalha na folha seguinte do receituário a parte final da receita, repete em voz alta:

Bálsamo-tranquilo, 60 gramas;
Láudano de Sydenham, 30 gramas.
Misture-se e façam-se três fricções diárias, usando para cada fricção meia colher de sopa do linimento.

Há algum tempo o dr. Miguel vem apurando o ouvido e prestando atenção nos avanços na área da alimentação sadia e do regime alimentar. Em abril de 1904, endossa em carta pública a propaganda do café nacional com vistas à conquista de novo mercado, o do Extremo Oriente, então cenário da infindável Guerra Russo-Japonesa. Enviada ao Centro de Comércio do Café, a carta é logo divulgada por toda a imprensa carioca e tem maior peso que qualquer anúncio comercial. Nela, salienta o infuso de café como estimulante e também alardeia sua função metabólica. Afirma primeiro que o café é "um estimulante da digestão, da circulação, da contratilidade muscular e das fun-

OS VENENOS DA ALIMENTAÇÃO
INTERVIEW COM O DR. MIGUEL COUTO

Acolhendo com fidalga gentileza a solicitação que lhe fizemos de uma entrevista sobre a nossa campanha contra os venenos da alimentação que o publico diariamente consome, o Dr. Miguel Couto recebeu-nos em seu confortavel consultorio á rua dos Ourives, onde nos entretivemos l... ..empo com o illustre medico brazileiro a tratar desse problema, que por sua magnitude tão vivamente o poder expurgar dos bacterios que tenha adquirido no transporte ou que provenham da sua facil deterioração.

No que respeita ás mucellas, coagulos para a pobreza, salchichas e outras mercadorias a que o *Paiz* se refere, o perigo não é menor.

— Acha que o sangue, como diz Wurtz, contenha toxinas que as analyses não denunciam?

ções do cérebro", e acrescenta que, devidamente absorvida pelo organismo, a bebida torna melhor a assimilação. Justifica-se em seguida: "a quantidade de alimentos necessária diminui por tal forma, que indivíduos sujeitos a uma ração insuficiente de azoto mantêm admiravelmente o vigor físico, e a desnutrição se opera mais lentamente, como o provam as experiências de jejuns bem suportados durante muitos dias".

Em abril de 1906, dois anos depois da carta escrita em defesa do café nacional, o dr. Miguel Couto recebe no seu consultório um jornalista de O *País*. Vem entrevistá-lo sobre tópico então candente nas altas-rodas cariocas e junto à classe médica: "Os venenos da alimentação", de acordo com o próprio título dado pelo jornal à entrevista. O médico é também bom político e, com firmeza e conhecimento de causa, satisfaz o interesse dos leitores do jornal e também o das autoridades no poder. Refere-se positivamente ao prefeito Pereira Passos, à classe médica carioca, destacando a figura de Oswaldo Cruz, e termina por nomear os dois especialistas na matéria que são seus amigos, Abreu Fialho e Ernâni Pinto.

Em seguida, mostra-se bem informado sobre questão que se torna popular. Discorre sobre a falta de higiene que cerca a comercialização dos produtos alimentícios nos trópicos, tendo como referência as boas medidas legais que são tomadas nos países invernais da Europa. Concorda com o jornalista que todo serviço sanitário é de responsabilidade da União. "Higiene pública entregue a duas direções ocasiona conflitos sempre maus para a população", afirma.

A seguir, destaca a necessidade de atentar para a condição de consumo da carne verde, do sangue (de que são feitas as morcelas), do açúcar (aconselha o refinado e embalado em saco impermeável, e não em sacos de aniagem, sensíveis à sujeira do ambiente) e do leite. A carne verde, ao contrário do que sucede na França, não pode ser consumida depois de quarenta e oito horas de abatido o animal. Em virtude do calor abrasante, a noção clássica de faisandé não pode ser tomada aqui no modo como formulada pelos chefs na França. Explica-se: "A temperatura de lá é de câmara frigorífica; a daqui é de estufa". Dono de verve notável, o dr. Miguel discorre finalmente sobre os venenos do leite consumido. Como argumento, vale-se de velha anedota francesa. Os produtores de leite e de produtos derivados se preocupam com tudo, menos com as próprias vacas.

Se a entrevista toca o coração das donas de casa brasileiras e a mente dos leitores, o rigoroso regime prescrito para Machado de Assis é abominado pelas duas criadas, Carolina Pereira e Jovita Maria, que lhe servem no chalé do Cosme Velho. Elas obedecem de início às ordenações médicas, mas pouco a pouco suas mãos, suas vistas e seus respectivos paladares vão perdendo os hábitos recém-ministrados e reganhando os antigos. Foram acostumadas pela dona de casa portuguesa a cozinhar segundo a dieta lusitana, onde a carne de vaca e de porco, o bacalhau, os embutidos e as hortaliças ocupam lugar de destaque na mesa de jantar. Como cortá-los de maneira rápida e drástica?

Tão violenta é a reação do escritor à impertinência da dupla Carolina e Jovita que uma das próximas crises, a que terá lugar no dia 29 de outubro daquele ano, será gerada pela cólera

Anotação para o dr. Miguel Couto, novembro, dias 3, 14 e 15.

despertada e mantida acesa durante longa discussão na hora do almoço. Diz a brevíssima nota, escrita ao modo de telegrama, para a próxima conversa com o dr. Miguel: "Crise cólera — Criadas — Encontro com o Afrânio e o Moacyr".

O patrão não se sente bem em casa, por isso sai à rua para encontrar amigos, um deles o Afrânio Peixoto, que o dr. Miguel tanto admira. Mas logo lhe bate o sentimento de culpa. Carolina e Jovita são por demais afáveis e, desde a morte da esposa, têm sido companhia de valor inestimável. Não pode perdê-las; seu estado de saúde não permite que as acate.

Os acessos tornam-se repetitivos e ganham o terreno sólido do organismo durante todo o mês de novembro. São responsáveis por três anotações seguidas (dias 3, 14 e 15), onde predomina a informação sobre a sensação de ausência. Só na última delas é que desce à descrição do seu estado físico. Lamenta que durante o jantar a boca tenha ficado amargosa e o incomoda aquilo da... — interrompe a frase com reticências, receoso na certa de escrever com todas as letras o nome da infecção bucal que o importuna e para a qual não vê melhora possível e muito menos solução. As aftas causadas por mordeduras involuntárias dos dentes na língua ou nas bochechas.

Normalmente, as aftas são um incômodo benigno, e podem ser imediatamente atacadas com bochechos de líquido adstringente, dissolvido em copo com água morna. Quando se sucedem com frequência ou se multiplicam, levam o convulsivo ao desespero e requerem cuidado especial, a que ele não pode se dedicar, já que as aftas são consequência do acesso (mordeduras involuntárias), mas também efeito colateral das drogas que o controlam (os bromuretos, associados ou não a outras substâncias). A ulceração das aftas, pelo mau cheiro que exalam, chega a ser tão insuportável e asfixiante para Machado de Assis quanto a experiência da ausência.

O tratamento conduzido pelo dr. Miguel Couto tem também alto custo emocional. No início de dezembro do ano que finda, Machado de Assis se abre de modo definitivo ao amigo Mário de Alencar. Na capital federal, sabe o presidente da Academia, confidência sobre doença requer lugar neutro e ouvidos alheios distantes. Uma boa mesa em restaurante de luxo, por exemplo. Conversa confidencial a dois requer também concentração, equilíbrio e um misto de pretensão e de modéstia. Boas qualidades que sobram em Machado e faltam a Mário, acrescento eu.

A partir de meados de novembro, o espaço da vida social carioca é controlado pelos preparativos para as festas de fim de ano. Na sexta-feira 30 de novembro, pouco antes de se despedir de Mário e tomar o bonde para o Cosme Velho, Machado queixa-se da crescente solidão. Inesperadamente, convida-o a sair na noite de sábado para uma conversa particular, longe da família. Acertam o encontro. No sábado 1º de dezembro, saem os dois para jantar num bom restaurante do largo do Machado. Pouco preso ao próprio lar, Mário lhe aparece então como o amigo ideal para confidências no mês em que o corre-corre que antecede o Natal e o Réveillon não se casa com a solidão da viuvez que, por sua vez, se casa e mal com as criadas em casa e principalmente com as misérias da velhice.

Machado gosta de armar situações e sempre consegue tirar o proveito almejado delas. Já sentados à mesa, começa a nomear cuidadosamente os problemas por que passa e o deixam mais combalido física e moralmente. Sua fala flui a partir das severas recomendações e advertências feitas pelo médico comum e prossegue pelas ausências sucessivas e repetitivas. Elas não abrem mais espaço razoável entre si. Retoma, em seguida, o delicado tema das ausências, agora pelos terríveis efeitos colaterais das drogas que deveriam controlá-las, e dá sequência às considerações médicas, discorrendo sobre o regime alimentar rigoroso e sem graça a que tem de se submeter. "As criadas só faltam me matar", diz e sorri. Perde-se na descrição da fraqueza geral do organismo para logo retomar o fôlego e se deter em lamento sobre a imaginação criativa em polvorosa. Esquecimentos e equívocos dificultam mais e mais o progresso do novo romance. O verão está aí e se anuncia inclemente — arremata ele.

Só no final do relato sobre o lamentável quadro do seu cotidiano é que Machado se dá conta de que, à medida que os tópicos se sucediam, a alma sensível e melancólica de Mário de Alencar ia se fechando até se fechar de vez. Desinteresse do ouvinte? Não. Só se involuntário. O desinteresse involuntário pela confissão do amigo é o modo como se ouriça a proverbial aflição de Mário. Ouriça-se, ganha dimensão e se contrapõe às lamúrias do velho escritor, doente e solitário, servindo de cenário para elas. A ansiedade do discípulo abafa de tal modo a fala do mestre que Machado, no final da longa exposição compulsiva da infelicidade atual, toma como recompensa dos deuses a própria dor que sente.

Machado reconsidera a dor que sente pelo viés da ansiedade silenciosa de Mário. Sofre a crescente solidão não mais com a intensidade da força que o carrega para a depressão e o obriga a se entregar de mãos atadas à lamúria e à confissão ao interlocutor. Sofre-a profunda e intimamente, mas como se fosse cavaleiro medieval protegido pela ansiedade silenciosa e perturbadora de Mário. A armadura o blinda e o resguarda da dor causada pelas violentas e sucessivas pancadas que lhe são desferidas pela doença, pelos remédios e pela alimentação na velhice. Elas o derrubam e o jogam no chão, como se ele fosse coisa amorfa, já desprovida de sentido, e pronta para a morte.

A voz de Machado de Assis começa a perder fôlego. Mário de Alencar está silencioso, mas é pessoa atenta às circunstâncias. Chegou seu momento. Ele alça a voz. Fala forte e desfia confidências tão ou mais íntimas que as de Machado. O mestre se assusta com o à vontade do discípulo. Trata abertamente e em público os temas mais inconvenientes. Mário percebe o olhar retraído do amigo e abaixa o tom da voz. Ao abaixá-lo, sua fala, como se o dado íntimo só lhe importasse se realmente dito para todas as pessoas ao redor, indistintamente, perde o revestimento de sinceridade confessional. Encaminha-se em direção à repetição de lugares-comuns sobre as perturbações psíquicas que assolam a ele e a qualquer pessoa tomada pela ansiedade.

O que Mário de Alencar passa a dizer a Machado é verdadeiro sem na verdade ser singular. Ele manuseia generalidades banais como criança brinca no assoalho com peças soltas do quebra-cabeça sem se importar em saber se a reprodução da bela paisagem carioca que monta obedece, ou não, a desenho prévio. Machado de Assis se cansa do blá-blá-blá e silencia definitivamente. Recolhe-se, deixando que o monólogo retórico do amigo se prolongue jantar adentro, sem interrupções.

No final do monólogo, ou logo depois que Machado se oferece para pagar e paga a despesa, Mário tem de reconhecer o pouco crédito que suas palavras merecem no livro-caixa de Machado de Assis. No relatório das confidências suas ele nunca se sai tão bem quanto o mestre. No livro-caixa da amizade, as dores de Mário de Alencar não se configuram como concretas para Machado de Assis. Só existem em carne e osso, se devidamente intermediadas pelas suas próprias dores.

Na manhã seguinte ao jantar, no domingo, já em casa, o mais velho revê o rosto do amigo mais novo no restaurante. Está tomado pelas sombras. *Eu, pelo menos, ainda consigo viver e escrever* — pensa e conclui Machado, e começa a detalhar na coluna de crédito da amizade o baixo custo do silêncio aflito e aflitivo de Mário. *Na verdade, sou mais feliz que o Mário* — pensa e conclui, e começa a anotar na coluna de débito da amizade as palavras da confidência feita ao jovem amigo. Sou-lhe eterno devedor pela calmaria física e moral que desce nesta manhã de domingo sobre o chalé e minha vida.

Com meu relatório confessional e enfadonho, fiz-lhe um favor. E ele me fez dois — anota.

Na manhã do dia seguinte, no domingo, Mário de Alencar remói o próprio egoísmo, como todo ressentido. Sente-se em dívida com Machado. Ele o convidara a jantar para lhe fazer confidências sobre o estado de saúde atual, sobre o relacionamento com o dr. Miguel e a rotina doméstica que se complica. Mário está consciente do papel assumido pela sua ansiedade à mesa do restaurante. Por isso, remói o comportamento egoísta e, mais o tritura em pensamento de afeto e de carinho, mais deseja escrever um bilhete a Machado para comentar a conversa na noite anterior.

No calor da lembrança, Mário escreve o bilhete que é logo enviado ao velho escritor e recebido por ele como inesperado. Machado sabe que não há como Mário não ser dominado pela aflição. O conviva quer saber como Machado chegou em casa depois do jantar e se dormiu bem. E não tem pejo de confessar a força da sua aflição (não tem vergonha de confessá-la porque na verdade ela é a própria conversa entre os dois, tal como remoída por ele durante a noite). Copio: "Apesar da ansiedade que eu sentia e me absorvia quase toda a atenção, fiquei com cuidado sobre a sua saúde e o acompanhei mentalmente até à sua casa".

O bilhete continua. Uma vez mais, Mário repete o que já tinha dito e repetido a Machado, esperando que — pelos estranhos mecanismos que guiam a esperança de vida melhor quando ela começa a perder a luminosidade terrena e passa a viver exclusivamente da luz divina — esteja a consolar o amigo mais velho. Volto a copiar: "Eu passei como tenho passado estes últimos dias, nem muito bem nem muito mal quanto ao corpo; quanto ao espírito, em penumbra, que é mais triste que a sombra. Não desespero de reaver a luz, mas sinto que ela vai se tardando muito".

A bizarra estranheza do bilhete dominical constrói uma situação trágica por um lado, e risível pelo outro. Na realidade, Mário, o aflito e aflitivo, conseguira aliviar a dor que Machado sente profundamente. Mário é um bom amigo, o seu melhor.

Será que consegui descrever essa forma obtusa de apaziguamento que o Machado de Assis sofredor sente depois de ter feito confidências ao jovem amigo?

Não sei se posso ir além do ato de descrevê-la. Tento. Machado de Assis elege Mário de Alencar como o mais confiável dos amigos pelo silêncio ansioso com que recebe sua fala confessional e aberta.

O sofredor sabe que o amigo a quem elege como confidente da própria dor se encontra de tal modo corroído pelo sofrimento que, ao escutar as palavras alheias, também sentidas e doloridas, e ganhar como nenhum outro mortal o direito de devassar a misteriosa vida interior do escritor, lhe sobrevêm ânsias de rechaçar tanto as palavras ouvidas quanto a paisagem psíquica que elas desenham, como se frases e paisagem íntima significassem quase nada, ou nada, diante das suas próprias palavras doloridas e sentidas que, por amizade e por carinho ao velho mestre, não chega a enunciar de modo paralelo, ou as manifesta só pelo silêncio em nada cúmplice.

Só o silêncio em nada cúmplice daquele a quem se faz confidência cala fundo no coração de Machado de Assis. Em nada participativo, o silêncio do ouvinte cala tão fundo na sensibilidade do sofredor que Machado se sente apaziguado no próprio ato de confessar a dor física e moral num restaurante do largo do Machado. Nada apaziguaria menos Machado de Assis que lágrimas sentimentais derramadas pelo ouvinte comovido ao escutar o relato da miséria atual.

A aceitação pelo sofredor a fazer confidências, pelo escritor Machado, dessa forma obtusa de apaziguamento interior não é absurda. Sem dúvida, trata-se de forma bizarra de apaziguamento físico e moral, nunca a ser confundida com a sensação de concordância harmoniosa entre amigos, que é regida pela espontaneidade dos sentimentos generosos e fraternos. O apaziguamento obtuso sentido por Machado na manhã seguinte à noite do jantar extrai originalidade e valentia de dentro da infância de quem é desclassificado socialmente. De dentro da experiência de descendente de africano numa sociedade europeizada. De dentro do beco sem saída do enfermo que se transformará, caso se revele publicamente a doença maldita, num marginal.

A subjetividade oprimida do pobre, do negro e do epiléptico tem fala secreta. Só é confidenciada em tom cavernoso e baixo, e se acolhida por silêncio em nada cúmplice.

A fala sofrida e íntima do desclassificado e marginal — se imantada pelo desejo de se descomprimir — busca a imprescindível calmaria interior pela sua exteriorização a um ouvido em nada participativo. Passo a passo e destemidamente, as frases se encaminham a ouvido selecionado entre tantos, mesmo sabendo que este não tem a curiosidade intelectual e a força interior suficientes para mitigar o sofrimento e aliviar a dor que se confessam a ele, e só a ele.

Conta para o escritor o silêncio aflito de Mário a escutar sua confissão!

A descompressão da fala da subjetividade oprimida se dá por realizada com o silêncio do ouvinte ansioso porque foi acostumada a contentar-se com sua sobrevivência no mundo sob o peso do olhar maldoso e da escuta em nada participativa de todo e qualquer interlocutor. Não existe palavra benévola que chegue a apaziguar a dor que o sofredor humilhado deveras sente. Basta-lhe pouco, o silêncio alheio em nada cúmplice, para lhe apaziguar a dor. Basta ter a confidência acolhida por um dar de ombros. Não quer as lágrimas oferecidas pelo coração bondoso. É o silêncio impalpável que, de modo obtuso, empresta corpo e alma aos sucessivos silêncios consentidos, que configuram a longa história duma vida vivida às escondidas. Ao ser materializado num único e definitivo silêncio, o silêncio aflito de Mário de Alencar a ouvi-lo próximo do dia da morte se transforma numa espécie de parecer delicado, gentil e derradeiro, subscrito pela sociedade brasileira como um todo. Um parecer individual, generoso e imaterial que na verdade é o único que o sofredor desclassificado e marginal está acostumado a receber.

Com a própria dor pacificada pela ansiedade egoísta do amigo eleito para escutar a confissão, Machado passa por um longo e acidentado final de 1906 e início de 1907, em que maneja com grande savoir-faire as tarefas do cotidiano privado e público. Essa forma enviesada de desafogo vital e espiritual é semelhante à forma torta das emoções e dos sentimentos que o escritor Machado põe em ação ao fazer literatura. Ao desafogo interior se soma a beleza convulsiva que é a meta estética do *Memorial de Aires*.

Uma das anotações para o dr. Miguel Couto, pontuada apenas por vírgulas (como a evitar a interrupção grosseira do ponto e a acatar na própria escrita o correr do tempo e a reclamar do leitor o preenchimento das elipses), deve se referir ao *Memorial de Aires*: "Ausência, escrevendo de manhã, sono, voltei sentado e continuei a escrever, diferença apenas de algumas palavras escritas".

Machado de Assis não sente a dor que deveras sente. É o mímico no palco da vida e no palco da escrita. Ele se cura simbolicamente da doença que é rebelde aos remédios. Uso de novo a expressão: pecado original. Sua doença só se salvará por graça, não a que lhe é ministrada pelo dr. Miguel.

Em causa alheia o doente é otimista e acredita na cura.

No domingo 2 de dezembro, o bilhete matinal de Mário a Machado recebe resposta à noite. Machado quer retomar algo, a cura do epiléptico ou a *graça*, que tinha ficado pendente na longa conversa no restaurante do largo do Machado. Na sua resposta, Machado menciona de forma alusiva, embora precisa, o amigo comum e diplomata Magalhães de Azeredo, então em Roma. Informa ao amigo mais novo que o terceiro M. de A. (não é que nesta narrativa não são apenas dois, são três os M. de A.?) está completamente curado da epilepsia. A informação é dada ao confrade e presidente da Academia de Letras pela mãe de Magalhães de Azeredo, então em visita ao Rio de Janeiro. Escreve Machado a Mário sobre Magalhães: "referiu-me ela o estado do filho e a completa cura que alcançou em Roma".

A informação materna é corroborada em janeiro de 1907, mês e meio depois do jantar no Catete, quando Machado retorna de modo bem explícito à cura do terceiro M. de A., realimentando-a com outro exemplo familiar, o de Heitor de Bastos Cordeiro, casado com uma Smith de Vasconcelos. Copio: "Que o mal não é irredutível, basta lembrar o caso do Magalhães de Azeredo. Uma senhora (velha amiga da minha Carolina) em carta que me escreveu há pouco referiu-me o caso de um genro que chegou a um estado agudo e está bom".

Em carta escrita a Mário, que posa mais e mais como neto de homeopata, está também dito: "Obrigado pelos conselhos que me dá acerca da minha saúde. Faço o que posso, mas para mim o trabalho é distração necessária". Falta fé a Machado, que passa a se esconder por detrás dos exemplos de cura que lhe são dados. Mário quer crer na cura, embora não tenha a fé de Magalhães de Azeredo. Lamenta em carta que escreve ao mestre. Copio:

> eu quisera ter a fé religiosa e consoladora de tudo. Invejo os que a têm, como o nosso Magalhães de Azeredo, o qual numa carta há dias recebida me fala do Natal e de Jesus com um sentimento profundo e alto, e que não se altera ao contato das ideias nem dos fatos. Com esse abrigo de espírito, pode-se ser feliz, e ele o é.

Machado se distrai trabalhando. Mário se distrai viajando. Inventa viagens curtas e repetidas à Chácara do Castelo, no Alto da Tijuca, e as reinventa numa única viagem de férias com a família à fazenda da Conceição da Boa Vista, em Lorena, São Paulo. Apetecem-lhe os lugares onde a natureza selvagem brasileira, distante do burburinho urbano, resplandece ainda virgem.

Pouco antes do dia de Natal que se celebra no trágico e auspicioso ano de 1906, Mário toma o trem de ferro e vai passar o verão na fazenda da Conceição da Boa Vista. Viaja a convite de Arnolfo Rodrigues de Azevedo, velho colega de Faculdade de Direito e amigo. Ao herdar a propriedade do pai, barão de Santa

Eulália, localizada no Vale do Paraíba, Arnolfo, o político filiado ao Partido Republicano Paulista, decide afastar-se da vida pública e assumir a profissão do pai. Vira fazendeiro de café.

As duas semanas passadas na fazenda paulista transformam Mário no legítimo correspondente e fidelíssimo confidente de Machado de Assis; transformam-no definitivamente na alma gêmea e sofrida do mestre. Em busca do bem-estar físico, ele testa seu amor à natureza. Ao mesmo tempo e contraditoriamente, define-se como o passageiro eterno da morte, sem direito a bilhete de volta. Homem da viagem curta e solitária, em cabriolé ou de bonde, até a próxima e reclusa Chácara do Castelo. Homem da viagem longa e familiar, em trem de ferro, ao interior paulista, acompanhado da sogra Helena, da esposa Baby e dos filhos Leo, Haroldo, Gil, Rui, Ivo e Jorge.

Machado expõe a dor em público. Na rua e nos lugares que frequenta com regularidade. E a padece sozinho entre as quatro paredes do chalé. Mário, quando viaja para perto ou para longe, se ausenta em guerra declarada contra a ausência que não sabe se sente. Como foragido da capital federal, carrega a epilepsia às costas, como o homem dos mares que, no rótulo da Emulsão de Scott, se curva sob o peso do enorme trambolho que é o bacalhau pescado. Carrega-o na esperança de que com o óleo de fígado do peixe se fabrique o fortificante mais natural e mais eficaz para curar as fraquezas físicas e morais do ser humano. Mário foge. Viagem é fuga. Fuga para o campo. Que a ausência se cure por milagre da natureza! Machado mitiga as crises ao ser reconhecido em crise por Carlos de Laet na rua Gonçalves Dias ou pelos confrades na Casa do Garnier.

Em carta ao mais velho, escrita no dia 2 de janeiro de 1907, o mais novo não esconde o temperamento masoquista e a preocupação maior com a doença, tampouco seu modo de encarar a vida. Copio:

Não melhorei ainda nem com a viagem nem com a vinda para a fazenda. Trouxe comigo o que é irredutível e irremediável: o meu temperamento, a minha melancolia. Dizem-me todos que hei de curar-me, esquecendo a minha moléstia; pois esqueçamo-la agora, ao menos para poupar ouvidos amigos.

No contraste entre filho nenhum e a companhia de prole numerosa e no choque entre a introversão de Machado e a extroversão de Mário, o mais velho e o mais novo são antagônicos, e continuarão a ser. Com a amizade-na-doença é que se tornam semelhantes. Também passa a aparentá-los o culto compensatório e comum à literatura e o egoísmo que demonstram ao colocarem o aperfeiçoamento contínuo na formação literária pessoal como única visada para o pleno gozo da vida sublime. São dois Prometeus melancólicos, presos ao rochedo da materialidade da escrita literária. Embora revoltados em causa própria, são cidadãos em tempo integral.

São ambos trabalhadores e disciplinados e, por isso, é impossível encerrá-los no mosteiro em que vivem os ascetas tomados pela acídia. Tanto no campo da administração pública quanto na vida intelectual e política da capital federal e da nação, ambos mantêm laços humanos e sociais estreitos e definitivos. Também encorpam uma olhada pessimista sobre o mundo; pessimismo melancólico, desesperado, cansado e, retomo o já dito, egoísta, já que ambos — cada um com o talento de que dispõe — transformam a própria desgraça íntima na desgraça do mundo. Como todo melancólico, como todo ser que se *ausenta* por doença, os dois são dedicados e obsessivos observadores psicológicos das respectivas e solidárias vidas íntimas.

Dedicam-se um ao outro e se tratam com respeito e carinho.

No correr das últimas décadas do século XIX, Machado foi se distanciando do legado do romancista José de Alencar, pai de

Mário, para se tornar, no século XX, o mais fiel dos amigos do filho. Nos anos 1870, ao escrever o famoso ensaio "Instinto de nacionalidade", Machado anunciava a distância que tomaria em relação à visão romântica e ultranacionalista de José de Alencar. Cito uma frase reveladora do ensaio: "e perguntarei mais se o Hamlet, o Otelo, o Júlio César, a Julieta e Romeu têm alguma coisa com a história inglesa nem com o território britânico, e se, entretanto, Shakespeare não é, além de um gênio universal, um poeta essencialmente inglês". O ensaísta e futuro romancista estava decidido a abrir um lugar próprio, isolado, singular e orgulhoso na literatura brasileira. Decidido a abri-lo e construí-lo pedra após pedra. Descompromete-se da herança indígena dos tempos coloniais e compromete-se com a literatura universal, filiando-se aos seus grandes mestres.

A filiação biológica de Machado de Assis é plebeia e marginal. O romancista não é aristocrata nem nasceu em berço de pequeno-burgueses. Por conta própria, ganhou a condição de amanuense. A filiação literária de Machado de Assis é legitimada pelos personagens de Shakespeare — Hamlet, Otelo, Júlio César, Romeu e Julieta —, que não têm certidão de nascimento exarada por cartório inglês e são, no entanto, autênticos e expressivos personagens da mais legítima literatura nacional britânica.

A filiação literária de Machado de Assis é construída no avesso do ultranacionalismo romântico. No lugar mais profundo do seu gabinete de trabalho, onde brilha brilhando o Aleph, a cabeça de touro fantasmática que lhe transmite força e poder, ele reinventa a literatura universal. O romancista não vive no aqui e agora luso-brasileiro, embora escreva em português clássico e tenha os pés fincados nos morros e na cidade do Rio de Janeiro. Sabe-se oriundo de personagens paternos estrangeiros, tidos como figuras fictícias, porque falsas, para retomar a comparação feita pelo comum dos mortais. Na verdade, os personagens paternos que o educam são heróis míticos da história da humanidade. Ao acaso da formação pessoal do intelectual e do artista segundo os padrões da Monarquia e da burguesia carioca, eles agem como padrinhos distantes e queridos que, por crítica ao bom senso e refinamento ético, se expressam por reticências e sugestões, e nunca sob a forma de escrita realista a dar conta do que é apenas carne e osso no ser humano.

As grandes viagens que Machado de Assis faz pelo Brasil e pelo mundo não requerem trem de ferro nem navio. Confundem-se com as caminhadas no fim da tarde à Casa do Garnier, lugar público carioca e espantosamente aberto às ideias universais. Em anotação para o dr. Miguel, é na Casa do Garnier que ele tem pela primeira vez a coragem de grafar com todas as letras o vocábulo "ausência", a estranha e dolorosa sensação física que sempre lhe tinha assaltado. Descreve as circunstâncias em que aparece para que possa apresentá-la na próxima consulta. Já no consultório diz ao dr. Miguel que, quando o livreiro Lansac lhe serve um copo d'água e, em seguida, lhe oferece sais para cheirar, não está de pé, está sentado na poltrona, onde sorve pela boca e aspira pelo nariz sua filiação e sua herança, e as reencontra sempre na dor que deveras sente. Aquieta-se a convulsão, aquieta-se o espírito curioso. *Sois sage, ô ma Douleur, et tiens-toi plus tranquille.* Fica boazinha, dor; sábia como deve ser, não tão generosa, não.

A filiação biológica e espiritual de Mário de Alencar lhe é dada de presente pela herança paterna e materna. Corre nas suas veias masculinas o sangue literário da família cearense. E o saber científico da família escocesa alimenta sua mente feminina. Sangue e saber agem segundo interesse próprio, mas ambos se irmanam no culto à bela natureza tropical brasileira. Por armação do destino, o cearense e o escocês se encontram pela primeira vez em plena Mata Atlântica, no Alto da Tijuca. Tornam-se genro e sogro.

No cearense José, a selva majestosa dos trópicos se afirma sob a forma de eterno símbolo da autêntica literatura nacional e é complementada, no escocês Tomás, sob a forma de fonte privilegiada para a constituição duma homeopatia verdadeiramente brasileira. Esta tem assento oficial nos dois grossos volumes escritos e publicados por ele. Suas pesquisas e anotações estão reunidas no tratado *Medicina doméstica homeopática* e no *Guia prático da arte de curar homeopaticamente*, publicados em 1849. Sua atuação político-profissional está, institucionalmente falando-se, na fundação da Academia Homeopática do Rio de Janeiro, localizada no morro do Castelo, onde congrega os pares perseguidos pelos médicos alopatas cariocas, e, estrategicamente, na auspiciosa abertura, na Academia, do Serviço de Socorro para os Pretos.

O gosto pela vida ao ar livre, distante do ar poluído e dos miasmas da cidade, leva o filho Mário a buscar contato com a natureza na Mata Atlântica. Fica à espera da lição estética paterna e à espreita da farmacopeia homeopática materna. A selva grandiloquente e rica salvaria o corpo, tornando-o saudável, e se espraiaria pelo espírito poético, afinando-o pela força da natureza. Assim deveria ter sido. Assim acabou não sendo, devido à presença de Machado de Assis e à intervenção inesperada de um padrinho, o historiador Capistrano de Abreu. Este, em carta a Mário, dá-lhe um conselho definitivo:

> O papel está pedindo mais tinta, e passo a assunto extremamente delicado. V. precisa deixar seu pai de lado; o que ele podia dar-lhe de bom já deu; mais convivência do que V. tem tido com o espírito dele, agora só pode lhe fazer mal; paralisaria seu desenvolvimento, conduziria V. ao triste papel de epígono.

Aceito o conselho e sob a influência crescente de Machado de Assis, o jovem Prometeu se acorrenta pela doença crônica ao pico da Tijuca. A curta viagem de Botafogo até a Chácara do Castelo tem dupla função na sua vida intelectual. Serve para reafirmar a notável contribuição literária e cultural dos pais biológicos e para ajudar a se liberar deles e dela, a fim de assumir a própria e diferente identidade — a de um homem solitário e melancólico, tomado por crises de fundo nervoso. No desafio proposto pela natureza sadia, majestosa e imperial da Chácara do Castelo, ele busca a irredutível e irremediável identidade doentia e marginal que o torna filho legítimo do pai espiritual, Machado de Assis, e sua cópia conforme.

Mário combate o pai biológico. Tem pela frente uma batalha difícil e extraordinária: a de descobrir a independência da alma brasileira na sua relação com o peso e o sentimento da natureza tropical. Talvez por falta de forças ou de gênio, não chega infelizmente a ganhar a batalha e assumir a condição de vitorioso. Apenas anuncia e enuncia a vitória, ainda e sempre sob a proteção do mestre e guia espiritual. Em 14 de março de 1907, em férias de verão com a família, quando não faltam os exercícios físicos ao ar livre, narra a Machado o desapego crítico e sentimental à natureza e a opção solitária pelo contato com os livros. Lê os poemas escritos pelo pai espiritual. Copio: "Torno aos meus livros; a natureza fique apenas para fundo de quadro; não quero olhá-la sem crítica. Ainda hoje de manhã de volta do meu passeio, estive a ler as suas *Poesias*".

Os olhos se distanciam da reflexão sobre a função e o papel da natureza na constituição da sua identidade e são atraídos pelas folhas de papel do livro *Poesias*. Proporcionam-lhe um prazer diferente. A leitura que cansa e descansa e, contraditoriamente, traz a música que acalma a mente melancólica: "não canso de ler seu livro, em que raro é que eu não ache a música que me pede o estado de alma". Ao cansar e descansar a mente, a leitura também acalma o corpo. Nas letras — não importa se a grafar poemas ou se a escrever carta íntima — está o remédio que acredita estar apenas na natureza. Continuo a copiar: "O efeito dessa leitura em mim é forte e benéfico, e só lhe comparo o da leitura de suas cartas, que são dos melhores remédios que tenho tido".

Mestre é mestre, e médico. Em pronta resposta, Machado comenta em sugestivo gestual de mímico a mudança por que passa o discípulo e leitor: "Faz bem em alternar os livros com os quadros naturais. Ao cabo, tudo concorre para a completa cura".

Os livros e as cartas do mais velho ao mais novo e as cartas do mais moço ao mais velho são fios paralelos que se entrelaçam, trançando amigavelmente o destino único dos dois e a salvação dos corpos doentes. Ou a desejada cura da doença que lhes é comum. Ao ler as cartas de Machado entrelaçadas com as cartas de Mário, o leitor contemporâneo meu se encontra frente a frente, num formato menor e sentimental, com a troca de planilhas de sismógrafo que é o fundamento da escrita literária do convulsivo. No dia 27 de março de 1907, Mário anotará em carta a Machado a estranha sensação que lhe dá o compartilhamento compensatório proporcionado pela troca de cartas. Passa a entender melhor os exercícios sentimentais a que os dois corpos enfermos se entregam na distância. A melancolia do amigo mais velho leva o amigo mais novo a se esquecer de si para o espírito poder oferecer a quem realmente precisa o cuidado afetuoso: "a sua carta me trouxe a sensação de um espírito também abatido e triste. Mas nisso mesmo estava o melhor efeito da carta, que foi desviar a minha atenção de mim próprio e dar ao meu espírito um cuidado afetuoso, com que saiu da monotonia em que andava".

Em carta anterior, do dia 2 de janeiro de 1907, enviada de Lorena, Mário confessava a Machado que não tinha melhorado. A viagem em si e a longa estada na fazenda paulista de nada valem. Tal acontece porque traz na bagagem sentimental o próprio temperamento e a doença — que são o "irredutível" e o "irremediável". Carta terrível, que acaba por causar um absurdo efeito colateral. Provoca a convulsão em Machado de Assis. Só três dias depois de recebida, no dia 5, é que Machado começa a responder à carta do dia 2. Começa a escrever a resposta e não consegue levá-la a bom termo.

Machado de Assis é tão sensível à carta/planilha enviada da fazenda da Conceição da Boa Vista que se desequilibra na corda bamba por onde caminha. Perde o equilíbrio conseguido com a ajuda da vara de trapezista que são os remédios receitados pelo dr. Miguel Couto. Em resposta a Mário, diz: "A carta de 2 de janeiro me fez mal. Essa melancolia que o aflige é preciso que não seja irredutível nem irremediável".

De tal forma Machado se sensibiliza com a dor de Mário, que abandona no meio a carta que redige. Não tem argumentos para desconstruir o irredutível e o irremediável, de que fala Mário. Só retoma a carta na manhã seguinte à noite do dia 6 para o dia 7, porque é nessa noite que volta a passar mal. Copio: "depois de algum tempo largo de melhoras sensíveis, tive esta noite uma pequena crise".

Uma das anotações apressadas que faz a pedido do dr. Miguel Couto reafirma as palavras da carta: "Janeiro. Noite de 6 para 7 — Crise".

A troca de planilhas de sismógrafo, a troca de cartas é interrompida por crises por que passam os dois amigos, cada um do seu lado e distantes. As convulsões sentidas pelo mais novo em Lorena ecoam no corpo convulso do mais velho no Rio de Janeiro. Os dois amigos recaem sempre num sistema de alimentação e de realimentação das respectivas ausências. As planilhas de sismógrafo são semelhantes. Visam a desconstruir, contraditoriamente, o que não é passível de ser *reduzido* pelo ar saudável soprado pela natureza selvagem, ou de ser *remediado* pelas drogas tóxicas prescritas pelo médico alopata.

No concreto, Mário também realimenta suas crises com as crises de Machado. Dois ou três dias depois de recebida a resposta dada por Machado à carta de Lorena, ele lhe escreve: "A última carta, porém, deixou-me triste pela notícia que me deu de se haver interrompido sua melhora. Insisto no pedido que lhe tenho feito sempre; não abuse de suas forças".

Como um vigilante atento ao comportamento impecável do pai espiritual e doentio, em apego filial e também doentio, Mário estabelece a diferença entre o trabalho literário, que "é uma necessidade inevitável do seu espírito e só pode fazer bem ao Senhor", e o trabalho burocrático, que deve ser feito apenas por dever. E aconselha: "Do trabalho no Ministério é que não deve abusar, porque lhe é penoso e, repito, não há negócio ou interesse político que valha o menor sacrifício de sua saúde".

As planilhas de sismógrafo — no plano exclusivo das cartas trocadas amiúde entre os dois — são indício do avanço da paternidade espiritual de Machado de Assis e do gradativo recuo de Mário de Alencar na sua relação com os pais biológicos. De modo mais amplo, o avanço de Machado na conquista do discípulo e o recuo de Mário na perda dos pais biológicos afirmam o modo como o mais velho transmite sua herança ao mais novo, passando a ocupar o lugar privilegiado de responsável pela sua nova e definitiva identidade. O avanço de Mário como filho espiritual e o recuo de Machado como pai enfermo levam aquele a ocupar — em particular no âmbito da instituição que leva o nome de Academia Brasileira de Letras — o lugar privilegiado de herdeiro simbólico do pai espiritual, como, aliás, está consignado em testamento assinado pelo mestre.

Nas folhas de sismógrafo, observo o modo como as identidades cambiantes e de mão dupla ganham os respectivos corpos e nomes próprios. Observo ainda o modo desavergonhado como elas, ao se definirem como documentos preciosos onde melhor se conhecem as identidades de Machado e de Mário, se transformam — devido à influência do avô materno na formação de Mário e ao progresso violento das convulsões no organismo já debilitado de Machado — em folhas de receituário de médico homeopata. Em carta, Mário passa a enviar receitas a Machado. Elas amplificam ou complementam os remédios prescritos pelo dr. Miguel Couto, em consonância com os estudos feitos pelos responsáveis médicos pesquisadores do Hospital Nacional de Alienados, Afrânio, Austregésilo e Juliano.

A primeira das receitas que Mário facilita ao enfermo é caseira e contradiz os ensinamentos divulgados por Miguel Couto a respeito do hábito salutar de tomar café. Mário é explícito na prescrição: "Outra coisa que também lhe peço para não esquecer é o mal que pode trazer-lhe a bebida frequente do café, sobretudo à tarde, em que o costuma tomar ao sair da Secretaria". A receita caseira é produto da escuta homeopática às queixas expressas pelo próprio enfermo: "Ouvi-lhe muita vez queixar-se do mau efeito do café".

Mário vai além da mera norma caseira. Usurpa o encargo clínico assumido pelo dr. Miguel Couto junto ao paciente. Ao informar a Mário que se acha com um princípio de gripe que se prolonga, trazendo-lhe "o corpo amolestado, além de outros fenômenos característicos, como a falta de apetite, amargor de boca e recrudescimento da coriza", Machado desencadeia um duplo delírio na mente do jovem. O autodiagnóstico preciso do enfermo leva o santo do avô materno a baixar em Mário que imediatamente se veste com o jaleco branco e passa a se julgar já um profissional nas artes da homeopatia. Profissional mais apto que o médico alopata por razão que a própria homeopatia consagra. Epiléptico como o amigo e porque já passou por crise semelhante àquela por que passa o outro, acertará na escolha da substância a ser receitada. Por carta, o homeopata casual entrega

Causticum, contra : convulsões epilepticas, dansa de S. Guydo com gritos, movimentos violentos dos **membros ou de todo o corpo, agitação violenta, retracção dos dedos polegares; renovação dos accessos,** fazendo exforços para engolir a mais pequena gota de liquido; grande ancia, gritos, rangido dos dentes, perda dos sentidos, oppressão no peito, emissão involuntaria das ourinas, congestão cerebral, somno profundo e comatoso com ronco, sensação de fome e roedura no estomago; tosse secca, nocturna; vontade de rir de tudo, divagações e delirios. (Comparai *Bell., Opium.*)

Ignatia, contra: spasmos clonicos e tonicos, spasmos hystericos, convulsões das crianças, epilepsia, dansa de S. Guydo, e mórmente quando ha: movimentos convulsivos dos membros, dos olhos, das palpebras, dos musculos do rosto e dos labios, quéda da cabeça, retracção dos dedos polegares, rosto vermelho e azulado, ou vermelho de um lado e pallido do outro, ou alternadamente pallido e vermelho; salivação espumosa, spasmos na garganta e no larynx com accesso de suffocação e deglutição difficil, perda dos sentidos com gritos ou risos involuntarios; bocejo frequente ou somno soporoso, grande ancia e suspiros profundos, accessos diarios dos spasmos ; genio brando, sensivel, humor inconstante, temperamento tranquillo.

Cochrane, Medicina doméstica homeopática.

a receita em domicílio, no chalé do Cosme Velho: "Se eu estivesse aí ter-lhe-ia dado um bom remédio com que podia cortar a gripe: é *Arsenicum album* 3ª em *tabletes*; tenho a experiência da sua eficácia em casos desses".

O remédio indicado faz parte do receituário homeopático tradicional e é, segundo os guias médicos, uma das quinze substâncias mais indicadas pelos terapeutas. É recomendado para certo tipo constitucional de ser que, aliás, leva o nome do próprio remédio — *Arsenicum album*. Por ter sido prescrito a ele, Mário, pertencente ao tipo *Arsenicum album*, pode e deve ser também prescrito a outro pertencente ao tipo *Arsenicum album*, Machado, então tomado pela gripe. Resultado positivo num, resultado positivo no outro. "Similia similibus curantur". O remédio mais seguro para curar uma moléstia é justamente o que foi capaz de produzi-la.

Consultem-se os manuais homeopáticos. Por um lado, o tipo humano *Arsenicum album* é tenso e inquieto. São indivíduos ambiciosos com tendência à hipocondria e ao pessimismo. Têm o comportamento atento à ordem e à limpeza. Mário e Machado se encaixam à perfeição. Por outro lado, os sintomas descritos por Machado se ajustam confortavelmente na descrição das doenças passíveis de serem curadas pela ingestão do *Arsenicum album*. Recapitulo: a lacrimação arde e o corrimento nasal (coriza ou defluxo) é ininterrupto e irritante. O nariz se entope. As crises pioram durante a noite e melhoram com o calor. A mesma substância é também aconselhável — e aí Mário diagnostica os sintomas físicos de Machado que mais inquietam o dr. Miguel Couto — nos casos de dores abdominais e diarreia. E também nos casos de náuseas e vômitos, quando à vista ou com o cheiro de alimentos.

Mário não se contenta em ser médico homeopata casual. Dedica-se, em seguida, a receitar os remédios ditos naturais,

Arnica (uso da).

	Paginas		Paginas
Affecções dos Animaes irracionaes	299	Dôres nas Mãos, do trabalho manual	294
Bexigas	294	Dôres nos bicos dos Peitos	288
Bolhas	286	Febre de Leite	288
—— nos Pés	289	Ferimentos	294
Calos	290	Grande Cançasso	290
Concussão do Cerebro	292	Molestia dos Olhos	276
—— do Peito	295	Paralysia da Bexiga	297
—— do Tutano Espinhal	297	—— dos Braços	298
—— do Ventre e Pelvis	296	—— das Coxas	298
Contusões	287	—— das Pernas dos cavallos e das bestas	298
Contusões, &c., da Cabeça	280	Pleuriz espurio	299
Contusões, Feridas, &c., de outras partes	285	Rheumatismo	299
		Tensão e Calor	290

A Medicina Homœopathica esclarecendo sua superioridade sobre todas as outras doutrinas Medicas.

A Saude e a Doença	505	Exame de Doente e Escolha de Medicamento	394
Causas das Doenças	334	Medicamentos Homœopathicos	370
Diagnosis das Doenças	334		
Divisão das Doenças	322	Origem da Homœopathia	312
Doses dos Medicamentos Homœopathicos e maneira de administral-os	385	Prognostico das Doenças	337
		Summario	399
Dóses infinitesimas	388	Tratamento das Doenças	362

Pathogenesia, ou acção dos dez principaes medicamentos Homœopathicos.

Aconito	401	Chamomilla	470
Arnica	412	Mercurio	480
Arsenico	420	Nux vomica	498
Belladonna	437	Pulsatilla	524
Bryonia	456	Sulphur	542

Questão das dóses infinitesimas.

Carta do Sr. Poudra............................... 565

FIM.

Typ. de AGOSTINHO DE FREITAS GUIMARÃES & C.ª

Cochrane, Medicina doméstica homeopática, *volume 2, índice.*

adoçando-os com o tempero filial: "O melhor remédio, porém, será não se expor ao sereno, como fez e confessou que imprudentemente. Fazendo exercício a pé, com as noites que tem havido, creio que lhe não será nocivo o sereno; mas, sentado, por força que havia de se resfriar".

Não se sabe se Machado acata e manda aviar as receitas homeopáticas. Talvez sim, talvez não. A não esquecer que traz ainda bem gravada na memória a trágica experiência do envenenamento da esposa querida com sal de azedas. Por isso, acautela-se de remédio que vem acompanhado da pecha de tóxico. Arsênico é um deles. Nos dicionários médicos da época, como o de Chernoviz, há recomendações para a cura do envenenamento por arsênico, em particular para o arsênico branco, que é até usado para matar ratos. Há que se precaver contra os homeopatas.

Pedro Chernoviz não os perdoa e faz troça do médico que inventou a nova doutrina. Começa por citar o famoso preceito, "Similia similibus curantur", reatualizando-o no contexto original, o tratado *Organon* de Hahnemann, tido como a bíblia dos homeopatas. Em seguida, descreve a experiência que deu origem ao preceito. Copio: "Um maníaco, vítima de aflições terríveis, tencionava suicidar-se, quando lhe fizeram respirar um átomo de pó de ouro homeopático. Imediatamente, tornou-se de humor alegre, recobrou a razão e a saúde".

Um átomo de pó cheirado e a cura milagrosa — o alopata Chernoviz se diverte à custa da ingenuidade alheia e bate forte:

> O grande segredo dos charlatães em medicina, diz um autor, consiste em repetir de contínuo que curam todas as moléstias, até aquelas que se reputam incuráveis. Eles podem assoalhar todas as inépcias que lhes vierem à cabeça: o homem que sofre não vê, não ouve senão uma coisa, a promessa de uma cura certa; depois de enganado dez ou vinte vezes, nem por isso é menos acessível à ilusão.

> HOMEOPATHIA. Devo prevenir que este artigo, filho das circumstancias, não ha de corresponder um dia á utilidade quotidiana pela qual procuro dar a este dic-

cionario um caracter de duração. A homeopathia não acharia aqui logar, se não existisse no publico um desejo momentâneo de satisfazer a curiosidade, e se não me julgasse obrigado a acautelar, ou a desabusar as pessoas nimiamente crédulas. Depois d'esta advertência, lancemos uma vista de olhos sobre a doutrina medica chamada *homeopathia*. Ha setenta e seis annos que um medico allemão, chamado Hahnemann, concebeo, diz elle, esta nova doutrina por effeitos que experimentou do sulfato de quinina que a si mesmo administrara. Tendo o doutor pressentido alguns phenomenos análogos a um accesso de febre, depois de ingerir a preciosa substancia que os faz parar maravilhosamente, antolhou-se-lhe, como um raio de luz que devia revolucionar a medicina, que o remédio mais seguro para curar uma moléstia era justamente aquelle que era capaz de produzil-a. Em conseqüência d'este principio, todos os vômitos devem ser tratados pelo emetico, as diarrheas pelos purgantes, e por extensão, sem duvida, a queimadura pelo fogo.

"*Homeopatia*", verbete, Pedro Chernoviz, Dicionário de medicina popular, *volume 2*.

O certo, no entanto, é que, passados poucos dias, o paciente Machado tranquiliza o amigo homeopata não o tranquilizando de todo: "Estou curado da gripe. A coriza vai a bom caminho, e parece que só me resta a parte que arrasto comigo há anos". Ou seja, acaba o que poderia ter sido curado pelo arsênico homeopático, mas os acessos se sucedem em ritmo preocupante. Nas anotações feitas para o dr. Miguel leio que Machado fala de *ausência* na noite do dia 14 e na manhã do dia 31 de janeiro daquele ano.

O ano de 1907 se abre com crises epilépticas. Excede em demandas burocráticas ao romancista ainda em pleno exercício e vaticina setembro como mês da grande crise — setembro de 1907 e setembro de 1908.

Grandes figuras da República, como o barão do Rio Branco, Joaquim Nabuco e Graça Aranha, reconhecem pública e politicamente o talento excepcional de Machado de Assis e se reaproximam dele de modo festivo. Propõem-lhe seguidas e diferentes tarefas de caráter mundano e intelectual que visam à sua colaboração no momento em que se quer internacionalizar a nação brasileira letrada. Às múltiplas tarefas e encomendas feitas pelos amigos famosos devem ser somadas as novas responsabilidades assumidas pelo funcionário no ministério. O recém-empossado ministro, Miguel Calmon, o promove a diretor das Rendas Públicas do Tesouro Nacional.

À sobrecarga de trabalho mundano, intelectual e burocrático acrescentem-se as atividades na Academia Brasileira de Letras, tomada naquele ano pelo furor da reforma ortográfica comandada pelo republicano Medeiros e Albuquerque. E, finalmente, o fato de que o escritor precisa conduzir o *Memorial de Aires* até as páginas finais.

Em março de 1907, o dublê de amanuense estoico e de escritor se queixa do excesso de trabalho burocrático: "Demais, é fim do trimestre adicional, em que a Contabilidade de todos os ministérios trabalha muito. Tudo estará feito domingo; eu é que já não darei para tanto".

Já não dará para tanto.

Mário de Alencar e o diplomata Magalhães de Azeredo tentam afastá-lo da rotina insidiosa. O segundo envia-lhe carta em que o convida a um giro pela Europa: "E sabe que mais deveria fazer? Vir passear um pouco por este velho mundo, que pela imaginação tão bem conhece e ama, e ao qual pertence por tantos pontos do seu espírito. Creio que já tem pleno direito a uma aposentadoria nas melhores condições". De nada adianta o empurrão. O viúvo enfermo é teimoso e responde ao convite à maneira de uma dona Carmo de calças: "Estou velho, fraco e doente. Demais não tendo podido ir com minha mulher, como ela desejava tanto, sentiria agora um repelão de consciência indo só, posto que a viagem fosse, neste caso, um remédio também".

Desde fins de 1905, a vida político-mundana do romancista Machado de Assis já tinha perdido o autêntico colorido carioca e ganhado, como presente dos amigos ilustres, as variadas bandeiras da vida cultural internacional. Naquele ano, o barão do Rio Branco, ministro das Relações Exteriores, pede para que acolha a atriz Sarah Bernhardt no Rio de Janeiro. Tem receio de represálias por estudantes cariocas. Ela os estigmatizou em artigo publicado no jornal *Le Figaro*. Machado quebra-lhe o galho e cai na rotina do atendimento aos pedidos solicitados pelos poderosos do momento.

Não teria sido melhor que confessasse sua incompetência na matéria?

Em julho do ano seguinte, é de novo solicitado por autoridade oficial, agora pelo amigo e confrade Joaquim Nabuco, então embaixador do Brasil em Washington. Sua colaboração e a da Academia de Letras seriam indispensáveis na organização da III Conferência Pan-Americana, a ser realizada no recém-inaugurado Palácio Monroe.

As incumbências oficiais se estendem por 1907. É instado a ser, na qualidade de presidente da Academia Brasileira de Letras, o principal responsável pelas palestras que o eminente historiador italiano Guglielmo Ferrero fará no Brasil, ao regressar de périplo acadêmico/turístico pela Argentina. A escolha da Academia de Letras se justifica. O cidadão brasileiro, curioso das coisas do espírito, precisa ter acesso ao vasto conhecimento enciclopédico levantado pelo século XIX europeu, que chega propagado ao Brasil e à América Latina pelos vastíssimos panoramas da civilização ocidental, desenhados por filósofos como o inglês

Herbert Spencer e o francês Auguste Comte e pelas conferências dos inúmeros professores universitários europeus que nos visitam. Cada conferência a cinco mil francos, elas seriam oito e grupadas em duas por semana.

A par da obra romanesca e crítica de Machado de Assis, o italiano Ferrero se exibe pelo título de professor no Collège de France e se esconde por detrás de programa especial para os latino-americanos: "O Sr. sabe que para Buenos Aires preparei 8 conferências adaptadas a um público maior e mais heterogêneo que o de Paris. Tratei de assuntos mais gerais. As 8 conferências do Collège de France, ao contrário, resumiam o v e vi volumes da história do governo de Augusto".

Nos anos finais de sua vida, os melhores e mais ilustres amigos de Machado de Assis querem retirá-lo da condição de emblemático presidente da Academia Brasileira de Letras e de cáustico romancista, inclemente no tratamento dramático da sociedade brasileira. Querem retirá-lo para transformá-lo no estadista da República, cidadão-escritor no nível do famoso estadista do Império, biografado pelo confrade Joaquim Nabuco. Machado aceita de bom grado a faixa simbólica e, como é de seu feitio, veste-a e a ajusta à casaca negra, cumprindo as tarefas com a mesma atenção, diligência e responsabilidade que dispensa ao trabalho burocrático e aos escritos literários.

Machado tampouco declina os sucessivos convites para os muitos banquetes comemorativos, apesar das dificuldades gástricas por que passa e, mesmo sendo traiçoeiramente ameaçado por vertigens e ausências, não deixa de tomar a lancha no cais Pharoux para acolher ou despachar qualquer um dos ilustres visitantes estrangeiros até o navio fundeado na baía de Guanabara.

Tudo, se somado, significa Machado de Assis obrigado a sentir na pele a necessidade de a República brasileira assumir uma política agressiva junto às nações e às instituições estrangeiras, já que, com alarde incomum, se anuncia para agosto de 1908 a grande festa nacional. No bairro carioca da Urca, estão sendo construídos os prédios e pavilhões que em 1908 abrigarão a pomposa Exposição Nacional Comemorativa do I Centenário da Abertura dos Portos no Brasil.

Noves fora, tenho à mão e apresento Machado de Assis desgostoso com todo esse ambiente festivo e vazio. Às vésperas da grande festa no bairro da Urca, escreve a Joaquim Nabuco: "A Exposição caminha, ainda não fui às obras, ouço que ficarão magníficas".

Olha a gota d'água que falta para o desfecho da festa. Ela enche de tal forma o copo que ele transborda. Refiro-me ao trágico episódio no cais Pharoux, de que é protagonista involuntário Machado de Assis, causado pelo barão do Rio Branco associado ao jornalista Tobias Monteiro, redator do *Jornal do Comércio*.

Por sugestão do barão e por manobra do jornalista, o presidente da Academia Brasileira de Letras é convidado a receber o político francês Paul Doumer, ex-governador-geral da Indochina Francesa e atual presidente em Paris da Câmara dos Deputados. Chegará ao Rio de Janeiro no dia 1º de setembro de 1907, um domingo. O convite ao presidente e funcionário público distinguido se deve em parte e primeiramente a plano ardiloso: quem receberá a conta das despesas com Paul Doumer e sua comitiva e se responsabilizará pelas despesas? Documentos arquivados na ABL provam que a conta foi recebida por Machado de Assis e paga pelo Ministério da Viação e Obras Públicas, onde está lotado o diretor das Rendas Públicas do Tesouro Nacional.

A visita de Paul Doumer ao Rio de Janeiro teria sido mais auspiciosa não se soubesse que ele fora o principal responsável pela aclimatação da seringueira na Indochina e também consciencioso investigador dos investimentos financeiros da França na região. As visitas de europeus ao Rio de Janeiro, se vistas à distância, tendem para o macabro. Ei-lo em ponto menor e não menos inconveniente.

Estultices e contradições dos brasileiros — teria matutado Machado a esperar a chegada de Sua Excelência no cais Pharoux.

O domingo amanhece quente e o sol forte. Se tivesse obedecido às instruções enviadas pelo jornalista Tobias Monteiro, Machado de Assis teria tomado a lancha especial, a da Guardamoria da Alfândega. Tinha dito que não iria tomá-la; preferia esperar o ilustre visitante em terra firme, sentado no salão do cais Pharoux, ou a caminhar distraidamente pelos arredores. Não quis se arriscar ao enjoo provocado pelo movimento das ondas? Ou já não se sentia bem? Temia a vertigem em pleno mar? Talvez sim. O certo é que o navio em que viaja o político francês, o *Cordillère*, deveria ter sido fundeado na barra da Guanabara às oito da manhã e seus passageiros, desembarcados no cais Pharoux às dez horas.

O *Cordillère* está atrasado. Atrasadíssimo. Não se vê sombra do transatlântico em Ponta Negra.

Na hora prevista para o desembarque dos passageiros, afixam um boletim no tronco duma das árvores da praça Quinze de Novembro. Anuncia que o navio ainda está na altura de Cabo Frio. O cais Pharoux está apinhado de gente e, com o calor do sol de quase primavera, a multidão foi se dispersando. Ficaram os estudantes, os repórteres, algumas autoridades do baixo escalão e Machado de Assis. Os demais voltariam depois do almoço.

Só às duas horas e vinte e cinco minutos o paquete aponta na barra da Guanabara. Nota-se, o tombadilho do *Cordillère* está apinhado de gente. Lá no alto, no passadiço do comandante, empunhando o seu binóculo, sozinho, está a figura elegante de um cavalheiro, parado. Logo caminha de um lado ao outro da amurada, entregue à contemplação do belo panorama que se estende a seus olhos. Não é preciso adivinhar para saber que é Paul Doumer. Veste-se com um terno cinza-escuro. Calça botas

Correio da
Manhã, 2 *de
setembro de 1907.*

— O sr. Machado de Assis, que tambem aguardava a chegada do sr. Paul Doumer, no cáes Pharoux, foi accommettido de uma syncope, sendo promptamente soccorrido por varios academicos de medicina e varias outras pessoas, que o transportaram para sua residencia no automovel do general Souza Aguiar.

amarelas e traz chapéu-coco e luvas pretas. Em contraste, sua gravata é estilo *régate*, esportiva e colorida.

No cais Pharoux, de pé, à sua espera, Machado de Assis passa mal. Sofre uma crise comicial.

Autoridades e figuras gradas da sociedade carioca, todas vestidas segundo a moda da primavera que se anuncia no domingo ensolarado, jovem e festivo, assentam gentilmente o escritor num banco público. Forma-se um semicírculo de homens curiosos e sisudos. Um deles, de pé, o abana com leque e outro, sentado, firma sua cabeça sem trazê-la até o peito.

Os jornais do dia seguinte informam os leitores. O general Souza Aguiar, que substitui Pereira Passos na prefeitura do Distrito Federal, o leva de carro até a residência no Cosme Velho. O fotógrafo Augusto Malta também está lá, no cais Pharoux, à espera do importante político francês. Clica a foto. Nela não se vê o rosto do escritor.

Costado negro, barrado de vermelho. No horizonte da barra se desenha finalmente o vulto do navio. Passa pela ilha de Villegagnon e começa a fazer as manobras de ancoragem. Fundeia perto da ilha Fiscal. Descreve o jornalista: "E o *Cordillère*, numa carreira triunfal, transpôs a barra e parou junto à ilha Fiscal, como um gigante cansado a respirar em haustos fortíssimos". Paul Doumer é acolhido pelas muitas lanchas que transportam autoridades federais e municipais e pela barca da Cantareira que conduz os estudantes das faculdades cariocas até as cercanias do paquete. Os acadêmicos de medicina atam os lenços brancos na ponta das bengalas. Começam a agitá-los ao sopro da viração.

Todos entoam o hino nacional francês. Do tombadilho do transatlântico, onde se encontra, entre muitos outros, Paul Doumer, acenam-se lenços e rompem vivas.

As lanchas da Saúde do Porto e as da Polícia e da Alfândega atracam ao navio. Das duas últimas saltam também as primeiras autoridades civis que acolhem o visitante. Duas outras lanchas atracam logo depois. Numa delas, alguns jornalistas e na outra as principais autoridades francesas radicadas na capital federal.

No passadiço do comandante, Paul Doumer é entrevistado e declara aos jornalistas que lá sobem: "A minha chegada ao Rio é uma página indelével na minha vida. Depois de se atravessar os mares, ouvir ao chegar numa terra estranha o hino dessa pátria, é de fazer vibrar a alma e o sentimento. O povo brasileiro comove os seus hóspedes". O deputado Doumer grita: *"Vive la jeunesse brésilienne! Vive la France!"* — anota o jornalista do *Correio da Manhã*, e dá por terminada a entrevista.

O desembarque dos passageiros em terra firme só ocorre às

três horas e cinquenta e cinco minutos da tarde. Machado de Assis já está em casa. O ilustre visitante e comitiva são recebidos pelo barão do Rio Branco, ministro das Relações Exteriores, pelo general Souza Aguiar, prefeito do Distrito Federal, pelo dr. Carlos Peixoto Filho, presidente da Câmara dos Deputados, e pelos vários presidentes das associações francesas da capital, como a Bienfaisance Française, a Société de Secours Mutuel, a Chambre du Commerce e a Société Alliance Française. O cais está apinhado de acadêmicos de direito, engenharia e medicina, que se misturam à multidão de populares. Todos desejosos de conhecer o famoso autor do *Livre de mes fils* que o engenheiro e escritor Afonso d'Escragnolle Taunay, filho do visconde de Taunay, traduz para o português e entrega às livrarias e à juventude carioca com o título de *Livro dos meus filhos*. Nele, é dominante o tema do amor à pátria.

Depois de conceder novas entrevistas aos repórteres e de fazer elogios sinceros ao poder que a nova juventude brasileira tem em mãos, Paul Doumer é transportado no landau do barão do Rio Branco até o Hotel dos Estrangeiros, onde é hospedado. O luxuoso hotel está localizado na praça José de Alencar, a poucos passos da Roda dos Enjeitados e do palacete do dr. Miguel Couto. No dia seguinte — anuncia a imprensa — o landau que trouxe o ilustre visitante ao hotel se dirige para o largo do Machado. Toma a rua das Laranjeiras e a sobe até o Cosme Velho.

Paul Doumer faz uma visita de cortesia ao ilustre *confrère brésilien*. Quer desejar-lhe pronta melhora.

IX.
Manassés e Efraim

Para sonhar, não é preciso fechar os olhos, é preciso ler.
Michel Foucault, "A propósito de A *tentação*
de Santo Antão, de Gustave Flaubert"

Eu já começo a ver a sombra do novo Nove. Já lhe disse que os noves marcam sempre novas fases de minha vida desde 1849, o nascimento. É curioso lembrar: 49, o nascimento; 59, o internato (a separação de casa); 69, o Recife; 79, o Parlamento e Abolição; 89, o casamento e a queda da Monarquia; 99, a diplomacia. Que será o nove sem mais nada, o 09?
Joaquim Nabuco em carta a Graça Aranha,
1º de dezembro de 1908

Pouca vida pela frente. Os últimos meses, os últimos anos de vida. Terminarão no dia 29 de setembro de 1908. Machado de Assis tem no jovem confrade Mário de Alencar o mais fiel companheiro, peça bem azeitada e insubstituível na engrenagem que movimenta seu cotidiano privado e público. Os dois mantêm conversas que se espicham da caminhada pelas ruas do centro da cidade até o banco do bonde que os leva ao largo do Machado, das cadeiras da Casa do Garnier até o tête-à-tête na residência de um ou do outro; conversas suplementadas por inúmeras mensagens e cartas trocadas, e hoje recolhidas em livro. Pela experiência desentranhada da multifacetada vida de amanuense, escritor e enfermiço, o mais velho se mostra apto a orientar os passos do mais jovem. Este o respeita como a um pai.

Pai espiritual. O mestre e guia desenha para o círculo dos bons amigos a figura preciosa do jovem também amanuense e enfermiço que, em agradecimento, o abriga como a um filho. Faça sol, faça chuva, o mais jovem abriga o mais velho. Dia e noite, amortece os desacatos da viuvez e da solidão. Suaviza as sucessivas e terríveis artimanhas, de que se servem as doenças crônicas para molestar a rotina do organismo humano enferrujado pelo longo uso. O discípulo e aprendiz não tem dificuldade em se metamorfosear em viseira que resguarda e alivia os olhos cansados do guia e mestre. Ao tomar para si o cuidado do quase septuagenário, proporciona-lhe uma paisagem carioca em plena bagunça e balbúrdia modernizadora, tornada aprazível, segura e protegida para o relaxamento passageiro do corpo esbodegado. Ao proteger-lhe os olhos com a viseira, gratifica a mente imaginosa do romancista com a indispensável tranquilidade para dar continuidade à redação do *Memorial de Aires*.

Mário de Alencar é o alter ego do velho Machado de Assis, em quem ele confia como não se confia em imagem no espelho.

Se a Academia de Letras, de que os dois são membros efetivos e perpétuos, e os respectivos ministérios, onde assinam o ponto durante a semana, quisessem rever o estatuto que regulou os concursos prestados, quisessem analisar a documentação apresentada no ato de assinatura do contrato de trabalho e se duvidassem da idoneidade dos exames médicos exigidos para ocupar cargo público, eles teriam sido demitidos por justa causa. Por causa do estigma social que a doença comum carrega. No entanto, ela é a base arisca da identidade compartilhada. Sua argamassa. Ao igualá-los pela semelhança no destino como fatalidade, pela ameaça de rejeição por companheiros de trabalho, confrades, amigos e estranhos e ainda de rejeição pela sociedade carioca, é a doença fraterna que domina contraditoriamente o horizonte que se descortina para ambos.

Descortina-se em curto prazo, para um; em longo prazo, para o outro.

O guia e mestre projeta sobre o discípulo uma sombra fraterna gerada pela intensidade da luz que ela, ao mesmo tempo, emite. Por ocasião da morte de Machado em 1908, sombra e luz serão avaliadas sob a forma de legado sentimental e de herança literária. A morte próxima de Machado desmentirá a filiação biológica de Mário e ratificará sua filiação espiritual. Na genealogia afetiva e intelectual do filho de José e neto de Tomás, os valores da corrente do sangue sucumbem ao peso imposto pela ascendência dos valores humanos, sentimentais e literários de Joaquim Maria.

Desprovida do poder e do saber transmitidos pela sombra luminosa do mestre, a figura do discípulo perderia a razão de ser da própria existência? Passaria esta a ser nula ou quase inexistente? — grosseira e resumidamente, as duas perguntas são as que a posteridade retoma para dar sentido ao legado sentimental e literário recebido por Mário de Alencar de Machado de Assis.

Respondo afirmativamente às duas perguntas. O discípulo perde a razão de ser da própria existência. Na cena literária brasileira, vira figura nula ou quase inexistente. Se se deslocar e minimizar o significado da herança humana, sentimental e literária de Machado, a fim de privilegiar o legado empresarial do avô materno e o cultural do pai, o leque das discussões não será ampliado. O deslocamento do verdadeiro para o aparentemente verdadeiro se apresenta como o melhor modo de, no jogo da vida, trapacear com cartas marcadas de baralho. No entanto, pela luz que a sombra do mestre projeta sobre a figura do discípulo é que se conhecem melhor — de modo enviesado, como sempre — as regras do jogo social que demarca os limites da amizade e das respectivas carreiras literárias.

Ao refletir sobre a real convergência do afeto nos corações de Mário e de Machado e ao ler com carinho as ricas e disputadas conversas manuscritas, descubro que o pai defunto e biológico de Mário, José de Alencar, reaparece de vez em quando entre os dois para constituir um triângulo fantasmagórico. Triângulo bem ao gosto do romancista de *Dom Casmurro*, onde um dos três vértices é defunto, ou invenção da mente ciumenta. No momento em que cada uma das três figuras reganha a respectiva autonomia, Machado de Assis não pode não deixar de considerar, tem de obrigatoriamente considerar do ponto de vista do déjà-vu a novidade e a graça intelectual do recente entrosamento fraterno com Mário. Companheirismo e amizade existem desde sempre entre ele e José. Agora, afirmam-se entre ele e Mário.

Déjà-vu. As velhas lembranças armazenadas pela memória de meados do século XIX reproduzem espontaneamente o afeto que une Machado e Mário como puro e apaixonante déjà-vu. É também puro e apaixonante déjà-vu o renascimento no ano de 1905 do antigo afeto que uniu Machado a José nos anos 1870. As recordações da vida intelectual de antigamente se encavalgam à sua experiência de vida a partir dos anos 1900 e, de mãos dadas, o outrora e o agora, o agora outrora força a porta da imaginação de Machado de Assis e por ela querem entrar e ocupar o devido lugar e importância. Por obra do Acaso e graças à diferença que orquestra harmoniosamente a semelhança, velhas lembranças e novas experiências dão as caras e as mãos. O novo Alencar não é o velho Alencar, e o é. O filho não é o pai, e o é. A razão de Machado de Assis é a bibliotecária perpétua dos livros da memória. O outrora agora e o agora outrora convivem num único tempo psicológico. Não sei por que obrigam a bibliotecária dos livros da memória a reorganizar as antigas lembranças e as novas experiências em camadas temporais superpostas e cronológicas. Sei menos ainda por que obedeço à obrigação, sem admirá-la.

Nos últimos meses de vida, as tranquilas e longas manhãs de Machado de Assis se desdobram em duas frentes de trabalho. Dedica-se primeiro às obrigações acadêmicas e à ladainha burocrática. Cansada pelo esforço despendido durante as primeiras horas do dia, a imaginação do escritor ganha o direito de cidadania e logo se lhe escapa do cubo do escritório pela janela aberta. Ganha voo e se concentra só e unicamente no ato de viajar pelo espaço para se pôr a escrever — ao rés do tampo horizontal da escrivaninha — os sucessivos capítulos do *Memorial de Aires*. Marcado pelo relógio, o tempo zune, e o escritor não percebe a corrida física das horas. Insensível à marcha dos ponteiros, ele redige. De repente, a imaginação laboriosa se cansa da sua evolução pelos céus, ao mesmo tempo em que, embaixo, a atenção desmedida do olhar perde o controle das palavras no tampo horizontal da escrivaninha.

A pena abandona de vez o tinteiro. A última gota de tinta cai e mancha a folha de papel em branco. O escritor deixa de lado as garatujas em negro que vinham sendo traçadas pela tinta. Seus olhos se descolam da folha de papel e vagam pelo teto do escritório, sem força para irem além da janela e sem apelo para aterrissarem na pista das folhas de papel em branco dispostas na mesa de trabalho. A imaginação do escritor perde a companhia da pena e da atenção focada na mancha de tinta e nas frases já escritas. Vaga vagando sem visar a destino. Não há alvo à vista.

Machado de Assis para de escrever o romance que escreve. Reflete.

Reflete sobre a recente e bela amizade com Mário de Alencar e a avalia.

A memória do defunto José de Alencar se reacende no gabinete de trabalho do chalé do Cosme Velho. Machado revê (como nossa lembrança revê na fotografia antiga guardada no álbum de família um rosto cúmplice, ou paisagem favorita) a admiração que nutre pelo grande romancista nos anos 1870. Os dois escritores são como unha e carne. Machado revê a força que a admiração ganha ao dobrar o ano de 1874. Transforma-se em amizade eterna. Na véspera dos primeiros meses de 1875, sua predileção por José de Alencar já está empacotada por anos de encantamento e pronta para ser entregue às mãos dos bons historiadores da literatura brasileira, e eis que, bruscamente, no final daquele ano, ela é abalroada e desviada do destino superior pela leitura dos Folhetins que o jovem recifense Joaquim Nabuco, recém-chegado da Europa, publica aos domingos no jornal O *Globo*.

Prefiro descrever com a trucagem usada na montagem cinematográfica os encontros desencontrados das figuras. Esfumam-se três fotos acronológicas e distintas num único e intrigante fotograma. A imagem do abalroamento das sensibilidades afins nos anos 1870 se enriquece com o súbito aparecimento do rosto de Joaquim Nabuco a se sobrepor aos rostos fraternos de Alencar e de Machado. A reflexão matinal de Machado clica a fotografia esfumaçada. O escritor retira definitivamente os olhos do manuscrito do *Memorial de Aires*. A imaginação não mais alimenta a viagem infinita da escrita literária.

Aproveito o minuto de recato e de silêncio para me adentrar pelo fotograma único e intrigante.

O folhetim do *Globo* é publicado aos domingos e ocupa todo o espaço retangular inferior na primeira página do jornal. Algumas vezes se espraia para espaço idêntico na segunda página. É matéria nobre, um pequeno ensaio ao estilo europeu. A leitura nunca é interrompida pelos abomináveis anúncios. Corre célere. Os primeiros folhetins dominicais são assinados por Nabuco e cutucam com vara curta — abusando da presunção e da injustiça da mocidade, para usar futuras palavras do autor — ideias nacionalistas estreitas de Alencar sobre a produção literária no Brasil pós-Independência.

O consagrado autor de *Iracema* se sente ameaçado pelo jovem iconoclasta. Julga-se agredido pessoalmente pelas alusões maldosas do colunista à sua peça *O jesuíta*, temporariamente representada em teatro da cidade. Solicita à direção do jornal espaço nobre, semelhante ao oferecido a Nabuco. É-lhe concedido, e dele se vale para se defender em folhetins que são publicados às quintas-feiras.

Aos domingos, Joaquim Nabuco joga a vara de pescar com a isca no anzol em direção ao desenvolto surubim José de Alencar. Às quintas-feiras, o surubim morde a isca e dá um safanão no anzol, desequilibrando o presunçoso pescador, que quase se afoga nas águas da baía de Guanabara.

Arma-se o bate-boca em torno do nacionalismo estético que embasa a maior parte da literatura brasileira romântica, de que Alencar é parte constituinte.

Então novato nas letras, Machado de Assis cultiva a literatura e a crítica. Já está atento à maliciosa interpretação por Tobias Barreto da obra de José de Alencar. Pela primeira vez, a eterna admiração pelo romancista cearense é balançada por terremoto. Tobias Barreto se desvia da tradição literária lusitana para ser contemporâneo do mundo em que vive. Estuda e acata o pensamento germânico sobre nacionalismo e cultura universal. As recém-adquiridas ferramentas críticas lhe dão régua e compasso para medir a importância da obra de Alencar no que estão oferecendo para o melhor conhecimento dos brasileiros e do Brasil. Tobias bate forte. Os romances do cearense representam a nós, brasileiros, como "uma espécie de *antropoides* literários, meio homens e meio macacos, sem caráter próprio, sem expressão, sem originalidade". Tobias bate forte. O sergipano Sílvio Romero baterá mais forte.

Machado está também atento às investidas do crítico Sílvio Romero contra o romance romântico escrito no Brasil. Ao ler seus ensaios, o então aprendiz de escritor se sente recompensado e ao mesmo tempo menosprezado pelo modo como ele ridiculariza os confrades mais velhos. Por contraste e maldosamente, Sílvio Romero assimila os intelectuais brasileiros aos contemporâneos geniais da contemporaneidade, os que já têm lugar cativo nas bibliotecas universais da cultura ocidental. Afirma e lamenta que "as misérias do nosso romantismo aparecem ao tempo em que Humboldt escrevera o *Kosmos*, Darwin, a *Origem das espécies*, Haeckel, a *História da criação*, e quantos outros mais". Somos uma decepção. Somos o que somos e nunca seremos? — Sílvio Romero lança a pergunta fatal sob a forma de grande questão a ser resolvida, ou não, pela nova geração.

Enunciado pelos críticos Tobias e Sílvio, o descompasso entre o lá fora genial, a Europa, e o medíocre aqui dentro, o Brasil, infecta o coração da própria criação literária brasileira. Machado de Assis fica sem saudades do aqui dentro e com saudades confusas do lá fora, em que, por esforço próprio, começa a ganhar pé no seu espírito. A predileção de Machado por Alencar entra em zona de alto risco. O descontrole emocional de Machado é em parte consequência da indignação que sente ao ler o romance *à clef Guerra dos Mascates*, de Alencar. Entre os personagens do livro destaca o poeta gago Lisardo de Albertim. Quem está sendo caricaturado por Alencar? Ao responder à pergunta, Machado não titubeia mais, embora continue tropeçando nas sílabas.

Machado decide morder a fascinante isca lançada pelos folhetins de Nabuco em direção aos jovens escritores. No mês de novembro de 1875, não consegue mais esconder publicamente o nome da sua preferência. A lição de Nabuco lhe parece superior à de Alencar. Quer ser o que são os escritores lá fora. Baixa-lhe a estranhíssima sensação de exílio na própria terra natal. Ou a ainda mais estranhíssima sensação de viver lá fora, escrevendo aqui dentro para alguns *happy few*. Seria um banzo a mais, como o apelidam os detratores?

Diante do maço de folhas manuscritas do *Memorial de Aires*, Machado de Assis tira o pincenê de trabalho. Fecha os olhos. Coça cuidadosamente as pálpebras com os dedos das mãos espalmadas. Na pele amarrotada das mãos sobressaem as veias azuis e as manchas esbranquiçadas da velhice. Com a mesma intensidade com que lembra os amores perdidos que foram apenas sonhos, revive ansiedade, satisfação, decepção, arroubo, prazer, tristeza, sentidos em fins de 1875. Naqueles meses, por capricho da Fortuna, Joaquim Nabuco funda a revista A *Época*, calcada na célebre *La Vie Parisienne*. Datado de 14 de novembro de 1875, o primeiro número da revista estampa o conto "A chinela turca", de Machado de Assis. Como os demais colaboradores, ele o assina com pseudônimo. Opta por nome próprio bíblico, Manassés, o neto de Jacó e filho de José. A revista teve curtíssima duração.

Fisgado por Nabuco em fins de 1875, o escritor Machado é o mesmo Machado tagarela a fisgar em 1906 o discípulo Mário de Alencar. Entre um tempo e o outro, a fundação em 1897 da Academia Brasileira de Letras, sob a responsabilidade dos dois primeiros, já então velhos amigos, e a eleição do terceiro e jovem

Summario:

PROGRAMMA
A CHINELLA TURCA — *Manassés.*
CHRONICA DA QUINZENA — *Fanfulla.*
ENTRE DOUS CASAMENTOS — *Pierrot.*
LETTRAS, SCIENCIAS E ARTES
CORREIO DO RIO — *D. Raymundo.*
CENTENARIO DE MIGUEL ANGELO
CARTA AO SR. MINISTRO DO IMPERIO — *Ninguem.*
CHRONICA FLUMINENSE — *Giroflé — Giroflá.*
BIBLIOTHECA DA EPOCHA:
  O FIM DA CREAÇÃO OU A NATUREZA INTERPRETADA PELO SENSO COMMUM, *A. Cadmus.* — TRES POEMAS, traducção de P. A. Gomes Junior, Th. *Hook* — JOCELYN, traducção do Sr. J. C. de Menezes e Souza, *Eurico.* — OS LAZARISTAS, drama do Sr. Eanes, *Dupin.*
THEATROS, CONCERTOS — *Swift.*

A Época, *índice do primeiro número.*

em 1905 para vaga aberta com a morte de José do Patrocínio. Machado de Assis ocupa a cadeira de número 23, cujo patrono é José de Alencar. Escolhido por ele.

O jovem Joaquim Nabuco viaja por vários países europeus entre os meses de agosto de 1873 e setembro de 1874. Julga-se predestinado à Política com P maiúsculo que, segundo seu modo de pensar o Brasil, se confunde com a reflexão sobre a história universal, e é por isso que decide impulsionar o lado estético e literário da precoce personalidade pública. Nos *Diários*, que passa a manter, anota que ao retornar ao Brasil traz na bagagem, como complemento da roupa e dos pertences pessoais, impressões de arte, impressões literárias e impressões de vida experimentadas na Europa. Durante o ano europeu, a faculdade política é atrofiada para que a aguda sensibilidade artística nasça no aleijão voluntário e reconheça as notáveis contribuições estéticas da arte ocidental.

A política deixa de ser a mola principal do espírito de Nabuco. O futuro e brilhante advogado, também ensaísta e diplomata, estetiza as inclinações políticas nos doze meses em que a estocagem do saber universal ganha espaço na sua memória e a enriquece, enriquecendo ainda mais a sensibilidade do espectador de todas aquelas maravilhas. Em plena viagem sentimental, padece da síndrome da poesia. Escreve livro de versos, *Amour et Dieu*, e o publica em 1874. Mais tarde o renegará. Sente-se tão à vontade no campo da arte e no debate das velhas e novas ideias, que aceita o convite para ser articulista no jornal *O Globo*. Na primeira prestação, Nabuco define sua intenção: "Sob a forma de folhetins semanais o autor pretende escrever uma série de artigos de crítica literária".

Logo será apedrejado por José de Alencar.

Sozinho, o jovem Nabuco tomou o transatlântico para a Europa em 1873. O ilustre escritor e ex-deputado José de Alencar decide viajar em 1874 para a província cearense. Faz-se acompanhar de toda a família. Com o corpo tomado pela tuberculose pulmonar, que em 1877 o vitimará, deve fazer-lhe bem o clima seco do Ceará. Segue recomendações do médico pneumologista. A fuga para o Norte sertanejo robustece a saúde e encorpa o espírito do escritor que, na qualidade de deputado, arranja tempo na província para se entregar à política com "p" minúsculo, a que não extrapola os limites estreitos da governança da jovem nação independente. Alencar e os seus passam uns dias na vila de Arronches, perto de Fortaleza, onde moram velhos parentes.

Em longas caminhadas pelos arredores de Arronches, Alencar conhece — e celebra — um senhor de oitenta anos, Filipe Ferreira, casado com uma descendente do índio Algodão, contemporâneo de Camarão. Os dois ancestrais, Algodão e Camarão, são os responsáveis — anota Alencar em seu caderno — pelas duas linhagens cearenses da nobreza indígena. Durante a viagem à terra natal, o desprezo à família imperial dos Bragança e as obsessões literárias voltam a ser bem servidos. Naquela região e em outras da costa cearense vivem os índios potiguaras, fugidos do território do Rio Grande do Norte por causa dos primeiros contatos com os colonizadores portugueses.

Enquanto a saúde se fortalece, a imaginação criadora dialoga com o velho sr. Filipe Ferreira e com outros mais, e enobrece com a adição de novos testemunhos a já extensa pesquisa em romances populares e aboios. Dedica atenção especial a tudo que se refere à figura do boi no sertão. Um ano mais tarde, o animal será o protagonista (numa leitura evidentemente simbólica) do romance O sertanejo (1875), o último a ser publicado em vida. O destaque concedido por Alencar ao boi na literatura não é apenas recurso à metáfora de que os nacionalistas se servem como elemento unificador da diversidade nacional. O romance *O sertanejo* nos leva a crer que a informação folclórica, a ele transmitida por Filipe Ferreira nas cercanias de Arronches, se cola à autobiografia do romancista cearense, provocando estranha e terna consanguinidade dramática entre homem e animal.

A consanguinidade dramática, a unir o homem altaneiro do sertão ao boi abusado, se expressa, metaforicamente, pelo elogio da valentia com que o homem público José de Alencar enfrenta tanto as reviravoltas políticas na corte, dominada pela figura augusta do imperador Pedro II, quanto os percalços da tuberculose a tomar o corpo já vitimado pelos males do fígado.

Em Arronches, cresce seu interesse pela toada do "Boi-Espácio", que se transforma no ramo de ouro da sua poética. Escuta-a da boca dos sertanejos e a anota com carinho, acrescentando que "ela o prende a recordações de infância, que o identificam de algum modo com o seu passado". A toada será reproduzida no romance *O sertanejo* e também estará, em duas versões diferentes, nas páginas do folclore nacional, coletadas — pasme-se! — por um dos seus detratores, o crítico sergipano Sílvio Romero.

A descrição da morte do Boi-Espácio e a subsequente fragmentação do seu corpo em ossos e órgãos pelo facão gravam-se na pele e na imaginação de Alencar. São acompanhadas do trabalho de artesanato de cada uma das peças e órgãos autônomos do boi morto em proveito do ser humano. Escuto:

Os chifres do Boi-Espácio,
Deles fizeram colher
Para temperar banquetes
Das moças de Patamuté.

Os olhos do Boi-Espácio,
Deles fizeram botão

Para pregar nas casacas
Dos moços lá do sertão.

Costelas do Boi-Espácio,
Delas se fez cavador
Para se cavar cacimbas;
De duras não se quebrou.

O que a polêmica entre Joaquim Nabuco e José de Alencar revela é a luta entre dois valentões nordestinos (o deslumbrado pernambucano ataca e o experiente cearense se defende), que vem a descoberto no romance O *sertanejo* sob a forma do legado deixado por dois bois rivais na memória popular cearense. À arena compareçam o invencível boi de nome Dourado e o valente boi de nome Rabicho. Vence o boi Dourado. O boi valente ganha do boi invencível. O diálogo entre os protagonistas simbólicos do romance pode esclarecer a diferença entre a invencibilidade e a valentia dos bois quando o parâmetro são as desgraças causadas aos nordestinos pela seca, ou quando o cenário for o ringue de boxeadores em luta pelo poder literário na corte imperial.

É com o espírito corajoso, astuto e altaneiro do boi Dourado que José de Alencar entra na liça para enfrentar o invencível touro Joaquim Nabuco.

Machado de Assis os lê semanalmente e pressente que a diferença entre o escritor terra a terra e o deslumbrado cosmopolita está na geografia física do Brasil, onde a infância de um e do outro é amamentada. A fisiografia da seca leva Alencar a se agarrar como tábua de salvação à tradição rural sertaneja. Escarafuncha a terra trabalhada pelo indígena e pelo caboclo em busca das raízes culturais cearenses, vilipendiadas pela colonização lusitana. A fisiografia da terra holandesa de Maurício de Nassau em Pernambuco — ou da "terra líquida e movente" — leva Nabuco a liberar a sensibilidade e a imaginação, deixando-as se levarem pela curiosidade intelectual que levanta vela ao deixar as praias do oceano Atlântico. Nabuco enxerga à sua frente, no insólito biombo de esmeralda que o mar significa para ele criança, o caminho para o diálogo com o que, sendo posse do europeu, é também do brasileiro por razão e vontade da representação em arte, desde os gregos.

O menino Alencar é lavrador; o menino Nabuco, marinheiro. Machado desconfia de um e do outro.

Para Nabuco o despertador da infância é o clique da máquina fotográfica da memória. A lente dos olhos capta a imagem da primeira vaga do oceano Atlântico que se levanta à sua frente. Vaga verde e transparente, semelhante a um biombo de esmeralda. Fixada na placa mais sensível do seu *kodak* infantil — copio passagem de *Minha formação* —, é essa onda do oceano Atlântico que fica sendo o definitivo e eterno clichê do mar. De responsabilidade do menino, a legenda abaixo da representação fotográfica do mar diz: "*Thalassa! Thalassa!*".

A chapa fotográfica da natureza indomável do mar se evidencia como produtora infinita de outras palavras e de numerosíssimas imagens. Na infância de Nabuco há uma imagem-clichê, uma palavra-clichê que força seu caminho pela imaginação do adulto, transformando-se em representação metafórica do seu estar-no-mundo e razão de ser para a especulação política, crítica e literária. Em Alencar, o boi é valente e merece ser imitado; em Nabuco o oceano é biombo e deve ser trespassado pela proa do navio. Nada se dá em reflexo para Nabuco. A imagem e a palavra é transparência. É bela e verde-esmeralda. A palavra (a arte) é representação da representação da representação. A palavra é a placa mais sensível do *kodak* infantil do pernambucano. Ela lhe permite ler e escrever com naturalidade a língua grega e substantivá-la como o substrato cultural da humanidade: *Thalassa*! Copio:

> Muitas vezes tenho atravessado o oceano, mas se quero lembrar-me dele, tenho sempre diante dos olhos, parada instantaneamente, a primeira vaga que se levantou diante de mim, verde e transparente como um biombo de esmeralda, um dia em que, atravessando por um extenso coqueiral atrás das palhoças dos jangadeiros, me achei à beira da praia e tive a revelação súbita, fulminante, da terra líquida e movente... Foi essa onda, fixada na placa mais sensível do meu *kodak* infantil, que ficou sendo para mim o eterno clichê do mar. Somente por baixo dela poderia eu escrever: *Thalassa! Thalassa!*

O mulato carioca Machado de Assis se interessa pela briga dos touros Dourado e Rabicho, em que as observações arqueológicas de lavrador cearense disputam a primazia com as peripécias cosmopolitas anunciadas pela vida de marinheiro pernambucano. Mas logo se desinteressa dos dois.

Não é lavrador — nem convém que se imagine o que teria sido a vida de escravo do Machadinho numa fazenda de café no Vale do Paraíba — e, por não ter nascido em berço privilegiado, não chegará a ser nem poderá ser marinheiro.

Nascido e criado em morro à beira-mar, talvez tivesse sonhado ser marinheiro. No mesmo final de ano de 1875, o bom amigo Salvador de Mendonça, então representante do governo brasileiro em Baltimore, tenta incluí-lo na delegação oficial do Brasil que estaria presente na Exposição Universal da Filadélfia, comemorativa do centenário da Independência norte-americana. Escreve-lhe carta, dando detalhes do seu pleito junto à corte. Nova coincidência. É no final de 1875, quando circula o conto "A chinela turca" na revista A *Época* do europeizado Joaquim

Nabuco, que se torna amargo o anunciado gostinho doce da viagem do escritor ao estrangeiro, e aflige a esperança. Escreve Machado, em resposta a Salvador de Mendonça: "Pudesse eu ir ver tudo isso! Infelizmente a vontade é maior do que as esperanças, infinitamente maiores do que a possibilidade. Não espero nem tento nomeação do governo, porque naturalmente os nomes estão escolhidos".

O mulato Machado não representa o Brasil imperial. Mas o escritor carioca sempre viajará ao estrangeiro, mas pelos navios da leitura. Dessas impressões de viagem retira o material que empresta aos elaborados personagens complexos que inventa.

Ainda novato nas letras brasileiras, Machado também se desinteressa da terceira via aberta nos anos 1870, a do aconchego no Brasil das ideias estéticas de caráter científico que jorram, como água abundante em fonte luminosa, da escola naturalista europeia. Refiro-me ao avanço técnico e progressista da civilização ocidental que, na proposta soberana de Émile Zola, ou na imitação lusitana de Eça de Queirós, impele o jovem escritor brasileiro a procurar no laboratório das ciências humanas o método ideal para o fazer literário.

Machado duvida da transposição para a literatura dos princípios norteadores da medicina como ciência experimental, levada a cabo pelos escritores naturalistas franceses. E ridiculariza a nova moda por conhecer — no próprio corpo enfermo — o desastre e os limites da ciência na arte do conhecimento do que é orgânico no humano. O protagonista literário não deve ser obrigatoriamente o homem desenhado pela observação in loco. Como modelo para a arte, interessa-lhe o homem abstrato e sonhador, haurido da leitura dos clássicos da literatura universal. Interessa-lhe algo semelhante ao mar impresso na placa fotográfica da infância, de que fala Nabuco, interessa-lhe a palavra "Thalassa", que volta a ler mil e uma vezes, já que o vocábulo, impresso como tal e numa multidão de línguas estrangeiras, retorna sempre nas suas leituras e na sua escrita como algo de abstrato que se torna concreto pelo hábito.

Machado opta finalmente por Nabuco. Sabe-o marinheiro e lavrador-de-metáforas na busca infatigável da representação artística universal.

O menino Machado é o marinheiro lavrador-de-metáforas.

Pela crença no valor da representação da representação da representação, Machado romancista se transforma, quando se lhe abre o palco da literatura brasileira, em Buster Keaton. Na busca do belo universal e do sublime, analisa impressões de viagens, próximas e distantes, que levam a imaginação em pânico a delirar. Machado escreve o oceano Atlântico sem mostrá-lo em água e sal. A linguagem literária renuncia a enunciar a própria coisa porque a expressa irrevogavelmente pela metáfora. Machado sugere o mar na dimensão infinita e provocadora de biombo verde e transparente, feito de esmeraldas. Infinitude, atrevimento e provocação que só a metáfora alcança porque é capaz de escrever a literatura do ponto de vista da beleza e da crítica.

A placa fotográfica impressionada originalmente, qualquer que seja ela, foi esbatida contra inúmeras outras, semelhantes e alheias placas artísticas, que convidam o leitor/espectador ao exame rememorativo e analítico da imagem *kodak* primitiva e autêntica, arquivada na memória infantil ou na sensibilidade em formação, e também convidam à abertura da experiência humana e artística para novos e diferentes significados.

Em todo capitalista Nóbrega (alusão ao personagem de *Esaú e Jacó*) existe um homem miserável com a fotografia da bacia das almas nas-mãos, na-lembrança e no-papel. No-papel, na-lembrança e nas-mãos, a bacia das almas espicaça o estar-no-mundo do capitalista Nóbrega. E do romancista Machado de Assis.

Apesar de até hoje não se ter documentos que falem das reações concretas de Machado de Assis à polêmica travada por Joaquim Nabuco e José de Alencar, julgo que sua apreciação dos folhetins publicados em O Globo pode estar mais próxima de nós do que se imagina. Sua opção por Nabuco está na própria literatura que ele pratica e entrega ao público na revista A *Época*. Está na composição um tanto tosca, mas instigante, do conto "A chinela turca", assinado por pseudônimo, Manassés, e hoje na coletânea *Papéis avulsos*, assinada então por Machado de Assis.

Machado entrega o conto "A chinela turca" a Nabuco em 1875, semanas depois de o confrade assumir o folhetim em O Globo e afirmar, em letra impressa, que se interessa mais e mais pela literatura e quer ser seu crítico. Com o correr dos anos, Machado insistiu em passar informações precisas sobre a primeira publicação do conto. Insere-o no contexto original de A *Época*. Data-o a posteriori, por assim dizer, já que a revista teve vida curta e efêmera. E a posteriori também explicita a admiração nascente por Nabuco. Sete anos são passados entre a primeira publicação e a seguinte. Copio o adendo ao conto escrito por ele para a reedição em 1882 de "A chinela turca":

> Este conto foi publicado, pela primeira vez, na *Época* n.º 1, de 14 de novembro de 1875. Trazia o pseudônimo de *Manassés*, com que assinei outros artigos daquela folha efêmera. O redator principal era um espírito eminente, que a política veio tomar às letras: Joaquim Nabuco. Posso dizê-lo sem indiscrição. Éramos poucos e amigos. A folha durou quatro números.

Ao escolher o pseudônimo Manassés e estendê-lo às demais colaborações, Machado o torna simbólico e fá-lo dizer o suficiente sobre a atitude pessoal do autor ou sobre a altitude espiritual que o prosador quer alcançar. O processo repete recurso retórico que ele pratica com assiduidade — o da escolha de nome próprio, de nome apropriado, para os personagens de sua literatura. Já no nome próprio escolhido desdobra-se a personalidade ambivalente dos seres humanos que cria. Adão já sugere Eva. Abel já sugere Caim. Esaú já sugere Jacó. E vice-versa. Eva já sugere Adão. Caim já sugere Abel. Jacó já sugere Esaú.

Machado gosta das ressonâncias silenciosas que o nome próprio — apropriado — do protagonista desperta na memória do leitor, como eco. O nome próprio do personagem é, pois, ferramenta auxiliar do narrador do conto ou do romance: pelo nome a figura ficcional inventada já se revela em parte quem é, visto que se complementa por outro nome próprio, que tem existência concreta na memória do leitor astuto. Quando o nome próprio aparece no texto, ele ecoa outro nome próprio, que é apenas sugerido de modo sub-reptício e preciso.

Da primeira à última página do conto ou do romance, cada personagem se define, portanto, por semelhança, contraste ou oposição a outro nome próprio gravado na memória do leitor. Chamar a um personagem masculino de Adão já é falar à memória do leitor sobre algo referente a ele e sobre algo referente a Eva, mesmo que o nome Eva ainda não tenha sido dado a personagem feminino. O nome próprio escolhido por Machado para o personagem já marca a autenticidade e a diferença dele em referência a outro nome próprio.

Machado costuma não escolher nome próprio singular para o personagem. No caso da autoria do conto "A chinela turca", vale-se também de nome próprio que não é singular, Manassés. Ao se autodenominar Manassés, Machado de Assis sugere à memória do leitor afeito à leitura do Velho Testamento o nome e a personalidade do irmão Efraim.

Manassés e Efraim são netos de Jacó e filhos de José e fazem parte de narrativa bíblica inesquecível. No caso dos vários exemplos citados acima, que vão de Adão a Eva e de Esaú a Jacó, os nomes próprios são também, dois a dois, esposos, pais, irmãos e todos extraídos da Bíblia sagrada. Em país de tradição letrada católica não se requer muita perspicácia para pensar o que é sugerido a partir do já consignado como verdade religiosa. Conhecem-se mais profundamente esposo e esposa, avô e neto, pai e filho, irmãos.

Além de retirado da Bíblia sagrada, o par de nomes próprios representa uma relação familiar estreita e um tenso choque dramático. Uma trama dramática, várias histórias já se desenrolam ao se enunciarem os nomes próprios. Daí a possibilidade de o leitor conseguir ler de imediato a sugestão dada pela escolha do nome próprio para o personagem ou para os personagens, enriquecendo a análise ou o conhecimento de um ou dos dois personagens e eventualmente da trama em que estão inseridos.

Tomo como exemplo o romance *Memórias póstumas de Brás Cubas* e cito o capítulo "O velho colóquio de Adão e Caim". Numa digressão típica de Machado, o primeiro pai, Adão, deseja conversar com o embrião do primeiro filho, Caim. No plano bíblico, o desejo é realizado. No texto ficcional, nunca será concretizado. Não há diálogo entre pai e filho. A decepção do Adão bíblico diante da ausência do diálogo é sinal evidente da esterilidade do protagonista masculino no romance. Eis uma das graças que Buster Keaton gosta de colocar em cena. A não fecundidade de Brás Cubas (e de Adão, a deste apenas na digressão machadiana, insisto) desliza de mãos dadas pelas muitas páginas das *Memórias póstumas* até o último parágrafo do romance, quando confessa: "Não tive filhos, não transmiti a nenhuma criatura o legado da nossa miséria".

Sendo recorrente na obra de Machado de Assis, esse processo de denominação e de caracterização de personagem me interessa para melhor desenredar, dado o pseudônimo eleito em 1875 para a revista A *Época*, as relações de amizade que ele mantém com Joaquim Nabuco e, indiretamente, com José de Alencar. Do processo de Machado se autodenominar Manassés, desentranho um episódio, que passo a narrar:

Aceito o convite de Nabuco para colaborar na revista, Machado caracteriza, pela escolha do pseudônimo, as respectivas e diferentes personalidades em jogo, acentuando indiretamente os dados contidos nas respectivas certidões de idade e nos respectivos prontuários familiares. Sou Manassés e você é Efraim (apenas aludido; pela norma retórica do romancista não se precisa ir além). Manassés é o irmão mais velho de Efraim — e na verdade Machado nasce em 1839 e Nabuco em 1849. Ao convidar o leitor da revista fundada e financiada por Nabuco a invocar a Bíblia e a história de José para descodificar o significado alusivo e em nada gratuito contido no pseudônimo Manassés, Machado nos direciona ao Gênesis e ao capítulo 41, versículos 50 a 52.

Antes de chegar o primeiro ano da fome, José tem dois filhos com Asenet, filha de Potifar, sacerdote de On. Ao primeiro dá o nome de Manassés e explica o significado do nome: "Deus me fez esquecer todos os meus sofrimentos e a família de meu pai". Ao segundo chama Efraim. Justifica a escolha do nome, desvendando seu significado: "Deus tornou-me fecundo na terra de minha aflição". Ao escolher o nome dos primeiros filhos e batizá-los, José está escrevendo sua própria biografia: as terríveis dores familiares devem ser esquecidas para sempre porque apenas antecederam os anos da grande fecundidade do patriarca.

Do capítulo 41 do Gênesis salto ao capítulo 48 para observar o modo *enviesado* como funciona o eixo que sustenta a relação simétrica entre os irmãos de sangue na cena em que os dois serão abençoados pelo avô Jacó. Caso tenha como fundo metafórico o Brasil imperial e republicano, o jogo dramático entre irmãos de sangue — e até gêmeos — encanta a imaginação dramática do romancista, que se especializou nos relatos em que a fraternidade se corrompe pela competição, pela disputa, pelo amor à única mulher, como é o caso de *Esaú e Jacó*, os *irmãos--inimigos* Pedro e Paulo.

No Gênesis, José sabe que seu pai Jacó está muito doente, por isso leva os filhos Manassés e Efraim até a casa avoenga para a bênção. O avô Jacó pede ao filho José que aproxime os dois netos. Seguindo o protocolo, José lhe apresenta os dois filhos. Apresenta-os de modo a que Manassés, o primogênito, se distinga positivamente do irmão mais novo. Por ser o mais velho, ele fica à direita do patriarca, enquanto Efraim, o mais novo, à esquerda.

O ato de benzer segue a tradição. O avô Jacó estende naturalmente os braços para a frente. E logo ele deixa de lado a tradição.

Jacó cruza os braços no ar e enviesa, pelo gesto final, o privilégio concedido a Manassés pela primogenitura. Coloca a mão direita na cabeça à esquerda de Efraim e a mão esquerda na cabeça à direita de Manassés.

De modo enviesado, o avô privilegia o poder da fecundidade em detrimento do autocontrole emocional, indispensável ao processo de esquecimento dos antigos padecimentos e das dores passadas.

O filho José corrige o pai Jacó. O primogênito é este, pai, e põe a mão direita sobre a cabeça de Manassés. Jacó lhe responde, dizendo: "Eu sei, meu filho, eu sei. Também ele se tornará um povo, também ele será grande. Não obstante, seu irmão menor será maior do que ele e sua descendência se tornará uma multidão de nações".

Sensata e atrevidamente, Jacó não se corrige. Ratifica a perspectiva enviesada assumida e a garante como verdadeira, ainda que cometa injustiça contra o primogênito que traz gravados no nome próprio todos os padecimentos sofridos pelo pai. Duplamente enviesada por Jacó, a vontade de Deus estabelece o critério de avaliação da grandeza e do poder do homem pela supremacia da fecundidade.

Efraim à frente de Manassés. Nabuco à frente de... Um branco à frente de... Um procriador à frente de... Um homem sadio à frente de... — e assim ad infinitum, embora seja importante não subestimar o autêntico elo fraterno que ata e continua a atar os dois irmãos Machado e Nabuco.

O mais velho, segundo a letra bíblica, se esforça, e será que conseguirá esquecer os sofrimentos passados? O mais novo, ao ser apoiado pela letra política, é assentado legitimamente no poder pelo avô e se multiplicará no futuro. Esse embate entre a dor sofrida a ser sublimada e a fecundidade garantida por herança paterna, entre o acerto-de-contas-com-o-passado e o potencial-das-contribuições-futuras é que amplifica o sentido da eleição feita pelo avô Jacó. Ao universalizar pelo nome próprio o personagem inventado (ou pelo pseudônimo dado a ele mesmo como contista), Machado insere a situação dramática pessoal, local e nacional em evidente contexto ocidental.

Na leitura da obra de Machado apenas o leitor de viseiras (ou seja, o leitor desmemoriado) relativiza o padrão universal de todo e qualquer ser humano e de suas ações. Seres humanos e suas ações são avaliados de perspectivas diferentes: pessoais e sentimentais, estreitas e amplas, contraditórias e conflitantes. Luta interna, conflito nacional ou drama ocidental vêm embutidos não só na escolha do nome próprio, que nunca é singular, como também na sugestão que ele encaminha de modo discreto ou aberto.

(Em 1900, ano em que Machado de Assis publica *Dom Casmurro*, romance saudado por todos como obra-prima, Joaquim Nabuco entrega ao público suas memórias, *Minha formação*. Ao entregá-las, ele faz um gesto que desfaz a escolha enviesada do avô Jacó. Nos *Diários* de Nabuco, leio uma significativa metáfora, posterior à publicação do romance de um e das memórias do outro, a da pérola que a natureza fabrica, ou não. Depois de reflexão sobre os limites da sua experiência de escritor e da sua escrita, compara-se ao então guia e mestre de todos e pergunta sob a forma de máxima: "Que serve fazer a pérola, quando não se pode passar de ostra?".)

O conflito entre forças desencadeadas por coerências e consistências humanas diferentes — entre Manassés e Efraim, entre a pérola e a ostra que não passa de ostra — está no cerne do conto "A chinela turca", que Machado escreve e publica. Nele, o bacharel Duarte, visivelmente constrangido, não mede forças com o major Lopo Alves que bate à porta para importuná-lo com a leitura da medíocre peça de teatro, que acaba de escrever. Não lhe oferece o texto para que o leia em paz; vem oferecer-lhe a longa e fastidiosa leitura do original. Sob a chuva de palavras despejadas pelo major, os ouvidos dóceis do bacharel levam-no a perder uma noite de festas, onde reencontraria seu último flerte, a bela Cecília, de cabelos louros e olhos azuis pensativos. A gíria atual inventou uma expressão grosseira para o major Lopo Alves: empata-foda.

Se lida a Nabuco em casa dele, a peça teria merecido violentas porretadas críticas nos folhetins. Está escrita no estilo ultrarromântico sentimental e abusa dos clichês açucarados e das *ficelles*. Será que Machado caricatura o dramaturgo Alencar no major Lopo Alves, assim como Alencar o tinha caricaturado na figura do poeta gago em *Guerra dos Mascates*? A leitura pelo autor da peça medíocre adormece o bacharel. Aciona, no entanto, um mecanismo interno de autodefesa, de defesa contra a visita inoportuna que, por forçar a leitura, acaba também por ser desagradável à sua sensibilidade. O sensível bacharel Duarte devaneia.

Delira e sonha.

Nabuco tem razão nos seus folhetins de O *Globo*. A boa leitura da obra de arte não é a do autor, mas a que o leitor faz da obra alheia, em diálogo crítico com ela. O bacharel Duarte é um leitor involuntário e por isso reage delirantemente ao absurdo dos absurdos — um autor a ler a própria obra. Será por isso que o conto "A chinela turca" se abre, dirigindo-se de modo imperativo ao leitor, exigindo-lhe que não enxergue o autor, mas o protagonista que está à sua frente, só na folha de papel. Leio a primeira frase do conto: "Vede o bacharel Duarte". As últimas palavras do conto reencontram as primeiras, fechando em si a ideia que é cara ao crítico Nabuco e o está sendo ao contista Machado: "Ninfa [...], tu me salvaste de uma ruim peça com um sonho original, substituíste-me o tédio por um pesadelo: foi um bom negócio [...] e uma grave lição: provaste-me ainda uma vez que o melhor drama está no espectador e não no palco".

O melhor do conto (da obra de arte) está na liberdade do leitor. Por ser leitor involuntário, leitor escravo do autor, o bacharel Duarte sabe que "a leitura de um mau livro é capaz de produzir fenômenos espantosos". Aciona, por exemplo, mecanismos de autodefesa da sensibilidade. Leva a ele, leitor, a recorrer à fantasia inquieta e fértil que pouco a pouco o libera da peça lida pelo autor e resguarda ainda o leitor do conto da leitura da peça escrita e lida pelo major. A leitura pelo autor é total silêncio no conto. Acionado, o mecanismo de autodefesa substitui o tédio pelo delírio. O delírio oferece, no silêncio do conto, um devaneio sem pé nem cabeça — o caso da chinela turca.

O sonho do bacharel Duarte ocupa toda a longa parte central do conto e elide a leitura da peça de teatro feita pelo major Lopo Alves.

A fantasia inquieta e fértil, delírio do leitor que não quer reproduzir como sua posse uma peça de teatro de má qualidade, sobrepõe o ficcional ao real, o delírio ao tédio, criando o *fictício* na escrita artística de Machado de Assis. Cria o fundamento do literário. Machado de Assis faz literatura, à sua maneira. Mistura o tédio ao delírio.

Viria do privilégio concedido à recepção da obra artística pelo leitor a necessidade obsessiva que tem a prosa machadiana de trazer a figura do leitor ou da leitora para o palco do livro. O narrador de Machado está sempre a dialogar com quem o lê. Em cena aberta e em diálogo com o narrador, em corpo a corpo sedutor e piscar de olhos maroto, ele leitor ou ela leitora estão para sempre seduzidos, conquistados ou derrotados.

Na polêmica que trava com Alencar, uma das observações críticas mais modernas de Nabuco vai tratar do modo como o leitor e a leitora devem tomar posse da obra de arte e ter direito a discorrer sobre ela com propriedade. Antes de mais, nunca dê ouvidos à opinião do autor do romance ou da peça de teatro. Em especial se a opinião do autor estiver expressa em prefácio, notas no pé da página ou em artigos em jornal. Graças a esses estratagemas é que José de Alencar está sempre a proteger o texto de sua autoria, como o pai ao filho dileto e escorregadio. José de Alencar quer se refletir no espelho do leitor e se ver a si como reflexo ou como pai da obra. Não quer ver o leitor como o verdadeiro dono da obra. No momento em que o autor se vê a si no espelho como pai, esquece o livro que o liga ao leitor e seduz a este.

Para justificar a prerrogativa concedida ao leitor, Nabuco tem de rejeitar a opinião de José de Alencar sobre sua obra como a de alguém que nela vê a própria imagem refletida no espelho. Ao se enxergar menos a si no espelho polido da obra, o autor pode paradoxalmente melhor julgá-la. Que se transforme em fotógrafo do próprio trabalho! — aconselha Nabuco nos folhetins.

A consciência do autor vira "câmara ótica completamente escura", a fim de que "a vaidade não deixe penetrar nela um só raio". Depois de se refletir na lente da máquina fotográfica e de passar pela câmara escura, só aí é que a obra de arte impressionará adequada e apropriadamente a imaginação e a inteligência do leitor. Impressionará a imaginação e inteligência do leitor de forma fotogênica (a palavra é de Nabuco). A fotogenia da obra de arte é, sob a forma de beleza, a disposição semântica que ela carrega consigo, disposição que surpreende, atrai e fascina toda e qualquer pessoa que a contemple pela leitura.

Nabuco polemiza com o autor José de Alencar na qualidade de *fotógrafo* dos seus romances e peças de teatro. Ao se projetar sobre a obra alheia, a luz dos olhos de leitor aclara aqui e sombreia ali, empresta-lhe a forma, o relevo e a cor. A boa leitura torna-se responsável pela vida eterna da obra de arte. E Nabuco se justifica, lembrando a notável experiência de espectador nos museus europeus: "Os que viram os retratos mais célebres dos Uffizi em Florença sabem que importância as sombras têm na pintura; no do Sr. Alencar até hoje não havia a sombra, isto é, faltava a vida". Faltava-lhe a presença do leitor. Respeito a ele. Faltava-lhe a forma, o relevo e a cor produzidos pelo jogo de luz e sombra captado pelo espectador. Faltava-lhe vida.

Volto ao conto "A chinela turca". Saliento outro viés que tomo de empréstimo do pseudônimo escolhido pelo autor. O pai de Manassés, José, é recompensado no livro do Gênesis por desvendar sonhos. Disfarço-me de José para melhor incorporar a experiência de vida de Machado de Assis. As recompensas oferecidas a José são também concedidas por Machado de Assis ao seu leitor e a ele próprio. Aquele que decifre o sonho sem pé nem cabeça do bacharel Duarte em "A chinela turca", que ajude o autor dos sonhos a compreender novo enigma: De que serve o sonho quando é apresentado pelo autor como capital na estruturação duma obra literária?

Assim como os sonhos sonhados, no capítulo 37, versículo 30 do Gênesis, ajudam os irmãos de José a armar-lhe uma pergunta crucial e definitiva, assim também eu irei despertar na imaginação de Machado de Assis, a partir do sonho da chinela turca, um imponderável na sua prosa ficcional que acabou por ser responsável pela sua marca registrada na literatura — de que servem os sonhos na sua prosa? Copio primeiro o versículo bíblico: "Disseram uns irmãos aos outros: 'Aí vem o sonhador. Vamos matá-lo e jogá-lo numa dessas cisternas. Depois diremos que um animal feroz o devorou. Assim veremos de que lhe servem os sonhos'".

A resposta à pergunta feita pelos irmãos de José — reafirme-se: são todos bárbaros e sanguinários, incapazes de desvendar sonhos — será refeita e dramatizada em dois romances posteriores de Machado de Assis, *Memórias póstumas de Brás Cubas* e *Esaú e Jacó*. Depois do conto "A chinela turca", é nesses romances que sobressai a originalidade da narrativa sem pé nem cabeça do sonho como forma inestimável e absoluta do discurso delirante ou alucinatório do narrador.

De que servem os sonhos? Eles servem como comentário enviesado tanto do narrador à trama que narra quanto do personagem ficcional à sua atuação. Através de episódios zombeteiros, os dois romances citados refutam a narrativa da história ocidental do ser humano (refiro-me em particular a *Memórias póstumas de Brás Cubas*) e as versões contemporâneas que julgam a passagem do regime monárquico ao republicano como o grande acontecimento na história brasileira do final do século XIX (refiro-me agora a *Esaú e Jacó*). Elejo o primeiro caso.

Tal como se apresenta em "A chinela turca", o sonho é mera produção subjetiva da mente do bacharel Duarte, dependente do incômodo causado pela inesperada visita do major Lopo Alves e paralela a ele. O sonho é devaneio, fuga à leitura maçante e tediosa duma peça de teatro medíocre. É mecanismo de autodefesa contra o que causa convulsão nos nervos à flor da pele. "Delírio", assim se intitula o capítulo VII de *Memórias póstumas de Brás Cubas*. Nele, o sonho vira convulsão. É beleza convulsiva. E vai além das limitações prescritas pela ciência médica na compreensão do acesso epiléptico. Este se reproduz literariamente sob a feição de longo e complexo delírio.

No conto "A chinela turca", o sonho do bacharel anuncia o romance *O homem*, de Aluísio Azevedo, que será publicado dois anos depois, em 1887. Uma das epígrafes escolhidas pelo romancista naturalista — "O sonho é um modo de existir completamente real e tão amplo como todo outro" — fala bem do caráter naturalista da experiência onírica, cujos laços profundos com a experiência real são explicados pelas teorias cientificistas da época, que Machado despreza, favorecendo nas suas narrativas o suporte da escrita bíblica tal como no episódio de José, seus irmãos e seus filhos. No romance *O homem*, como Machado no conto, Aluísio Azevedo produz um relato dependente da vida dita real e paralelo a ela. Comenta-a de outra perspectiva, a onírica, perspectiva na verdade tão realista-naturalista quanto a proposta pelo romance da escola de Émile Zola, incorporada à literatura europeia em meados do século XIX pelo saber psicológico, já à mão dos interessados.

O delírio de Brás Cubas é contundente e de diferente calibre. É alucinatório. Em carta ao crítico Hippolyte Taine (e como escolhe bem o destinatário), Gustave Flaubert diz que conhece bem a diferença entre a visão do homem verdadeiramente alucinado e a visão interior do artista. Há um abismo entre os dois estados do espírito, esclarece ele. O terror domina na alucinação propriamente dita. Pressente-se que é a própria personalidade que se escapa ao alucinado. Julga-se que está à beira da morte. O alucinado é um cadáver adiado. Experiência contrária acontece na visão poética e íntima do artista. Predomina a alegria. Abrem-se as portas do coração para que a experiência de vida deixe que entre algo que existe no seu lado de fora, a alegria. Abrem-se as portas da intimidade e a alegria se adentra lampeira pelo íntimo do poeta, iluminando-o.

Na passagem dos anos 1870 para os anos 1880, Machado rejeita não só o sonho desenvolvido pela estética naturalista, de que é exemplo no Brasil Aluísio Azevedo, como também a figura bíblica de Manassés, espécie de farol a iluminar sua produção literária anterior a *Memórias póstumas*. A dupla rejeição leva-o a minimizar o papel da palavra bíblica e a função da escrita sagrada como suporte para o tema mundano do discurso sem pé nem cabeça, passível de ser interpretado mais adequadamente pelo leitor brasileiro. Assume a condição de homem alucinado, para retomar a palavra de Flaubert, literalmente.

Quando Machado de Assis se *ausenta*, leva com ele a personalidade racional do romancista e, no tête-à-tête com o delírio, em pleno delírio, sua escrita romanesca cerra as cortinas do palco da representação teatral para reabri-las no palco do mundo. No sétimo capítulo das *Memórias póstumas de Brás Cubas*, o delírio encena o longo espetáculo da história da humanidade, levando-a a remontar não mais a Adão e Eva, mas — apoiando-se nos ensinamentos helênicos que absorve ao mesmo tempo em que aprende a língua grega — a Pandora, a primeira mulher. A mulher definitiva.

Vejo o relâmpago que se fixa por um minuto no *Theatrum orbis terrarum* — lugar onde se vê o mundo — e o ilumina. Leio no capítulo "O delírio":

> A história do homem e da Terra tinha assim uma intensidade que lhe não podiam dar nem a imaginação nem a ciência, porque a ciência é mais lenta e a imaginação mais vaga, enquanto que o que eu ali via era condensação viva de todos os tempos. Para descrevê-la seria preciso fixar o relâmpago.

Ao recorrer à intensidade do raio para surpreender o longuíssimo e infindável discurso da história do homem no Ocidente, condensando-o, Machado empresta a este a forma e a condição de objeto delirante. O produtor da narrativa não se contenta em ser apenas o personagem sonhador do conto "A chinela turca". Quer ser o sujeito singular que exterioriza em palavra literária (que não é produto nem da imaginação nem da ciência, insisto) a experiência do ser humano em terror, relembro Flaubert. Dessa forma, o sujeito singular usurpa a função erudita do sujeito histórico. Sob a veste convulsiva do terror, a história do homem no Ocidente é a iminência da foice da morte a desvelar, pelo sem pé nem cabeça da trajetória instantânea e errante do relâmpago, os flagelos e as delícias, a glória e a miséria, a cobiça que devora, a cólera que inflama, a inveja que baba...

A metamorfose do sujeito singular em sujeito coletivo serve ao romancista como ferramenta indispensável para se ler de modo *enviesado* a história da humanidade no modo como tem sido escrita e narrada pelos vários e sucessivos cientistas sociais. O acesso, a convulsão, o trato com a beleza convulsiva, dão acesso à visão da história da humanidade como total desastre. Relata-a na modalidade sem pé nem cabeça, sob a forma de delírio, de alucinação. Brás Cubas escreve em obediência cega a uma até então desconhecida "lei de transtorno cerebral", que leva a todos, indistintamente, a gritarem angustiados e a rirem um pouco objetivo riso descompassado e idiota: "Ao contemplar tanta calamidade, não pude reter um grito de angústia, que Natureza ou Pandora escutou sem protestar nem rir; e não sei por que lei de transtorno cerebral, fui eu que me pus a rir, — de um riso descompassado e idiota".

Por não mais o contentar nem deleitar a própria e mínima e sofrida história pessoal, por ela o angustiar, o sujeito singular desloca o objeto dramático das narrativas ficcionais do seu interior, do seu íntimo, levando o relato literário a se apoiar na história coletiva do homem no planeta. Em delírio, o romancista Machado acentua e celebra a grande farsa que o relato da história do homem no Ocidente promove e significa desde sempre e para sempre. Como o náufrago recorre à tábua salva-vidas que nunca se materializa no abismo profundo dos oceanos, é para sobreviver que o ser humano inventa a Esperança ou a quimera da felicidade. Transforma-se em historiador. O sujeito singular que usurpa a História não almeja ser o Civilizador tal como idealizado pelos mestres do pensamento filosófico no século XIX. Não quer sofrer e se sacrificar ainda mais em benefício de valores universais abstratos, ainda e sempre injustos.

Manassés redivivo, sua cota de sofrimento e de sacrifício já foi paga à vida desde o dia em que nasce. Nada lhe deve. "*The horror! The horror!*" — eis sua deixa final no palco do *Theatrum orbis terrarum*.

Na condição de um todo simbólico, a história da humanidade perde a consistência e a consciência com que os grandes pensadores a recobrem e se transforma na fala delirante que escreve a história do homem convulsivo no planeta Terra. A principal eficácia da atitude crítica de Machado de Assis não está no compromisso da escrita romanesca com a história social que lhe é contemporânea — a do liberalismo econômico. Ao comprometer a escrita romanesca com a Literatura que a justifica, com a tradição que dizem acompanhá-la, definindo-a e orientando-a, Machado de Assis maneja os poderes específicos da retórica e da persuasão ficcional que são desenvolvidos pelas poéticas cujas raízes profundas estão fincadas na farsa. Na comicidade do discurso sem pé nem cabeça, no absurdo que se revela verdadeiro por estar colado à desconstrução do saber humano pelo gestual impassível do sofredor e pelas caretas abusivas que ele arma lá dentro, no íntimo do artista, pelo descalabro nervoso que torna o corpo convulsivo, involuntariamente.

A visão farsesca e imperturbável da história da humanidade se complementa com a leitura da Bíblia sagrada. Ao considerar a uma, a história, e à outra, a religião, como meros complementos, Machado salienta os equívocos cometidos por ambas quando justificam a idoneidade de toda Autoridade que se aplica a avaliar — por deter conhecimento superior apropriado, correto e justo — os relatos da vida singular. Com o correr dos séculos e a evolução da experiência humana, o conhecimento pela Autoridade, superior por definição, se torna cada vez menos altaneiro, apropriado, correto e justo.

Machado passará a fazer outra e diferente leitura das figuras bíblicas. A transformação acontece no momento em que o romancista, presa do delírio, se afasta de Adão e Eva para recorrer ao suporte oferecido pela figura de Pandora, a primeira mulher. Ela sobrevive solitária na mitologia grega, ao lado dos irmãos Prometeu e Epimeteu. Machado contrasta-a com Eva, esposa de Adão.

Complica-se o universo do romance machadiano ao incorporar — paralelas à escrita bíblica — as palavras de Hesíodo em Os trabalhos e os dias. O leitor ganha a mitologia grega como chave de leitura para a compreensão de problemas delicados do relato subjetivo da história da humanidade na escrita machadiana, problemas já interpretados pela intermediação do saber bíblico e pela própria história social do homem. Acumulados os saberes, o delírio de Brás Cubas entra em cena com modos desarrazoados para destroná-los. A história da humanidade passa a ser lida com a intermediação dos olhos de Pandora, olhos oferecidos ao alucinado para aluciná-lo ainda mais, e definitivamente.

Vertigem e sarcasmo se mesclam e inquietam o responsável leitor de Machado de Assis.

Pelo privilégio concedido a Pandora, o capítulo "Delírio", o sétimo em *Memórias póstumas de Brás Cubas*, se transforma numa das pontas de triângulo cujas outras duas pontas — também narrativas sem pé nem cabeça e altamente alusivas — são os capítulos "O velho diálogo de Adão e Eva" (conversam o primeiro homem e a primeira mulher bíblicos) e "O velho colóquio de Adão e Caim" (o primeiro homem e o primeiro filho bíblicos não chegam ao diálogo entre vivos). Todos os três capítulos participam do amplo jogo dramático machadiano sobre sexualidade, esterilidade, fecundidade e descendência.

Ao tomar um ponto de vista masculino mais amplo, percebo que a presença de Pandora, evidente no delírio de Brás Cubas, salienta a importância que ela guarda na mitologia grega. Pandora desarticula a irmandade dos seres humanos autóctones, os deuses, e passa a enobrecer — pela difusão do espírito maligno que incorpora e difunde pela grande beleza — questões demasiadamente terrenas nos céus helênicos, habitados exclusivamente por seres do gênero masculino.

Ao jogo dramático da sexualidade, fecundidade, esterilidade e descendência, acrescenta-se — por ser Pandora uma aparição bela, sedutora e caprichosa aos olhos dos autóctones (todos masculinos) — o do Mal. Todos esses temas são retomados de modo alegórico e recebem versão definitiva na frase final do romance *Memórias póstumas de Brás Cubas*. As muitas e várias frustrações em vida do protagonista nada mais representam que o "legado da nossa miséria", legado este já anunciado na escolha do pseudônimo para assinar o conto publicado na revista *A Época*. O avô Jacó, contra a vontade do pai José, concede a primogenitura ao neto mais novo Efraim, feito *fecundo* por Deus, em detrimento do verdadeiro primogênito Manassés, feito *esquecidiço* por Deus. Cito:

Capítulo LV
O velho diálogo de Adão e Eva

BRÁS CUBAS
....
VIRGÍLIA
....
BRÁS CUBAS
....
VIRGÍLIA
..................!
BRÁS CUBAS
....
VIRGÍLIA
....
........?...
....

Cito trecho do capítulo para que se veja o fascinante efeito de simbiose da mitologia grega com a Bíblia. As páginas do capítulo vêm apenas impressas com os nomes de Brás Cubas e de Virgília, embora seu título se refira a Adão e Eva. Os capítulos que tratam de diálogos bíblicos clássicos são paradoxalmente esvaziados de palavras, como se todas as que pudessem escrever o diálogo ou o colóquio entre homem e mulher, entre pai e filho, não fossem mais as que se encontram nas páginas da Bíblia, a que se referem, no entanto, de modo inquestionável. Os dois capítulos bíblicos serão providos silenciosamente com as *palavras* de Hesíodo. Em *Os trabalhos e os dias*, narra-se o mito de Prometeu e Pandora.

De forma silenciosa e nominal, a palavra grega torna-se altissonante no texto machadiano e se sobrepõe às reticências bíblicas. Aos olhos do leitor se estatela nova e autêntica forma de texto enviesado, agora a se manifestar pela fala grega a desequilibrar o eixo bíblico dominante. As sucessivas frases ditas respectivamente pelo primeiro homem e pela primeira mulher são apagadas em favor de séries de pontinhos que só são interpelados no final de cada fala por pontos de interrogação ou de exclamação. Já nas páginas do segundo capítulo em questão, "O velho colóquio de Adão e Caim", o diálogo se autodefine como — e estou citando — "uma conversa *sem palavras* entre a vida e a vida, o mistério e o mistério".

À semelhança de Jacó diante dos netos, o romancista Machado de Assis cruza os braços e estende a mão direita e a pousa discricionariamente na cabeça à esquerda de Pandora. Endireita a fala grega. Logo depois, pousa a sua mão direita na cabeça à esquerda, a do conjunto de personagens bíblicos. Entorta a fala bíblica. Sujeita os personagens bíblicos aos gregos.

Tanto na Bíblia sagrada quanto no mito de Prometeu e Pandora, narrado por Hesíodo, a humanidade desde a sua origem vem capitaneada por seres do gênero masculino. Segundo a Bíblia, depois de criados o mundo e o ser humano, Deus retoma a tarefa criando coadjuvantes que correspondam ao primeiro homem. Da terra são formados todos os animais selvagens e todas as aves do céu. Falta criar, para o ser humano existente, uma auxiliar que lhe corresponda. A coadjuvante será feita da própria matéria humana masculina. Cito:

> Deus fez cair um sono profundo sobre o ser humano e ele adormeceu. Tirou-lhe uma das costelas e fechou o lugar com carne. Depois, da costela tirada do senhor humano, o Senhor formou a mulher e apresentou-a ao ser humano. E o ser humano exclamou: "Desta vez sim, é osso dos meus ossos e carne da minha carne! Ela será chamada 'mulher' porque foi tirada do homem".

Não há drama na criação do ser humano do gênero feminino. Há dependência da mulher para o homem, já que é a mesma terra, soprada por Deus, que criou o homem que criará animais e aves. Se há primazia do masculino, há também coincidência entre os ossos e a carne do ser masculino e do ser feminino. Ela é "osso dos meus ossos e carne da minha carne".

O drama da irreparável divisão entre gênero masculino e gênero feminino, da nítida separação entre homem e mulher, persegue a criação de Pandora no universo mítico helênico. Não existem as figuras poderosas de primazia, dependência e coincidência na relação entre homem e mulher.

Pandora não nasce humana. É uma espécie de manequim, construído artificialmente em argila. Tendo por modelo a beleza das deusas Atenas, Ártemis e Héstia, ganha as características físicas de deusa imortal e a personalidade de moça que nunca deu à luz. Os deuses emprestam também ao manequim Pandora a voz dita humana. Não para que ela diga a verdade, mas para que a esconda. A bela mulher esculpida brilha de *charis* — charme, beleza e sedução. No entanto, os deuses decidem implantar no *charis* o temperamento de cadela e o espírito de mentirosa, e até de ladra.

Homem e mulher nascem e vivem definitivamente separados. A deslumbrante beleza de Pandora salta de imediato aos olhos do ser humano masculino, ao mesmo tempo em que, no íntimo dela, se lhe esconde o espírito de cadela e o temperamento de mentirosa.

Pandora tem os belos e sedutores olhos de cigana oblíqua e dissimulada.

O pior da astúcia maligna de Zeus está por vir. Quando Prometeu entrega Pandora aos seres humanos, cabe a Epimeteu, seu irmão, a posse da mulher. Ele a leva para casa para que se torne a primeira esposa. Com a entrada de Pandora no universo masculino surgem a sexualidade e a reprodução sexuada, que garantem a perpetuação da espécie. E surgem também o espírito de cadela e o temperamento de mentirosa.

Pandora tem fome. Tem fome, e é preciso que seu ventre se encha e se inche. Ela é um manequim esculpido em terra argilosa misturada com água. Pandora é argila e é úmida. E como tal — nos meses quentes do verão — atrai a secura de que é feito o ser humano masculino e o sacia.

Cito *Memórias póstumas de Brás Cubas*: "Pandora, abre o ventre e digere-me; a coisa é divertida, mas digere-me", diz-lhe o homem, cuja fome passa a ser outra, a de viver, a de continuar a viver. Pergunta-lhe, então: "Quem me pôs no coração este amor da vida, senão tu?".

A criação da primeira mulher entre os autóctones helenos, todos masculinos, causa drama e desperta uma pergunta, pergunta que será devidamente silenciada pela Bíblia sagrada porque, ao retirar a mulher do corpo de Adão, logo a antropomorfiza. A pergunta persiste. Não foi feita por Hesíodo, mas por um personagem de peça de teatro escrita por Eurípides.

Por que há dois gêneros, o masculino e o feminino?

Não teria sido mais simples se os deuses helenos tivessem imaginado um sistema de seres singulares? Por que no mundo dos imortais e dos mortais não há apenas homens que vão até o templo onde, depois de depositarem ao pé do altar um bom número de dons votivos, dali retiram um bebê menino?

Responder à narrativa de Hesíodo e à pergunta de Eurípides é se dar conta de que a questão humana fundamental é a da dupla e diferente sexualidade. Desde os pitagóricos se impõe a divisão em duas colunas, o masculino e o feminino. Até as línguas nacionais vão classificar as coisas pelo masculino e pelo feminino.

Segundo o mito grego, há na origem da humanidade um primeiro e consequente sistema de divisão. Todos são masculinos, mas há uma linha que separa os deuses imortais dos seres humanos. Da divisão entre deuses e homens surge uma segunda. Uma linha separa os seres humanos masculinos de Pandora. Constitui-se uma máquina de funcionamento repetitivo das duplas, onde impera a astúcia (e não o amor) a gerar duelos (e não a comunhão) entre o ser humano masculino e Pandora.

A fragmentação gradativa da sociedade é corroborada, no final, por uma dupla traição de Prometeu. Tendo fraudado Zeus, Prometeu não pode mais continuar a entregar ao ser humano o fogo sagrado. Passa a entregar-lhe não só mera e degradada cópia do fogo, uma semente (*sperma puros*), como também, diz ainda o texto de Hesíodo, um *kalon kakon* — uma desgraça resplandecente, a que dá o nome de Pandora. Prometeu entrega ao irmão Epimeteu o *kalon kakon* chamado Pandora.

A troca de presentes sempre esconde alguma pilantragem arquitetada pela astúcia dos deuses.

Pela atenção que se concentra nos protagonistas posso simplificar o complexo relato do mito de Prometeu e Pandora narrado por Hesíodo. Até a aparição de Pandora, há os deuses e há os seres de aparência humana, *ánthropoi*. Todos pertencem ao gênero masculino, *ándres*. Deuses e homens são masculinos. Não há mulher entre eles e não há fornicação, no sentido biológico do termo. Nem há a morte como acontecimento a selar o fim da vida. Os seres humanos *ándres* vivem com os deuses, comem com eles, não trabalham nem se cansam, desconhecem enfermidades e sofrimento. Vivem em condição idílica. Surgem da terra e "morrem como que do sono tomados".

Os deuses decidem inventar o primeiro manequim com forma de mulher. Dela surge a atração sexual entre gêneros diferentes. Ser artificial e belo, a primeira fêmea é, no entanto, dotada das características físicas dos deuses e dos seres humanos. Com ela se inicia um novo ciclo da humanidade.

A aparição de Pandora divide os *ánthropoi* entre *ándres* (homens) e *gynaikes* (mulheres). Pandora traz consigo um jarro (*píthos*) e, dentro dele, inúmeros males, e a *Elpís* (Esperança). Ao dar de presente Pandora aos seres humanos, Prometeu separa os homens dos deuses, porque passam a se alimentar de coisas diferentes, e não mais se entendem todos por lhes faltar uma linguagem comum.

Retiro os olhos do poema de Hesíodo. Falta-me e a todos o perfil de Pandora desenhado do ponto de vista masculino. Falta-me e a todos enxergá-la pelo lado de fora, e como ela se veria hoje. Eis o principal legado de Machado de Assis na criação das inúmeras tramas romanescas. Complemento Hesíodo com outro exemplo das *Memórias póstumas de Brás Cubas*. Pandora:

> Só então pude ver-lhe de perto o rosto, que era enorme. Nada mais quieto; nenhuma contorção violenta, nenhuma expressão de ódio ou ferocidade; a feição única, geral, completa, era a da impassibilidade egoísta, a da eterna surdez, a da vontade imóvel. Raivas, se as tinha, ficavam encerradas no coração. Ao mesmo tempo, nesse rosto de expressão glacial, havia um ar de juventude, mescla de força e viço, diante do qual me sentia eu o mais débil e decrépito dos seres.

Como diz o poeta grego, a primeira mulher, Pandora, é a ancestral de todas as mulheres, dela vem o *genos*, o gênero feminino. É chamada de Pandora no texto de Hesíodo porque é, etimologicamente, o presente (*doron*) que os deuses todos (*pan*) dão aos *ánthropoi*.

A mulher é um presente de grego dado ao mestiço Machado de Assis.

X.
Transfiguração

> *Húbris: orgulho arrogante ou autoconfiança excessiva; insolência.*
>
> Dicionário Houaiss da língua portuguesa

Roma. A colina do Janículo.

Ela não faz parte das sete colinas famosas — Capitólio, Quirinal, Viminal, Esquilino, Célio, Aventino e Palatino — que rodeavam a Roma antiga. Não foi incluída no seleto grupo por estar à margem oeste do rio Tibre e fora dos limites da Cidade Eterna.

Stendhal. Stendhal na colina do Janículo.

Machado de Assis tem na biblioteca tudo o que Gustave Flaubert e Stendhal publicaram no século XIX. Admira Stendhal por seu gosto pelas mulheres fascinantes e pelo desejo de abraçá-las e beijá-las em todo escrito literário. Quer amar a cada uma delas e a todas, satisfatoriamente. Suas *vitórias* (por ter a cabeça entulhada de coisas militares, é assim que Stendhal denomina as conquistas amorosas) não lhe proporcionam o prazer total; é tão pouco intensa a sensação do gozo amoroso que ele não chega à metade da profunda infelicidade que lhe trazem suas *derrotas*. Machado gosta da dura metáfora militar, escolhida por Stendhal para assimilar e explicar a delicadeza da carência afetiva masculina. Vitórias e derrotas. Elas cavam um sutil buraco na escrita literária de Stendhal, à espera do dia em que o sentimento incomensurável do gozo sexual aberto e pleno o preencha e, de modo inequívoco, proclame ao mundo o amor.

Quando a carência sentimental e a busca da plenitude no amor são sentidas no próprio coração, Machado caminha até a estante do escritório e apanha ao acaso um dos muitíssimos livros de Stendhal que guarda na biblioteca e começa a relê-lo sentado na poltrona da sala de visitas.

Stendhal na colina do Janículo.

Ele imagina escrever suas memórias na manhã do dia 16 de outubro de 1832, quando visita a igreja de São Pedro em Montório, erigida no local onde permaneciam as ruínas de antiga igreja romana do século IX. Machado lê as memórias alheias. A seus olhos cariocas, acostumados à imagem da baía de Guanabara vista do morro do Castelo, estende-se toda a Roma antiga e moderna. Da Via Ápia, que desde sempre se conserva com as ruínas dos seus túmulos e aquedutos, até os magníficos Jardins da Villa Borghese, construídos pelos franceses. Um sol esplendoroso brilha nos céus. Mal sente a brisa do siroco africano que, ao soprar amena, leva as nuvenzinhas brancas que coroam o monte Albano a flutuar nos céus. Um calor delicioso reina nos ares.

Está feliz por viver.

No chalé do Cosme Velho, nas noites sensuais aromatizadas pela nostalgia, Machado gosta de reler Stendhal. Passa em revista a tropa de seus romances que se acumulam na estante do gabinete de trabalho. Deixa-se transportar para as páginas europeias e de lá, no final da noite ou da manhã, retorna ao Rio de Janeiro encharcado de sugestões e inebriado de sensações novas. Fecha o romance e o coloca de volta na estante.

Se escrita em francês, também sua vida teria sido bem mais fascinante.

Machado associa a leitura de Stendhal à época da redação do primeiro romance. Revisita os anos 1870. Lembra as primeiras leituras de Stendhal e a dificuldade em compor o primeiro capítulo do romance de estreia, a que dá o título de "No dia de Ano-Bom". Inseguro, acanhado e modesto, o novato nas letras nacionais se contenta em incluir a si no rol das inteligências mínimas, de onde se desprendem as aptidões artísticas médias. Será um escritor mediano. Com os respingos de palavras stendhalianas e de sensações tomadas de empréstimo à trama dos romances franceses, é notável o modo como sua prosa foi ganhando corpo e direito de cidadania nas letras brasileiras.

Neste momento em que me despeço do mestre de todos nós, percebo os respingos de palavras stendhalianas a escorar a descrição da paisagem carioca. Percebo ainda as sensações anfíbias que, tomadas de empréstimo do escritor fraterno, tornam complexa a personalidade do protagonista Félix no romance de estreia, *Ressurreição*.

De longe, Stendhal acena para o escritor brasileiro e consente que se introduza no seu universo romanesco e ali ganhe o espaço que merece e dele se assenhoreie. A apropriação se deu pela primeira vez no parágrafo de abertura de *Ressurreição*. Stendhal e Machado são temperamentos destemperados, focados no amor desmedido às mulheres e na entrega total à arte. Machado retira da prosa stendhaliana o bifronte deus Jano — a meditar no dia de Ano-Bom sobre o tempo passado e o tempo futuro — que empresta o nome à colina romana do Janículo. Como o deus bifronte, o espírito do protagonista Félix tinha duas faces, conquanto formasse um só rosto para a sociedade. Uma face, natural e espontânea; a outra, calculada e sistemática. Feito de sinceridade e de afetação, seu espírito é também semelhante ao escudo de Aquiles — mescla de estanho e ouro, símbolo de guerra e paz. Puro *Le Rouge et le noir* na mais autêntica das línguas portuguesas em circulação nos anos 1870.

Em 16 de outubro de 1832, dia em que lhe ocorre escrever as memórias, Stendhal toma assento nos degraus da igreja de São Pedro em Montório, no Janículo. Já sentado, devaneia por uma hora ou duas. Tem por tema uma ideia fixa: vai completar cinquenta anos, já é tempo de se conhecer bem.

Quem fui e quem sou eu? — faz a pergunta e a anota no carnê.

Quando a responde mentalmente, fica incomodado. Outro exercício de egotismo? Tenta respondê-la uma vez mais, e escreve os primeiros parágrafos das memórias. Fui um homem de espírito e excessivamente insensível, esperto e quase sem escrúpulos, e percebo que me dediquei com constância a amores infelizes. Amei loucamente as srtas. Kably e Griesheim, a sra. Diphortz e a Métilde, e na verdade nunca as possuí. E muitos desses amores duraram três ou quatro anos!

De 1818 a 1824, Métilde apossou-se da minha vida. E ainda não a esqueci — acrescenta. Será que ela me amava? — constata uma derrota a mais.

Machado para a leitura de Stendhal. Nesta noite de calor e chuva, não consegue avançar a releitura. Não chegará aos parágrafos finais do primeiro capítulo das memórias, onde o romancista francês discorre sobre os poucos leitores que sua prosa atrai e os contrasta com a perenidade da obra de arte. Machado invocará e trabalhará esse tema stendhaliano quando, nas páginas iniciais das *Memórias póstumas de Brás Cubas*, se dirige ao próprio leitor. O romancista lhe pede perdão, mil perdões pelas infinitas digressões e pelas complicações enigmáticas que ele lhe oferece sob a forma de escrita literária. Ao abandonar a escola romântica em fins dos anos 1870, Machado ainda sente na pele o estilo stendhaliano, mas é mais tocado pelo impacto dos paradoxos estéticos que ele enuncia um pouco por toda a obra. Marca registrada de Stendhal e dele.

Nas páginas de abertura das *Memórias póstumas de Brás Cubas*, o romancista afiança que seu livro não terá "os cem leitores de Stendhal, nem cinquenta, nem vinte e, quando muito, dez. Dez? Talvez cinco". Já no romance seguinte, *Quincas Borba*, o narrador esquece não só os muitíssimos leitores que morrem de tédio, como também os *happy few* que se deleitam, e põe lenha na fogueira da perenidade da obra de arte. Cito: "Vês este livro? É *Dom Quixote*. Se eu destruir o meu exemplar, não elimino a obra que continua eterna nos exemplares subsistentes e nas edições posteriores. Eterna e bela, belamente eterna, como este mundo divino e supradivino".

Nesta noite de calor, chuva e muito sofrimento físico, Machado se deixa cair noutra armadilha. Entrega-se à releitura da escrita eterna e bela, belamente eterna, de Stendhal. Por isso exercita os dedos adestrados, levando-os a reabrir em página anterior o livro que lê. Ele volta a reler a cena já relida. A que precede o devaneio sobre a velhice que bate à porta do corpo vivido do memorialista e ratifica a lembrança da derrota amorosa imposta por Métilde. Será que ela me amou?

No chalé do Cosme Velho, na escrivaninha do gabinete, estão empilhadas as folhas manuscritas que um dia se transformarão em páginas de livro impresso em Paris, seu último romance. Penso na advertência de Quincas Borba: Vês este livro? É o *Memorial de Aires*. Se eu destruir meu exemplar, não elimino...

Stendhal está de volta à igreja de São Pedro em Montório. Toma assento nos degraus e observa os detalhes da revigorante paisagem romana, que se descortina a seus olhos. Que vista magnífica! — exclama maravilhado. No êxtase, lembra-se de que, no altar-mor da igreja às suas costas, é que a tela *Transfiguração*, de Rafael Sanzio, foi pendurada pela primeira vez. Poucos dias depois da morte do artista, ela fora exibida ali. Obedecia-se à autoridade eclesiástica, para quem a tela fora pintada. O cardeal Júlio de Médici, futuro papa Clemente VII, manda pendurá-la no altar-mor.

Durante duzentos e cinquenta anos a obra-prima de Rafael Sanzio esteve aqui, pendurada no altar-mor da igreja de São Pedro em Montório, a extasiar os fiéis.

Duzentos e cinquenta anos!

A partir das Guerras Napoleônicas, a tela viaja pela Europa e pode ser admirada por fiéis e admiradores de todo o mundo no Museu Napoleão (hoje Museu do Louvre). Para a sensibilidade aguçada de Stendhal, é enorme a diferença entre o ambiente celestial do Janículo, onde se celebra a história dos primeiros mártires cristãos (aqui, o apóstolo Pedro foi crucificado), e a tristíssima galeria de mármore cinza nos fundos do Vaticano, onde quem sabe quem foi enterrar definitivamente a *Transfiguração*!

E como se tivesse sentado não no degrau da escada, mas num banco de balanço, e estivesse sendo impulsionado não por mãos amigas, mas pela brisa amena do siroco africano, Stendhal ganha o movimento de vaivém no espaço que a engrenagem de ferro que sustenta as cordas possibilita. Deixa o reino onde a obra de arte se quer eterna para entrar em domínio contíguo e precário, o da própria vida. Dá-se conta de que fará cinquenta anos dentro de três meses.

Seria possível? 1783, 93, 1803, ele continua a aritmética nos dedos e... 1833, cinquenta!

1839, 49, 1859, Machado continua a aritmética nos dedos e... 1889. Cinquenta anos! 1909, setenta anos...

Quando Machado faz a leitura dos seus autores favoritos, são essas coincidências excêntricas que entronizam como poderosos os delicados, substantivos e imperiosos voos sentimentais, que vão e vêm a balançar entre a experiência humana provinciana e o alheio e exigente trabalho de arte. A soma incongruente dos fatores pipoca na sua imaginação criadora e a encanta. Dedica-se a traçar, na folha de papel em branco, linhas paralelas incompletas e frágeis, que mal se sustentam quando penduradas no cabide das reticências da escrita literária; linhas paralelas, negras e quase obscuras, cujo significado é apenas sugerido ao leitor atento dos seus romances. Os *happy few*.

Desde muito, a *Transfiguração*, de Rafael, aduba a curiosidade artística de Machado de Assis. Joaquim Nabuco foi o primeiro amigo a admirá-la com os próprios olhos. Vê a tela pela primeira vez no dia 21 de fevereiro de 1874. Está em companhia da condessa Mosczenska e da srta. Marie M., em visita ao Vaticano e à Capela Sistina.

"Que decepção!" — já de volta ao Rio de Janeiro, resume para Machado a impressão sentida. Duas palavras e um ponto de exclamação. A que acrescenta de modo enigmático: "Exemplo da impotência do gênio para pintar Deus". "O mesmo se passa com as pinturas de Miguel Ângelo", conclui. Nada de mais evidente é dito por ele sobre a obra de arte contemplada em Roma. No entanto, a convite do imperador Pedro II, faz várias palestras sobre a arte europeia na Escola Pública da Glória, imponente prédio recém-inaugurado pela família imperial no largo do Machado. Machado de Assis esteve presente.

Machado salva e guarda anotada uma frase dita por Nabuco, de autoria do crítico de arte John Ruskin. Busca-a entre os guardados e a relê quando escreve o *Memorial de Aires*. Nabuco a cita na palestra proferida na Escola Pública da Glória para reafirmar o peso e o significado das primeiras impressões infantis na modelagem do espírito na velhice. Copio-a agora: "A criança sustenta muitas vezes entre os seus fracos dedos uma verdade que a idade madura com toda a sua fortaleza não poderia suspender e que só a velhice terá novamente o privilégio de carregar". Na verdade, a folha de papel em que a frase está anotada serve de sobrecapa à reprodução da tela de Rafael, que Machado recebeu de presente do terceiro M. de A., Magalhães de Azeredo, e está sempre a examinar.

O rapaz epiléptico! — Machado fecha os olhos ao fazer a exclamação em voz alta. Sem ser na maioria das vezes uma obra de arte, a vida realiza ao menos uma parcela de beleza.

Machado ganhou outro presente enviado da Europa, a sensibilidade de Stendhal. Julga ele que a decepção de Nabuco diante da *Transfiguração* advenha dos extraordinários duzentos e cinquenta anos de vida que a tela perde ao ser transferida da igreja de São Pedro no Montório para outro lugar de Roma, também abençoado por São Pedro — o imenso complexo arquitetônico que resume a Santa Sé. Na pequena pinacoteca do Vaticano, onde a tela se esvai cercada por pedras de mármore cinza, é que foi desprezada por Nabuco em 1874.

Nas memórias, Stendhal julga que a *Transfiguração* não pode ser admirada se distanciada do encanto perturbador das lembranças singulares propiciadas ao visitante pela colina do Janículo. A tela não existe distante do encanto espectral da pequena e velha igreja e da sensualidade solar da escadaria que leva ao adro, onde se sente de modo menos ameno do que no Vaticano a brisa do siroco africano que sopra sobre a Itália.

Machado não se contenta com a opinião negativa de Nabuco sobre a *Transfiguração*. Julgamento tão frio, irresponsável e calculado não pode incitar a saliva da curiosidade obsessiva do carioca sedentário. Cala-se. Não entende como o amigo Nabuco, católico praticante que tem por hábito visitar o Janículo nas escapadas italianas, pode não ter apreendido, à semelhança de Stendhal, a dimensão especulativa que a tela — na justaposição hierárquica de duas metades aparentemente incongruentes, a transfiguração de Cristo na parte superior e a cura de um pobre rapaz epiléptico na parte inferior — desperta em quem a considera com olhos particulares, atrevidos e generosos.

Se muitos e vários livros de Stendhal emprestam aos escritos do carioca as palavras que desenham e colorem Roma na sua mente, Nabuco lhe oferece, desde a primeira viagem em 1873, lembranças concretas e palpáveis da Cidade Eterna. Relíquias, que ele guarda com ciúmes de devoto no chalé do Cosme Velho. Em fins de 1874, ao discorrer sobre os prazeres e as decepções sentidos na pinacoteca do Vaticano e na Capela Sistina, oferta-lhe um pedaço dos muros primitivos da cidade e alguns pedaços dos restos das termas imperiais de Caracala.

No Janículo, é outra a igreja menina dos olhos de Nabuco. Sentiu-se mais à vontade quando visitou a igreja de Santo Onofre, templo oficial da Ordem do Santo Sepulcro, conhecida nas camadas populares por ser a dos Reis Católicos da Espanha. Lá pôs os pés pela primeira vez num dia do mês de janeiro ou do mês de fevereiro de 1888, quando a longa campanha abolicionista no Brasil estava para chegar ao fim e a iminência da assinatura da Lei Áurea transitava secretamente pelos salões da corte. Amigos de Nabuco acham as duas novas viagens à Europa — no mesmo ano de 1887 — totalmente despropositadas. Perda de tempo ou fuga?

Só ele sabe por que viaja tanto para a Europa e para quê. Só ele sabe o motivo superior que se esconde por detrás da segunda viagem. Ele se revela em janeiro de 1888, quando toma o trem de Paris para Roma. Ao caminhar por acaso no Janículo, dá de frente com a igreja de Santo Onofre.

Túmulo de Torquato Tasso, na igreja de Santo Onofre, no Janículo.

A igreja de Santo Onofre abriga o monumento funerário de Torquato Tasso, autor de *Gerusalemme Liberata*, o poema épico que relata os feitos dos cruzados que lutaram para reconquistar o Santo Sepulcro. Depois de vagar por toda a Itália, o poeta renascentista italiano é tomado pela loucura precoce. Solicita e consegue abrigo no mosteiro dos jerônimos de Santo Onofre, onde passa os últimos anos da vida. Morre poucos dias antes da data prevista para sua coroação pelo papa como o Rei dos Poetas.

As igrejas de São Pedro e de Santo Onofre distam dois ou três quilômetros uma da outra. Estão separadas pelo Jardim Botânico do Janículo, um dos mais ricos em espécies vegetais de toda a Europa. São Pedro fica ao sul do Orto Botanico e Santo

Onofre, ao norte. Antes de ostentar bons exemplos da glória e das ruínas da antiga Roma, embora também as ostente, o monte Janículo, graças ao inigualável Jardim Botânico, é o esplendor verde de Roma na outra margem do Tibre.

Manassés, pseudônimo usado por Machado de Assis na revista literária A *Época*, define de modo premonitório o caminho a ser aberto a partir dos anos 1880 por Efraim, o irmão mais novo abençoado por Jacó como se fora o primogênito. A política volta a chamá-lo. A Política com P maiúsculo, como dirá e repetirá. O europeizado amante das letras e das artes de 1873 a 1875 se torna um grande intelectual público brasileiro e, como bússola, nomeia um norte, o combate à escravidão negra, de que Machado não pode estar alheio. A idealização do mundo por Nabuco, que incorpora a consciência estética à forma monárquica e as associa à ideia de arte, sofre um baque no momento em que, em 1879, ele toma assento na Câmara dos Deputados.

A diferença na cor da pele é obstáculo intransponível na altitude intelectual que os dois amigos almejam alcançar e alcançam. O carioca Manassés e o pernambucano Efraim se espelham um no outro, sem mediação, e se complementam em preto e branco. Machado sabe que Nabuco sabe que ele é africano e nada lhe diz, nunca. Nabuco sabe que Machado sabe que ele é europeu e nada lhe diz, nunca. Os absurdos desmandos da atualidade imperial e dos antigos tempos coloniais os separam e só poderão uni-los em tempos republicanos, quando abraçam a busca da justiça indiscriminada para todos os cidadãos brasileiros, separadamente.

Amigos fraternos, Machado e Nabuco nunca chegarão a ser amigos íntimos. Os *Diários* de Nabuco vão de 1873 a 1910 e cobrem copiosamente a vida adulta e a velhice do grande pensador e político. Neles muito pouco, ou nada, está anotado sobre a vida e as atividades paralelas do confrade Machado. Em *Minha formação*, seu livro de memórias, o nome do escritor é citado apenas duas vezes. No entanto, a vida de um é motivo para a vida do outro, o projeto intelectual de um é a melhor garantia para a alta qualidade do projeto intelectual do outro.

No palco da literatura, os gestos sugestivos e silenciosos do mímico africano maquiado de branco, se transportados para o palanque da praça pública e da Câmara, se expressariam pela fala aberta e clara do político branco a defender a alforria dos escravos africanos. Os sinais mais evidentes da complementação dos gestos de Machado pelas palavras de Nabuco, das vidas de Machado e de Nabuco pelo respectivo projeto literário e político, se localizam nos primeiros anos da década de 1880.

Nos respectivos escritos, um e o outro se valem do vocábulo "póstumo". *Póstumas* são as memórias de Brás Cubas, publicadas em 1881. Para o autor de O *abolicionismo*, publicado em 1883, as reformas no Brasil não são nem prematuras nem tardias, são *póstumas*. Copio Nabuco: "A escravidão já nos tinha completamente arruinado, quando apareceu o abolicionismo [...]. As soluções patrióticas dos nossos estadistas só têm o defeito de serem póstumas".

Sem serem amigos íntimos, Machado e Nabuco são mais associativos que competitivos.

E o pessimismo dos dois é visceral, arraigado e dificilmente transferível ao temperamento sentimentalmente crédulo do cidadão brasileiro. São lidos e apreciados pelos *happy few*. Nada muda, afinal. Tanto no plano humano quanto estético, tanto no plano social quanto político, o sacrifício da vida vivida em toda a autenticidade é infrutífero e inútil. Na vida do cidadão e na da sociedade brasileira, as revoltas radicais só se realizam na verdade no além, postumamente. No além da vida real que é a Literatura. No além da vida social que é a Política com P maiúsculo.

No aquém da Literatura e da Política, o brasileiro vive da imagem de nação que se lhe oferece pelo espelho retrovisor. Nele, os olhos se perdem em saudades. Por isso, o compatriota de Machado e de Nabuco tem o futuro como que atrelado às trapaças da mais indesejada das gentes, a morte. Nos momentos de desespero, Machado e Nabuco se protegem com o escudo de Aquiles. Nele, está rabiscada a palavra "Esperança", a *Elpís*, de que falam os gregos e Hesíodo no mito de Pandora. Machado e Nabuco se salvaguardam da catástrofe iminente anunciada por sucessivos Apocalipses nacionais.

Sabem ambos que o vocábulo grego "Elpís" aponta a uma só vez para o temor e para a esperança, e significa também previsão cega e ilusão necessária. Bem e mal, simultaneamente. Desastre traz redenção.

Nabuco faz duas viagens à Europa no ano de 1887. No início e no final do ano, prolongando-se a segunda pelos primeiros meses do ano de 1888. Aos olhos dos compatriotas, elas não significam o ousado plano estratégico e político inspirado pela Esperança. São apenas estimuladas pelo melhor conhecimento da cultura europeia e pela eterna reverência à religião católica. Perda de tempo ou fuga? Nem uma nem a outra. As duas. Ganha-se o tempo pela fuga. Só pelo total sigilo junto à elite escravocrata brasileira é que a arrogância expressa pelo esforço político esperançoso de Nabuco pode chegar a bom termo.

Por pertencer a nação escravista e de tradição católica, ele se dedicará a derrubar, em Londres e em Roma, a atitude neutra do clero universal vis-à-vis da escravidão.

Segunda viagem de Nabuco à Europa. No dia 19 de novembro de 1887, ele toma o navio *La Plata* em direção a Southampton. Tem por destino Londres e Roma, com passagem rápida por Paris. Chegará a Roma no momento em que se comemora no Vaticano o jubileu sacerdotal do papa Leão XIII. A viagem é longa. Lê livros e mais livros da literatura francesa. O navio atrasa nas Canárias — informam-me os *Diários*. Ansioso, lê as cartas de Gustave Flaubert, que o fascinam. Tornam-se importantes para que conheça melhor o amigo romancista e as mazelas guardadas em segredo. O escritor francês e o brasileiro, como se parecem! O programa de viagem continua certeiro.

Chega a Londres no dia 15 de dezembro e, com sua proverbial autoironia, faz a pergunta adequada à camuflagem política: "Que vim eu cá fazer?". Para descansar não foi. Para nada não foi. Veio em busca do — complemento a preposição com a palavra de que, em raciocínio pragmático e animista, se vale Nabuco — "amuleto", a Abolição da Escravidão no Brasil. O amuleto está exposto na Santa Sé.

Nabuco põe em prática um plano estratégico e o segue à risca. Em Londres, tem um bom e velho contato político, Charles H. Allen. A ele confessou no ano de 1881 que se fosse derrotado nas eleições daquele ano, iria para Londres por alguns anos, já que quase nada poderia fazer fora do Parlamento brasileiro, exceto educar o povo através de panfletos e escritos, e isso ele poderia fazer melhor ao pesquisar e estudar no British Museum, que a continuar vegetando no Brasil. Em 1881, veio de Allen a inspiração para a escapada londrina que resultará no livro *O abolicionismo*, publicado em 1883.

No correr do ano de 1887, vem do mesmo Charles Allen a segunda inspiração para uma escapada londrina. Ele arregimenta — na União Católica Inglesa e na Anti-Slavery Society (sociedade fundada em 1823, cujo nome original soa bem ao ouvido brasileiro, Society for the Mitigation and Gradual Abolition of Slavery Throughout the British Dominions) — antigos e novos amigos em favor de Nabuco. Ajudam-no a marcar entrevista com o cardeal Manning, arcebispo da Abadia de Westminster e ativista católico. (No ano seguinte, o de 1889, ficará mais evidente o protagonismo político do prelado britânico ao intervir na greve dos estivadores londrinos.)

Charles Allen consegue finalmente encaixar o líder abolicionista brasileiro na agenda lotada do arcebispo. Onze horas da manhã de 24 de dezembro. À noite se reza a Missa do Galo. Nabuco sai da Abadia, tendo às mãos a carta do arcebispo de Westminster dirigida a Sua Santidade.

Em Roma, onde pisa no dia 11 de janeiro de 1888, amigos e diplomatas brasileiros o apoiam. Já no dia 16, o hábil e sedutor estrategista brasileiro entrega ao cardeal Rampolla — de origem siciliana, então secretário de Estado da Santa Sé e, posteriormente, em 1903, vetado pelo imperador da Áustria Francisco José como candidato a papa — o longo memorial em que sumariza a atividade elogiável e consciente do prelado católico brasileiro na luta contra a escravidão.

Em 10 de fevereiro, vinte e cinco dias depois do primeiro contato com o cardeal Rampolla, o papa Leão XIII concede audiência particular a Joaquim Nabuco. Sem presença de testemunha, fica a sós com o papa.

Nabuco escreverá nas memórias que a interlocução é antes a do confessionário que a dos degraus do trono, se ao mesmo tempo — acrescenta ele — não houvesse franqueza nas palavras trocadas e na reserva de Sua Santidade, alguma coisa que exclui desde o princípio a ideia de que ali estivesse o Confessor interessado em descobrir o fundo da alma do interlocutor.

Em janeiro e fevereiro de 1888, o fundo da alma de Joaquim Nabuco não pode ser lido na audiência com o papa Leão XIII nem nas memórias.

Pode ser lido nos degraus que levam ao trono da almejada glória pessoal, que se lhe anunciam em pleno Janículo, quando, depois de caminhar pelo adro da igreja de Santo Onofre, por ela se adentra apreensivo, entusiasmado e confiante, tendo em mente o notável poeta Torquato Tasso e seu túmulo. São poucos os dados relativos às atividades nesses dias, que lega à posteridade. O ano de 1888 começa e termina silencioso nos *Diários*. Durante os vinte e cinco dias em que espera a palavra definitiva do cardeal Rampolla, o abolicionista brasileiro circula de maneira quase incógnita por Roma.

Espera é espera e espera de audiência com o papa Leão XIII é expectativa presunçosa e otimista de glória terrena e vida eterna.

Num daqueles dias do inverno romano, Nabuco sobe até a igreja de Santo Onofre para visitá-la. Lá adquire o original do ramo de carvalho de Tasso que se perderá nas garras do tempo e será substituído por cópia conforme em 1905. Homenageia-se, então, o presidente Machado de Assis em cerimônia realizada na Academia Brasileira de Letras.

Conhece-se o detalhe da substituição da relíquia original por cópia em virtude de carta escrita por Joaquim Nabuco a Magalhães de Azeredo, amigo ranheta de Machado e diplomata brasileiro em Roma. O terceiro M. de A. desta narrativa. Queixou-se ele a Nabuco por não ter sido intermediário, por ocasião da sessão solene em 1905, na oferta ao mestre Machado de Assis do ramo de carvalho de Tasso. Em resposta, Nabuco se justifica: "esse ramo de carvalho de Tasso não foi trazido por mim de Roma; foi-me mandado pelo Barros Moreira, a quem o pedi, para substituir outro que eu de lá trouxera em 1888".

Dezessete anos mais tarde, no alforriado e já republicano século, o ramo de carvalho de Tasso é colhido por outro, o encarregado de negócios na embaixada do Brasil em Roma, Alfredo de Barros Moreira, a pedido do colega Nabuco.

O ramo de carvalho de Tasso colhido por Nabuco em 1888 deve ter tido função bem definida no momento devido, e não se sabe bem por que se extraviou. Onde estará?

Joaquim Nabuco e Alfredo de Barros Moreira, então encarregado de negócios, em Roma, 1904.

Perdura o mistério da compra dupla de relíquia. E do extravio do primeiro ramo de carvalho. E do seu destino. Um quarto e mais profundo mistério se adentra sorrateiramente. Por que, para que e para quem Nabuco adquire o ramo de carvalho de Tasso na igreja de Santo Onofre, em janeiro ou fevereiro de 1888?

Nos anos finais da década de 1880, o político pernambucano atravessa na corte os anos mais tristes e mais definitivos da sua vida, que serão contraditoriamente seguidos de um relativamente longo ostracismo.

Nas urnas, o político é preterido pelos fazendeiros escravocratas. Tampouco ele é do agrado dos caciques nordestinos.

Não tem interesse em retomar suas preocupações propriamente literárias e força para avançá-las. É responsável, no entanto, por um dos mais extraordinários feitos da campanha abolicionista. Na Santa Sé, tem audiência a sós com o papa Leão XIII e seu pedido de socorro é bem recebido. O feito é minado pelas pressões do Ministério Cotegipe junto ao Vaticano. (Cotegipe é o único senador do Império a votar contrariamente à aprovação da Lei Áurea e autor de célebre frase dita à princesa Isabel: "A senhora acabou de redimir uma raça e perder o trono".)

Decepção maior que a dos anos anteriores a 1888 espera Nabuco no Brasil. O documento papal — "A escravidão está condenada pela Igreja e já devia há muito ter sido abolida" — não será divulgado antes da abertura do Parlamento do Império em maio. Por outro lado, o Império do Brasil passa a ter os meses contados.

A República é inevitável para o monarquista de velha cepa. É monarquista por opção, mas é ele quem escreve e publica em 1883 palavras ousadas sobre tudo que significa, na formação da nação brasileira, a luta do homem com a natureza. Não passa de uma doação gratuita da raça que trabalha à que faz trabalhar tudo que significa a conquista do solo para a habitação e a cultura. As estradas e os edifícios, os canaviais e os cafezais, a casa do senhor e a senzala dos escravos, as igrejas e as escolas, as alfândegas e os correios, os telégrafos e os caminhos de ferro, as academias e os hospitais, tudo, absolutamente tudo, que existe no país, como resultado do trabalho manual, como emprego de capital, como acumulação de riqueza. Tudo isso não passa de uma doação gratuita da raça que trabalha à que faz trabalhar.

Depois de ter zerado a civilização portuguesa nos trópicos pela análise histórica da sua construção pela mão do escravo africano, depois de assinada a Lei Áurea, Nabuco baterá de volta à porta do útero familiar. Entrará e, já lá dentro, em viagem na família, se fechará a si com um zíper.

O Nabuco político entra em longo período de silêncio nos anos 1890, silêncio que lhe serve de anteparo social para o conhecimento do papel dos antepassados no Império do Brasil. Com incrível meticulosidade organiza o que talvez seja o primeiro arquivo pessoal montado na ex-colônia portuguesa. Posteriormente, junto aos colegas da *Revista Brasileira*, confessará que a abundância de documentos a respeito do pai, o senador Nabuco, não o fez senão lastimar ainda mais a perda dos arquivos de tantos homens nossos, arquivos que desapareceram de todo.

À maneira do poeta François Villon, a indagar sobre onde estão *"les neiges d'antan"*, as neves de outrora, Nabuco responde que se escondem nos papéis dos irmãos Andrada, do Padre Feijó, do marquês de Olinda, de Bernardo Pereira de Vasconcelos, do marquês do Paraná e de tantos outros, de quase todos os vultos de nossa história parlamentar. Na geração dos herdeiros — arremata Nabuco — os documentos se espalham, perdem-se, vendidos em algum leilão obscuro, queimados ou varridos como inúteis.

Nabuco se entrega primeiro à redação de *Um estadista do Império* e depois à das memórias, *Minha formação*. O dia seguinte da vitória abolicionista, de que Nabuco é figura saliente, será entremeado pelas sucessivas derrotas que o levam a instituir o nome do Pai e a própria Experiência de Vida como lugares de ostentação dos grandes feitos alcançados.

O primeiro ramo do carvalho de Tasso teria sido oferecido por Nabuco a si próprio em 1888, às vésperas da Abolição da Escravidão.

Rastreio as raízes da biografia paterna e das memórias até a longínqua colina do Janículo e as encontro a brotarem da bolota que o carvalho de Tasso atirou nos jardins da igreja de Santo Onofre. Peço ajuda a Manassés, o irmão de Efraim que, aliás, faz fila à espera do reconhecimento pelo avô Jacó. Faz fila para receber, no final da vida, o segundo ramo do carvalho de Tasso.

Manassés já é romancista de grande talento e assume o nome próprio na capa dos livros. Mostra-me o romance que acaba de publicar, *Memórias póstumas de Brás Cubas*. Abre, em seguida, o volume no capítulo de número CXLIX, intitulado "Teoria do benefício". Machado de Assis empresta as próprias palavras ao protagonista Quincas Borba. Leio o que Machado de Assis e ele escrevem nas memórias póstumas: "O prazer do beneficiador é sempre maior que o do beneficiado".

Em 1888, na aquisição do primeiro ramo de carvalho de Tasso, Nabuco presta um benefício a si mesmo em recompensa pelo benefício que ele presta não só aos escravos africanos no Brasil, mas também à nação e à humanidade católica. As grandes vitórias pessoais não permanecem sem recompensa simbólica. "Ao vencedor, as batatas" — dirá o mesmo Quincas Borba no romance que leva por título seu nome, publicado em livro no ano de 1891.

Em janeiro ou fevereiro de 1888, na igreja de Santo Onofre do Montório, em plena colina do Janículo, beneficiador e beneficiado, se somados, são a mesma pessoa. O prazer de um é o prazer dos dois. A pessoa que cinge com o ramo de carvalho de Tasso é a pessoa cingida.

Quincas Borba é quem desenreda a complexidade da atitude (inconsciente, intencional, compensatória, calculada, refletida, espontânea...) de Nabuco a contemplar o túmulo erigido à memória do Rei dos Poetas, Torquato Tasso. A carência sentimental do ator político se soma às próprias palmas que ele bate em praça pública e faz soar do palanque onde discursa. Na antecipação da glória brasileira e vaticana, ator e espectador são o mesmo e estão sós, e estiveram a sós em audiência com o papa Leão XIII.

"As glórias, que vêm tarde, já vêm frias" — sob as vestes de Dirceu enamorado de Marília, assim o poeta e político Tomás Antônio Gonzaga versejou às vésperas da Inconfidência Mineira. Em poema dramático, o romântico poeta Machado de Assis faz-lhe eco, valendo-se da voz de Cleon. Na coleção de poemas intitulada *Falenas*, publicada em 1870, ele faz Cleon dizer à amada: "Mirto, valem bem pouco as glórias já tardias".

No capítulo sobre a teoria do benefício das *Memórias póstumas de Brás Cubas*, a metáfora da vaidade feminina é a mais adequada para Quincas Borba celebrar a condição narcísica da consciência humana.

Por que é que uma mulher bonita olha muitas vezes para o espelho?, senão porque se acha bonita e porque isso lhe dá certa superioridade sobre uma multidão de outras mulheres menos bonitas ou absolutamente feias. A consciência do ser humano é a mesma coisa, e a seguir a metáfora do espelho é desenvolvida. A consciência se remira amiúde no espelho, quando se acha bela. O remorso não é outra coisa mais do que o trejeito de uma consciência que se vê hedionda.

Para celebrar a condição da satisfação infinita e passageira de beneficiado, Quincas Borba encontra a melhor metáfora na imagem do homem que se descontrai em casa, desabotoa a fivela do cinto e se relaxa, esquecendo os dissabores da vida para saborear o minuto em que o prazer do beneficiado se torna tão maior quanto o do beneficiador.

Quincas Borba pede ao amigo Brás Cubas que faça uma suposição. Supõe que tens apertado em demasia o cós das calças. Para fazer cessar o incômodo, desabotoas o cós, respiras, saboreias um instante de gozo, o organismo torna à indiferença, e não te lembras dos teus dedos que praticaram o ato. Não havendo nada que perdure, é natural que a memória se esvaeça, porque ela não é uma planta aérea, precisa de chão.

Entre todas as metáforas, a mais adequada não tem condição feminina nem masculina. Nem condição humana. Os dois episódios — o passado, de 1888, quando Nabuco oferece a si o ramo de Tasso, e o futuro, de 1905, quando oferece o ramo a Machado — são aproximados e expressam única e exclusivamente a adulação, de que fala Erasmo de Rotterdam no *Elogio da loucura*. O filósofo põe em ação dois bons e honestos burros. Os dois burros se coçam um ao outro. Se um dos burros coçar melhor o outro, esse há de ter nos olhos algum indício especial de satisfação.

Mistério dentro do mistério. À maneira do mímico no palco, o romancista Machado de Assis expressa boa parte das palavras de Erasmo com competência, mas salta, como é de hábito dos mímicos, as conclusivas, deixando-as para o leitor catá-las. Copio-as eu do *Elogio da loucura*: "Essa adulação é o mel, o condimento de toda a sociedade humana".

Copiei-as e as comento. Quando se nega a alguém a glória em vida, ele acaba por tê-la recompensada em jantar comemorativo e elegante, e na hora da sobremesa. Ainda que se sirvam do pudim em modesta fatia, o beneficiador e o beneficiado se lambuzam com o mel da calda de ameixas secas. As três letras da palavra "mel" abrem o advérbio "melhor" e também o todo-poderoso substantivo "melancolia".

O acadêmico Sousa Bandeira toma posse na Academia Brasileira de Letras. Terminada a cerimônia, Graça Aranha, a pedido de Joaquim Nabuco, faz a entrega a Machado de Assis do (segundo) ramo do carvalho de Tasso, devidamente autenticado pelo síndico de Roma. Pena que o discurso de Graça Aranha não seja completamente verdadeiro. Ele quis traduzir em prosa poética o momento em que um viajante — cheio do recolhimento que as coisas eternas inspiram sob o Janículo, num cenário de cores maravilhosas, onde esvoaçam espectros que vêm da história — para em frente a um mosteiro dos jerônimos e, tendo Roma aos pés, perde-se na contemplação de uma árvore. É o carvalho de Tasso. Pena que a bela e comovida descrição da colheita e posse do ramo do carvalho de Tasso por Joaquim Nabuco caia como luva no burocrático encarregado dos negócios na embaixada do Brasil em Roma.

Mais verdadeiras são as palavras ditas por Machado de Assis dias depois de ter recebido o ramo de carvalho: "Naquela noite não agradeci de palavra o que me fizeram e disseram, não só porque nunca me coube improvisar nada, e apenas sei ler atado e mal, mas ainda porque não poderia falar, se soubesse, tal foi a minha comoção".

A comoção silencia Machado de Assis no ato. Obsessivo e canhestro, ele usufrui o coroamento por Nabuco e pelos pares, prevendo que as hipóteses desenvolvidas por ele com vistas ao engrandecimento da prosa literária no Brasil não podem ser comprometidas pelo improviso, sobretudo se este for de sua própria responsabilidade. Quem escreve atado e, quando em público, mal, também lê mal, se comovido. A agulha que rabisca palavras na planilha do sismógrafo governa toda e qualquer experiência de escrita. E até de fala.

Machado gagueja desde sempre e gaguejaria para todo o sempre.

Se Graça Aranha é quem entrega na Academia Brasileira de Letras o ramo do carvalho de Tasso a Machado de Assis, é Magalhães de Azeredo, o preterido na cerimônia de posse do acadêmico Sousa Bandeira, quem lhe envia de Roma um livrinho que ele, quando reescava a memória e nela soa a referência negativa de Nabuco à tela *Transfiguração*, procura feito cavaleiro em busca do Santo Graal.

Motivado pelas alusões elogiosas feitas por Stendhal em seus escritos à tela de Rafael e decepcionado com a decepção de Nabuco diante da tela contemplada na pinacoteca do Vaticano, o que é mera obsessão de Machado de Assis, entre tantas outras, se transforma em curiosidade à flor da pele. Na impossibilidade de apreciar a *Transfiguração* com os olhos que a terra haveria de comer, contentara-se com reproduções. Pouco contente com elas, quer ler algum livro que discorra em profundidade sobre a famosa tela.

Não é difícil conseguir no Rio de Janeiro a biografia de Rafael, escrita pelo historiador da arte italiano Giorgio Vasari. É importante capítulo da coletânea de biografias intitulada *As vidas dos artistas*, publicada em Florença em 1550 e desde então republicada com relativa constância nas várias línguas europeias. Tampouco é difícil conseguir emprestado o volume que lhe interessa. A abordagem biográfica e estética dos trabalhos de Rafael traduz a experiência pessoal de Vasari com a maioria das telas do pintor, quando visita Roma no ano de 1529 e examina e estuda os trabalhos dos artistas do Alto Renascimento, que pertencem à geração anterior à dele.

Depois de passar ao leitor interessado os dados biográficos essenciais de Rafael, Vasari se dedica à apreciação das sucessivas obras do artista. Primeiro, situa cada uma delas em relação ao mecenas atuante naquele momento. Descreve, em seguida, os trabalhos um a um e finalmente elogia os traços figurativos e as vibrações das cores, detalhes que merecem destaque e lhe parecem originais. No final da curta biografia e da análise sucinta das obras, chega à tela *Transfiguração*. De imediato informa que foi encomendada pelo cardeal Júlio de Médici e, caso Rafael não tivesse morrido pouco depois de pintá-la, o futuro papa Clemente VII teria presenteado com ela a catedral de Narbonne, na França, de que era então o arcebispo. O Acaso o leva a oferecê-la à pequena igreja de Roma.

Rafael morre na grande sala onde vive e trabalha. Os amigos decidem colocar a *Transfiguração* à cabeceira da cama. O corpo se entrega ao repouso definitivo no mesmo dia, uma Sexta-Feira Santa, em que viera à luz trinta e sete anos antes. Dias depois da morte, Rafael é levado em procissão fúnebre até o Panteão romano, onde é enterrado. Posteriormente, em 1523, a *Transfiguração* será encaminhada pelas mãos do mecenas, cardeal Júlio de Médici, para o altar-mor da igreja de São Pedro em Montório, onde permanece por duzentos e cinquenta anos.

A apreciação da *Transfiguração* por Vasari é sucinta e definitiva. Ressalta que Rafael pinta figuras e cabeças duma beleza extraordinária, e extremamente diversificadas, expressivas e atuais. Entre as inúmeras telas que Rafael pintou, a *Transfiguração* é a mais formosa e a mais divina, segundo o consenso dos amigos artistas. A mais digna de elogios. O biógrafo passa em seguida à descrição das duas metades destoantes do quadro, cujas tramas são extraídas quase ipsis litteris do Evangelho segundo São Mateus, capítulo 17. A primeira das metades, a superior, dita "A transfiguração de Jesus", incorpora os versículos 1 a 13; a segunda metade, a inferior, dita "A pouca fé dos discípulos", os versículos 14 a 20.

Na metade superior da tela, se representa Cristo transfigurado na sua divindade. Entre a terra e o céu, no ar, iluminado por um clarão esplendoroso, tem ao lado os profetas Moisés e Elias e, prostrados pelo monte Tabor, os discípulos Pedro, Tiago e João, que protegem os olhos da potente luz divina que se irradia sobre o alto do monte. Ao abrir os braços — em gesto que antecipa a morte pela crucificação — e alçar a cabeça de modo augusto e altaneiro, Cristo, em bata cor de neve, mostra a Essência e a Divindade das Três Pessoas, atadas estreitamente pela perfeição da arte de Rafael.

Na metade inferior da tela, aparecem nove discípulos de Cristo. Em frente a eles, concentra-se um grupo variado de pessoas do povo. Destaca-se um rapaz epiléptico, motivo para o encontro desencontrado entre Jesus lá no alto e os discípulos cá embaixo. O rapaz está à espera do gesto milagroso, que só poderá vir do Salvador.

Retorcendo-se em convulsão, o jovem quer ficar de pé. Grita e revolve os olhos para o alto. Esboça um gesto forçado e temeroso em direção ao Filho de Deus. O sofrimento humano contaminado pelo espírito maligno está à vista na sua carne, nas veias e no pulso. O velho que abraça o rapaz ao mesmo tempo o ampara, e, ao levantar as sobrancelhas e enrugar a testa, revela também força e medo, simultaneamente.

À frente da cena dramática, destaca-se uma mulher ajoelhada, de perfil. Figura enigmática, sua cabeça está virada para os apóstolos. Seria Pandora?

Machado investiga melhor os Evangelhos. Consulta a versão dada para a segunda trama pelo evangelista Marcos, "O epiléptico endemoninhado" (capítulo 9, versículos 14 a 28), e fica chocado. Já no subtítulo, a doença do jovem vem substantivada e adjetivada pelo evangelista e a descrição do seu gestual segue o estilo realista-naturalista que lhe chega de Émile Zola e de Eça de Queirós, estilo que o evangelista Mateus tentou subverter pela descrição que sugere os fatos mais do que os mostra. Machado prefere Mateus, mas não reprime o estilo brutal de Marcos.

Segundo Marcos, onde quer que o espírito se apodere do rapaz, joga-o no chão. Ele espuma, range os dentes e fica rígido. Jesus pergunta ao pai do rapaz: Desde quando lhe acontece isso? Desde a infância, responde o pai. Muitas vezes já o atirou no fogo e jogou na água, para matá-lo. Ao curar o jovem, Jesus consegue o que o pai não consegue. Mata-o, para ressuscitá-lo em seguida. Instado pelos discípulos, que tinham fracassado ao querer livrar o corpo jovem do espírito maligno, Jesus contesta-os, como no púlpito da igreja o pregador aos devotos: "Essa espécie de demônio não se pode expulsar senão pela oração".

Ou não seria pelo assassinato e pela ressurreição por Cristo? — pergunta Machado lembrando o detalhe dos olhos do rapaz na *Transfiguração*.

Só em princípios dos anos 1890 é que Machado recebe inusitada indicação de leitura. O título dum livrinho que apresenta a leitura da tela já clássica. Tomada pela comichão, a curiosidade passa a coçar ainda mais.

O ensaio exegético indicado tem por título *Examen analytique du tableau de la* Transfiguration *de Raphaël* e se encontra traduzido em várias línguas. Seu autor é Benito Pardo di Figueroa, diplomata, militar e crítico de arte galego, conhecido como El Señorito de Fefiñáns. O pequeno volume fora publicado em Paris, em 1805. A análise da obra-prima de Rafael foi feita quando a *Transfiguração* teve curta passagem pelo Museu Napoleão (Museu do Louvre). Derrotados nas Guerras Napoleônicas, os franceses a devolveram à Santa Sé, onde permanece até os nossos dias.

O tormento de Machado só se acalma no dia em que recebe das mãos de Magalhães de Azeredo, então em visita aos familiares no Rio de Janeiro, um exemplar do livro, com capa em cor esmaecida. O diplomata, destacado para servir na embaixada do Brasil em Roma, o compra de um *bouquiniste* francês, que é seu fornecedor de raridades bibliográficas. O *bouquiniste* é dono duma banca próxima ao Pont Neuf, às margens do rio Sena. Como se tivesse tirado um coelhinho da cartola, o terceiro M. de A. entrega a brochura ao primeiro M. de A., dizendo-lhe que ele ficará encantado com a prosa inventiva de Benito Pardo. Acrescenta que Benito é galego de nascimento e tinha pertencido ao corpo de elite das tropas de Napoleão Bonaparte em guerra contra os britânicos. O livrinho tinha sido escrito no início da guerra entre o Reino Unido e a França.

O crítico de arte galego faz uma apreciação moderna, técnica e ampla da *Transfiguração*. Detém-se primeiro na análise do grupo de personagens sublimes. O movimento de ascensão ou de elevação da figura de Cristo vem impresso na própria ves-

Folha de rosto.

> **EXAMEN ANALITIQUE**
> DU TABLEAU
> DE LA
> **TRANSFIGURATION**
> DE RAPHAËL,
>
> TRADUIT DE L'ESPAGNOL DE M. BENITO PARDO
> DI FIGUEROA,
>
> *PAR S. C. CROZE-MAGNAN,*
> *Auteur de la partie descriptive et littéraire du*
> *MUSÉE FRANÇAIS, publié par MM. Ro-*
> *billard-Peronville et Laurent.*
>
> **PARIS,**
> Chez DEBRAY, Libraire, rue S. Honoré, barrière
> des Sergents.
> AN XIII. = 1805.

te, que, ao contrário da maioria das representações pictóricas do filho de José, não deixa desnudado o torso da figura divina. Rafael recobre todo o corpo com roupa mais branca que a neve, seguindo a indicação dos Evangelhos. Pinta uma veste cheia de transparência e sensível aos fluidos aéreos. Suplementada por capa, a parte superior da bata se agita ao vento que anima e dá vida ao corpo em transfiguração. A parte inferior da bata, colada às pernas, não esvoaça.

A metamorfose do homem em Deus não é representada como voo pelos ares, ou como efeito de força que lhe é exterior.

Emana do próprio corpo do transfigurado a força suprema que transfigura. A imagem do ser humano em vias de se transfigurar é delineada pela imaginação poética de Rafael por traços nítidos e vigorosos. Exprimem a mais nobre beleza da idade viril, fortalecida e exaltada pela impressão de essência divina. O homem existe em suspensão extática nos ares, sob a forma absoluta do sobrenatural.

Os detalhes transcendentes, ao se esbaterem contra as formas severas e as figuras veneráveis dos dois profetas abaixo e contra a atitude de temor e de humildade dos três discípulos prostrados no cume do monte Tabor, salientam ainda mais a majestade da figura principal, projetando sobre ela um brilho celeste que espanta e encanta o espectador.

Benito Pardo afasta em seguida os olhos da metade superior do quadro, voltando-os para o sopé do monte. As alegrias inexplicáveis da manifestação de glória se somam à imagem da felicidade celeste e se perdem. Baixam-se os olhos. Na metade inferior da tela, terrena, ressaltam-se a miséria da humanidade sofredora, a angústia da dor e o lamentável espetáculo da insuficiência das forças humanas na resistência ao ataque do inimigo comum. A doença.

Possuído pelo espírito do mal e no meio de convulsão epiléptica furiosa, um jovem de sete a nove anos (sigo Benito ao pé da letra), cercado dos familiares, se apresenta aos nove apóstolos de Cristo. Um deles fecha o livro que teria aberto para consultar e todos do grupo, desenganados, esperam que o Redentor, do alto do monte em que se passam prodígios maravilhosos, lance o olhar que favorecerá definitivamente o enfermo. Privados da presença, dos conselhos e do poder do mestre divino, os discípulos reconheceram que suas forças não eram suficientes para operar o milagre. Não conseguirão liberar o jovem infeliz dos tormentos físicos cruéis.

Ajoelhada e vista pelas costas, uma bela mulher, no proscênio do quadro, permanece enigmática. Chama-me Natureza ou Pandora; sou tua mãe e tua inimiga.

Presa da convulsão mais violenta, devorado por tormentos indescritíveis, o rapaz se agita furiosamente. Revira os olhos para o alto de maneira assustadora. Solta gritos frenéticos. Debate-se como desesperado. Parece querer se jogar ao chão.

A força dos músculos do jovem epiléptico é expressa de modo justo e sem exagero. Benito nota a desfiguração anatômica dos membros, representada de maneira tão verdadeira que os ossos, como lâminas afiadas de tesoura, abrem casas na pele e se desabotoam para os olhos do espectador. A imagem que Rafael pinta do rapaz e exibe a todos e a qualquer um é amargurada e amarga, efeito das crises semelhantes e repetidas por que ele passou e passa. As sucessivas convulsões tanto desordenam as formas anatômicas do corpo humano quanto desbotam a cor da carne. O colorido da pele é amarelado e seco e contrasta com as cores doces e harmoniosas, dominantes nos demais corpos humanos representados.

Rafael é incapaz de pensar que sobressaem na musculatura da primeira juventude a energia, a vitalidade e a rigidez que ela só virá a adquirir na vida adulta. No desenho da figura do jovem, Rafael realça o pescoço, os músculos mastoides e as veias jugulares porque, em seres de pouca idade, essas partes são as que se incham com frequência. No final, desperta a comiseração do espectador a figura que, pelo aspecto diabólico, lhe deveria causar terror.

Benito Pardo guarda reservas em relação à leitura da obra de Rafael feita pelo crítico de arte alemão de formação neoclássica Anton Raphael Mengs, que o precede de um século. Reservas semelhantes guarda Machado de Assis em relação à experiência estética que lhe foi narrada pelo confrade mais jovem,

Joaquim Nabuco. O neoclássico Mengs acredita que Rafael não estudou suficientemente as telas e as esculturas da Antiguidade. Desconhece, portanto, a beleza ideal das formas humanas. Não a duplica na atualidade renascentista e, por isso, não é um dos muitos iluminados perfeccionistas que questionam a arte feita na Idade Média.

Em evidente tom malicioso, Mengs escreve que, desenhadas por Rafael, as cabeças de Virgem agradam ao espectador menos pela beleza e mais pela expressão e na maioria das suas telas, acrescenta ele, quase todas as figuras femininas fazem uma espécie de careta para sorrir, o que lhe parece o oposto da verdadeira beleza clássica.

Será que é com a ajuda da análise e das palavras de Mengs que se deve compreender o enigma da bela mulher, ajoelhada e vista de costas, no proscênio do quadro? Machado deixa de lado a pergunta. Não quer mais entrar em digressão delirante. Quer inventar um caminho que lhe seja familiar.

Segundo Benito Pardo, faltam a Mengs a prudência no julgamento e a imparcialidade em importantes tomadas de posição crítica. Justifica-se, dizendo que a maneira de desenhar de Rafael lhe parece absolutamente original, já que as obras-primas do mestre não se ressentem do gênero de imitação literal da beleza ideal grega, tão comum em bons artistas de sua época. Eis a simples razão por que as pinturas de Rafael não se entregam ao espectador como mera cópia da Antiguidade ou como imitação dos contemporâneos que imitam o cânone clássico.

Não há dúvida, Rafael admira os clássicos e os estuda pacientemente. Sem os copiar. Adapta a beleza dos traços humanos das figuras que pinta ao grande modelo da Natureza. Da combinação entre beleza clássica e traços naturais e do aperfeiçoamento gradativo dessa combinação inédita resulta um legítimo e autêntico sistema de desenhar antes de pintar que embeleza todos os detalhes da tela a óleo pela pureza, elegância e harmonia das formas.

As agudas e pertinentes reflexões do militar galego e crítico de arte sobre a autêntica originalidade do trabalho de pintura associado ao desenho entusiasmam Machado de Assis, cujo forte é a combinação entre os traços naturais fortes do tipo humano luso-brasileiro aos padrões da beleza clássica ocidental. Rafael não chega à originalidade pela mera aproximação do novo ao velho, ou pelo simples confronto do atual com o antigo. Procura-a, antes, no modo como, ao passar pelo fecundo atalho da Natureza, desnorteia a apregoada e louvada imitação dos clássicos. Atalho subversivo.

Machado pressente que, por detrás da imagem figurada segundo o cânone clássico, por detrás da referência ao padrão que pretende alçar o moderno à condição de eterno, agiganta-se um gesto de desobediência do artista. Ele quer começar a obra sublime pelo desenho das pessoas que frequenta no seu cotidiano ou que lhe servem de modelo quando, bom observador, caminha pelas ruas do Rio de Janeiro. Seu olhar está sempre atento ao que o rodeia no dia a dia, e as imagens derivadas da observação enriquecem, em obediência ao desenho dos corpos masculinos e femininos à sua roda, o trabalho anatômico das figuras celestiais no momento em que as pinta na tela.

Numa obra de arte moderna, que se quer clássica por imitação de modelo canônico, a vida instintiva do pintor tem sua parte importante na gênese e no planejamento, e também no processo de sua execução.

Machado se deixa surpreender pela crítica que Benito Pardo faz ao alemão Anton Raphael Mengs e se emociona. O escritor carioca busca o fundamento das suas próprias descobertas teóricas numa notável comparação feita por Benito a partir de exemplos que se encontram no interior do próprio Museu Napoleão, onde a *Transfiguração* esteve exposta na época em que o crítico examina a tela a óleo e escreve o ensaio.

Num primeiro momento, o crítico desloca seu interesse do objeto de estudo, a *Transfiguração*. Desloca-o para aproximar o rosto da Virgem, tal como representado no quadro *Sagrada Família*, com o estudo e o desenho que o próprio Rafael fez de figura feminina semelhante, valendo-se então de modelo-vivo de mulher, que lhe é querida.

Num segundo momento, o crítico compara a figura da Virgem, representada na *Sagrada Família*, tela a óleo, ao desenho a lápis de uma mulher do povo, para contrastá-los.

Feito com lápis sanguínea, o desenho produz no papel uma imagem feminina de cor seca, castanho-avermelhada escura, tipo barro, semelhante à terracota. É esse esboço de mulher do povo que, segundo Benito, está por detrás da figura da Virgem Maria na obra-prima de Rafael, que se encontra no mesmo museu em que está exposta a *Transfiguração*. Só que o desenho não está em salão nobre. Encontra-se arquivado na Sala de Desenhos, onde é catalogado sob o número 233. O Acaso na redistribuição das obras de Rafael pelas dependências do Museu Napoleão, hoje do Louvre, precede também a coincidência na análise crítica.

Na fragilidade do despretensioso desenho em lápis sanguínea duma mulher do povo se anteveem a perfeição do traço figurativo e o encanto da Virgem representada na famosa tela a óleo. No desenho, o contorno da figura do menino, que a mulher levanta até o colo pelos braços, está só marcado e apenas ligeiramente. Ali está para definir posteriormente e determinar concretamente a postura física da Virgem, principal figura na tela *Sagrada Família*, ao lado do filho.

Ainda no desenho, a mulher arregaça a parte inferior da roupa e a prende. Ao ser eleita para modelo-vivo, a bela mulher deve ter se apresentado ao sedutor Rafael, exibindo em total nudez as pernas e parte das coxas. A manga esquerda da vestimenta está também arregaçada como se fosse blusa de mulher trabalhadeira que tem de deixar o braço nu até quase a axila.

Na comparação entre o desenho a lápis e a tela a óleo, Benito Pardo descobre uma nova e diferente fase na elaboração da obra de arte que passa a ter a marca registrada de Rafael. Ele desenha a lápis o modelo-vivo e recorre ao próprio desenho para, num segundo momento, poder ajustar de modo mais adequado e em obediência à verdade verdadeira a vestimenta no corpo da Virgem, que estava quase nu no desenho.

Quando sobressaírem vestidas na tela pintada a óleo, serão lindas e sublimes as formas da mulher desenhada quase nua.

No desenho, observa Benito, as proporções anatômicas são agradáveis, ainda que partes do corpo sejam por demais curtas. E a cabeça é bela, seguindo a ordem comum ditada pela Natureza nos países meridionais. Os lábios sorriem com graça e a expressão da boca lhe parece autenticamente natural. A figura da mulher é mais agradável ao olhar masculino que majestosa à vista de todos.

Depois de ter surpreendido a alma e a vida que lhe são oferecidas pelo modelo-vivo, a quem ele ama de paixão, Rafael se entrega — na pintura da tela a óleo — ao trabalho de corrigir as desproporções físicas naturais. As cuidadosas pinceladas salientarão ainda mais a beleza feminina e enobrecerão a expressão do personagem sublime.

Nesse segundo momento da criação, e só nele, Rafael tem em vista a lição dos mestres da Antiguidade.

Pensa Machado que o arcabouço clássico, que informa a escolha do tema bíblico e conforma a figuração objetiva dos personagens em ação nos seus romances, se deixa subverter pelos próprios sentimentos à flor da pele no seu cotidiano. No caso das figuras femininas, suas fortes personalidades se deixam subverter com as sensações fortes e viris que lhe proporcionam seus grandes e sucessivos amores. Ele também vive às voltas com as *vitórias* e as *derrotas* de amante frustrado no amor, como salienta Stendhal ao analisar o complicado, insuficiente e, por isso, carente relacionamento do homem com a mulher.

Não há como não lembrar os poucos dias que antecedem a morte de Rafael. Machado volta a pedir ajuda ao relato biográfico escrito por Giorgio Vasari. Pede uma vez mais a Gonzaga Duque o volume que lhe tinha pedido emprestado e o consulta. Ao lado das mãos que sustentam o livro de Vasari, Machado tem agora as várias folhas empilhadas do manuscrito do *Memorial de Aires*.

Machado relê Vasari. Rafael se sente impelido a buscar novos amores nos últimos dias de vida. Entrega-se sem medida aos prazeres. No último dos encontros amorosos furtivos, ele se exalta mais do que de costume e volta para casa com febre intensa. Chamados, os médicos julgam que se trata de mero abscesso, *abscesso quente*, como se diz no jargão da medicina, cuja verdadeira causa é na maioria das vezes desconhecida e só chega a ser determinada pelo exame cuidadoso do corpo febril. Rafael não lhes tinha confessado os excessos amorosos a que se entregara.

Os médicos o submetem à sangria, quando na realidade é o organismo que está debilitado e só precisa de intervenção localizada — no próprio *abscesso quente* — que lhe restaure a saúde. Sabendo-se à beira da morte, Rafael dita o testamento e, como bom cristão, pede à companheira amada para sair de casa, deixando-lhe o necessário para viver honestamente.

Machado deixa de lado Stendhal e Vasari. Olha do alto e de frente o manuscrito do *Memorial de Aires* na escrivaninha, e pensa que a morte — assim como as circunstâncias de vida a envolverem o trabalho artístico — é solidão. A morte e a escrita literária são o desvanecimento progressivo da presença da mulher na vida do homem e na criação artística.

Escolheu casualmente a palavra "desvanecimento". Fica feliz com a escolha.

Em "desvanecimento" há a satisfação do prazer, há também o sentimento de orgulho e de vaidade, e até de presunção, e há finalmente a palidez da pele e o desaparecimento do corpo feminino. Na concreção, ou seja, na própria experiência de vida e na palavra literária que ela exprime, explicita-se a complexidade da sensação humana e artística.

De volta ao ensaio de Benito Pardo, Machado observa que o crítico contrasta o esboço a lápis sanguínea e a tela a óleo a fim de enumerar as mudanças operadas pelo pintor ao transportar os traços da mulher do povo para os da Virgem.

Aperfeiçoa o pescoço, emprestando-lhe proporções mais belas.

Altera a oval do rosto, ondulando algumas partes por demais retas do seu contorno.

Empresta ao queixo e à boca a forma encantadora e virginal que tanto se admira e que segue o estilo da *Vênus de Médici*, estudada por Botticelli para a tela em que retrata o nascimento da deusa.

Aprimora o contorno dos olhos e corrige o oco da cavidade, dando maior grandiosidade a essas partes do rosto, como se observa na figuração das Níobes.

Abre maior espaço para a testa a fim de liberá-la à plenitude.

Conforma o nascimento do nariz na testa obedecendo à forma estabelecida pelo gosto clássico.

Torna enfim mais esbeltas as formas excessivas do corpo, levando-as à mais elegante e mais bela simetria.

Mas onde brilha originalmente o desenho ideal de Rafael, continua Benito, é na arte engenhosa que transforma o alvoroço da boca original, dado de presente ao artista pelo modelo-vivo. O sorriso natural da mulher era amável e gracioso. Rafael lhe acrescenta a marca indelével da nobreza, da majestade e da simplicidade. Da inocência virginal.

Reunidos, os detalhes enumerados no desenho e tal como transportados para a tela representam a expressão prodigiosa duma mulher, a Virgem Maria e seu filho, que nenhuma cópia ou gravura do seu tempo chegou a representar com tanta audácia e perfeição. Por causa do contraste entre a composição dinâmica da *Sagrada Família* e a composição mais harmoniosa das madonas florentinas que lhe são anteriores, alguns contemporâneos de Rafael julgam que Giulio Romano foi o corresponsável pela concepção na tela a óleo das figuras do Novo Testamento. Rafael teria apenas recoberto de tinta o esboço de São José. Com os argumentos levantados e enumerados por Benito, a tese é derrubada.

São de Rafael a elegância delicada e sutil criada pelo contorno do corpo da Virgem e o dinamismo rítmico que resulta do movimento afetuoso de Jesus em direção à mãe, bem como — dirão outros críticos mais tarde — a ação do anjo que joga flores sobre a cabeça da Madona, a preceder a escola maneirista.

Machado de Assis aprofunda os olhos no cartão-postal que reproduz a *Transfiguração*. Mais do que a divisão em metades da tela, a acompanhar a ordem dos acontecimentos que se assenta na narrativa retilínea proposta pelos Evangelhos, perturba-o a justaposição no espaço pictórico de duas narrativas aparentemente tão distintas mas na verdade complementares. Percebe que, pelo efeito de simultaneidade, são dramatizadas duas formas de interlocução silenciosa. Em toda a tela, o Cristo, os profetas, os apóstolos e os familiares do rapaz epiléptico não falam.

Exprimem-se por gestos, como mímicos.

Em toda a tela, só se ouvem os gritos desesperados do rapaz. Só ele sobrevive às pequenas e sucessivas mortes que são as convulsões que o açoitam e o jogam por terra, ano após ano. Ao passo que os seres humanos nascem e morrem numa geração e renascem e voltam a morrer na seguinte, o rapaz morre e simultaneamente renasce, a cada instante em que sofre a ausência. Rafael o privilegia em toda a tela.

O rapaz epiléptico se exprime por sons e os consegue exprimir sobrenadando as figuras divinas e as figuras terrenas, porque só ele sabe — antes mesmo do Cristo que o cura — o verdadeiro significado da dor que mata e da dor que ressuscita.

Por serem únicos e exclusivos, os gritos do rapaz rebentam os tímpanos do bom observador que é Machado de Assis.

Ele repara melhor: a narrativa retilínea da *Transfiguração*, que engloba as duas metades da tela pela simultaneidade, está nos gritos, nos olhos e especialmente nos braços do rapaz. Os gritos reestruturam o todo do corpo em convulsão e os olhos. Estes, voltados de baixo para o alto, salientam a figura do Salvador, e os braços, à semelhança da hélice que, se parado de repente o motor, deixa uma das pás virada para o chão e a outra para os céus.

Diante da narrativa global, tal como exposta em duas metades por Rafael, permanece uma dúvida no espírito de Machado de Assis e muitas perguntas.

Os gritos lancinantes do jovem, seus olhos voltados da terra para os céus e seus braços a movimentarem uma nova ordem para o universo dos seres humanos não teriam sido pintados para exprimir uma forma de êxtase, de elevação?

Uma elevação menos branca e menos luminosa, mais negra e mais obscura, mais enigmática que a dada pela transfiguração do Cristo? Seu corpo passaria também, segundo a lição de São Marcos, pela morte e pela ressurreição.

Tel qu'en Lui-même enfin l'éternité le change (Stéphane Mallarmé)

☦

Cheiro forte

Tijuca, 24 de dezembro de 1908

Meu caro Amigo,

Recebi ontem as duas cartas de 21 e 22. Deram-me grande prazer, ainda que me avivassem saudades do nosso Machado. Não só porque falavam dele, como porque nos outros anos e no princípio deste aqui me vinham as duas carinhosas cartas, que há pouco tempo reli, depois de reler as que eu cá lhe havia escrito. A sensação de sua falta não tem diminuído; parece-me ao contrário que vai aumentando com o decorrer dos dias. Tenho presente a meus olhos o quadro mortuário; vejo-o naquela modesta cama em que o vi os três últimos dias; reproduzem-se os seus gestos, as suas palavras; e tudo me fica na visão, como uma sombra que escurece o espetáculo da vida. Presumo que é isso que me tem feito mal. Quando na cidade eu me ocupava em compor os papéis dele, havia em mim um constrangimento espiritual que em certos momentos se tornava intolerável; não me distraía então a natural curiosidade do que podia encontrar ali de precioso. Fisicamente também me sentia mal, porque até aquele cheiro característico de moléstia da boca reaparecia insistentemente.

Tijuca, 24 de Dezembro de 1908

Meu caro Amigo,

Recebi hontem as suas cartas de 21 e 22. Deram-me prazer grande, ainda que me avivaram saudades do nosso Machado. Não só porque palavras delle, como porque nos outros anos e no principio deste aqui me vinham as suas carinhosas cartas, que ha pouco tempo reli, depois de reler as que eu de cá lhe havia escrito. A sensação de sua falta não tem diminuido, parece-me ao contrario que vai aumentando com o decorrer dos dias. Tenho presente a meus olhos o quadro mortuario, vejo-o naquella modesta cama em que o vi os tres ultimos dias, reproduzem-se os seus gestos, as duas palavras; e tudo me fica na visão, como uma sombra que escurece o espectaculo da vida. Presumo que é isso que me tem feito mal. Quando na cidade eu me occupo em compor os papeis delle, havia em mim um constrangimento espiritual que em certos momentos se tornava intoleravel; não me distraía então a natural curiosidade do que podia encontrar ali de precioso. Fisicamente tambem eu me sentia mal, porque até aquelle cheiro caracteristico da molestia da boca reaparecia insistentemente. Trazer

Primeira página da carta escrita por Mário de Alencar, na Chácara do Castelo, no dia 24 de dezembro de 1908.

Agradecimentos

Agradeço a José Mário Pereira. E também às amigas e professoras Margarida de Souza Neves e Maria Helena Werneck e aos pesquisadores André Bittencourt, Maurício Hoelz e Paulinho Maciel.

Agradeço a Luiz Schwarcz e a Sofia Mariutti pela leitura preliminar do manuscrito.

Evidentemente, todo o romance é de minha única e exclusiva responsabilidade.

O poema citado no capítulo "A Roda da Fortuna, a Roda dos Enjeitados" é da autoria de Carlos Vogt.

Créditos das imagens

p. 5: *The Transfiguration*, c.1519-20 (oil on panel), Raphael (Raffaello Sanzio of Urbino) (1483-1520)/ Vatican Museums and Galleries, Vatican City/ De Agostini Picture Library/ Bridgeman Images/ Fotoarena

pp. 21, 30, 55, 95, 99, 104, 105, 124, 130, 147, 159, 181, 183, 186, 205, 207, 217, 218, 219, 223, 290-1, 303, 327, 335 e 347: Arquivo da Fundação Biblioteca Nacional

pp. 26, 176 e 336: Acervo PCRJ/AGCRJ

pp. 50, 73, 264 e 418: Reprodução de Jaime Acioli/ ABL

pp. 72, 126, 325 e 327: Foto de Paloma Malaguti/ Arquivo da Fundação Biblioteca Nacional

p. 80: Jornal do Século, 1903/Jornal do Brasil/CPDOC JB

p. 96: Reprodução de Jaime Acioli/MHN

p. 101: Marc Ferrez/ Coleção Gilberto Ferrez/ Acervo Instituto Moreira Salles

pp. 157, 260, 276 e 305: Reprodução de Jaime Acioli/ Acervo pessoal do autor

p. 172: Granger/ Fotoarena

p. 189: Instituto Histórico Geográfico Brasileiro/ Acervo do Museu

p. 191: Fotografia gentilmente cedida pelo Colégio Bennett

p. 193: Fotógrafo não identificado/ Acervo Instituto Moreira Salles

pp. 213 e 214: Izabel Chumbinho/Iepha-MG

p. 395: Fundação Joaquim Nabuco

1ª EDIÇÃO [2016] 4 reimpressões

ESTA OBRA FOI COMPOSTA POR ACOMTE EM ELECTRA E IMPRESSA PELA
GRÁFICA BARTIRA EM OFSETE SOBRE PAPEL PÓLEN SOFT DA
SUZANO S.A PARA EDITORA SCHWARCZ EM JANEIRO DE 2023

A marca FSC® é a garantia de que a madeira utilizada na fabricação do papel deste livro provém de florestas que foram gerenciadas de maneira ambientalmente correta, socialmente justa e economicamente viável, além de outras fontes de origem controlada.